SSAT

王锐 / 主编

核心词汇与同义词类比

高手速成手册

大连理工大学出版社
Dalian University of Technology Press

图书在版编目(CIP)数据

SSAT核心词汇与同义词类比高手速成手册 / 王锐主编 . —— 大连 : 大连理工大学出版社,2015.10

ISBN 978-7-5685-0130-9

Ⅰ . ①S… Ⅱ . ①王… Ⅲ . ①英语-词汇-高中-入学考试-美国-自学参考资料 Ⅳ . ① G634.413

中国版本图书馆 CIP 数据核字 (2015) 第 217131 号

大连理工大学出版社出版
地址:大连市软件园路 80 号   邮政编码:116023
发行:0411-84708842   邮购:0411-84708943   传真:0411-84701466
E-mail:dutp@dutp.cn   URL:http://www.dutp.cn
大连金华光彩色印刷有限公司印刷   大连理工大学出版社发行

幅面尺寸:185mm×260mm   印张:24.5   字数:648 千字
印数:1~4000
2015 年 10 月第 1 版   2015 年 10 月第 1 次印刷

责任编辑:马嘉聪   责任校对:刘翠琳
封面设计:王付青

ISBN 978-7-5685-0130-9   定 价:52.00 元

序言 Preface

是时候写本大书了，所谓写大书的意思就是我写完这个领域，别人就很难再写。或者说，别人可以写，只能继承发扬，很难超越。很多时候，国人喜爱面子，低调做人，美其名曰"出现问题让人三分"，要留座潇洒的丰碑。对于这个问题，我的看法略有不同，我觉得在做学问方面，好就是好，不好就是不好，没啥藏着掖着的。无论是英雄，还是狗熊，在历史上留名的，从来都是先把事情做好的。我觉得做人做事就是要做自己，不要人云亦云。做学问要静下心来，不要焦躁，外界的生活跟你没关系。要清楚每一个年龄段做什么事情，自己在行业里所处的位置，追求内心的自由。

大书还不够，还得写好书。好书的标准就是不仅能总结过去，还必须可以指导现在，同时也要展望将来。只是过去知识的堆积，不是好书。过去的题目固然价值很高，知识点的总结也全面，但这是基于遇到原题的假设。由此看来，好书必须立足已有，掌握规律，同时也可以揭示未来。

《SSAT 核心词汇与同义词类比高手速成手册》就是根据大书与好书的标准创作的参考书。SSAT（Secondary School Admission Test），即私立高中入学标准测试，是中国学生入读美国私立高中必须通过的一项标准考试。该考试创办于 1957 年，由位于美国新泽西州普林斯顿市的 SSATB（Secondary School Admission Test Board），即中学入学检测委员会负责命题，并且对将近 80 个国家约 6 万名学生进行和监督 SSAT 整年测试。全球大约有 300 多个私立中学一定要求 SSAT 成绩，并被列为入学申请的重要文档之一。因为学校信赖 SSAT 详尽评估的结果，SSAT 会将申请学生的表现与其他非常有竞争力的全球学生群作比较，所以 SSAT 是学生申请入学之时提供给校方非常重要的参考指标。SSAT 考试共分为四个部分：写作（Writing）、词汇（Verbal）、阅读（Reading）和数学（Quantitative）。词汇的考查又分为：同义关系（本书的 Chapter 1 详细介绍了同义选择的思考模式与解题模式）和类比关系（本书的 Chapter 2 详细介绍了类比选择的思考模式与解题模式）。关于 SSAT 这门考试的系统阐述请参见《SSAT 阅读高手全攻略：真题回忆大全》一书。

词汇是语言的基本单位，是进行思维和交际的重要元素。语言学家 David Wilkins 曾经形象地说道："没有语法，就只能传递有限的信息，没有词汇，则什么也传达不了。"由此可见词汇学习的重要性。在正式进入词汇学习之前，同学们应该先做一下 Pretest（预备测试），这个预备测试中的题目与书中正文部分即将介绍的方法相对应。同学们应该测试一下自己的水平，然后根据接下来学到的方法检查你所回答的答案。这些题目是 SSAT 考试 2015 年的真题，也就是上半年刚考过的题目，自然也就具有实际的测试功能。

在所有北美考试中，SSAT 算是一只独苗，因为它同时考查学生对于词汇广度与深度的掌握情况。广度不用说了，将 SSAT 真题中最核心的词汇挑出来，至少有10,000~12,000 个。就深度而言，其中必须正确而且熟练使用的达到了 6000 个词汇及其搭配。本书收录了 SSAT 所有年份真题中同义与类比部分考查到的所有词汇，分名词（Chapter 4）、动词（Chapter 5）、形容词（Chapter 6）、副词（Chapter 7）四个章节进行最细致入微的整理，每个 Chapter 都有相应的练习题目（具体题目见本书的《附赠手册》）作为巩固之用，此为广度的解法。

也有同行经常问我，整个北美考试的词汇实际是有传承关系的，好象很难具体区分哪些词汇是初中或者高中应该掌握的，哪些是本科或者硕博应该掌握的。其实，如果一位教师的教学经验足够丰富，他（她）的确可以非常容易就判断出哪个词汇是属于中学应该掌握的范畴，哪些词汇则相对难度高一些。比如 tadpole（蝌蚪）一词，一看就属于 SSAT 词汇必考的核心词汇。当然，你说这个词汇会不会在 SAT 或者 TOEFL 考试中出现，那的确有这个可能，但是决不可能是必考的核心词汇。synergistic 才是 SAT 的核心词汇，fault 则是 TOEFL 的核心词汇。反正 tadpole 这个词汇就是我当年在中学时代学习到的词汇。一天雨后，我走到海棠路海滨公园的水池，见到许多蝌蚪水中嬉戏，我就想知道蝌蚪用英语怎么说，回去一查是 tadpole。再比如 drumhead 这个词，一定是属于 SSAT 的，这个词有"鼓皮"或者"鼓面"的意思。

以上说到的是词汇的广度，而词汇的深度是指对于一个词汇的把握，不仅应该包括词汇的中文释义，我们更应该了解的是词汇的用法以及与其他词汇的细微差别。从宏观角度来看，词汇学习并非仅仅涉及单个的词汇，词汇的学习离不开它的语用意义以及与语境的关系，即重视它在句子或者语篇中的组构作用。语言学家 Laufer 认为词汇的发展不只是一个量的问题，词汇和知识可能在不同的学习阶段从表层发展至深层。词汇的发展也不应只是熟悉新词，还包括深化已知的词汇。词汇知识的深度和词汇量有着同等重要性。现在，有很多教育从业人员每每吹嘘自己背过字典，这种人只会给同学们的词汇学习以误导。实际上，他们的确背过字典，只不过他们所谓的背过字典，其实就是把字典翻阅了一遍。真正的词汇学习，不是把字典翻阅一遍即可，而是不但要弄懂每个词汇的精确释义，也要弄懂引申的种种习语的确切意义，还得搞定每个经典举例，最后要能将之灵活运用。我在上大学时费的这番工夫，让我终身受益。尽管那会儿，没有百科全书式的电子词典，手机也还没有进化到拥有即时网络或者单词软件的地步，只可以逐一查阅单词书，按部就班。

我觉得，使用电子设备本身没有问题，但是一定要从这些字典中逐渐达到真正掌握常用词汇的目的，这是学习词汇之本。有不少教育人士总是惧怕新兴事物，认为新兴事物就是洪水猛兽，这其实完全没必要，事物本身没有好坏之分，关键是教育者如何引导，孩子们在引导过程中如何变得成熟。即便空暇时间在网上冲浪，也完全可以玩一些词汇类的游戏，我记得我有一个 Fordham 的学生就喜欢玩 hangman 或者 crossword（横纵字谜）。crossword 这类的游戏，自然也是激发学生学习积极性的好方法。

SSAT 对于词汇的考查更是印证了这一说法。SSAT 的类比题目中对于词汇已经深入挖掘到骨髓，比如 2014 年考过这样的一个类比题目，题干是 school is to fish。这里的 school 肯定不是"学校"的意思，否则就跟 fish 无法搭配了。这里的 school，意为"鱼、鲸等水族动物的群；队"，比如 a school of dolphins 就表示"一群海豚"。那个题目的正确选项是 flock is to birds，此处的 flock 意为"鸟群"，这个意思同学们也需要知道。就 SSAT 甚至整个北美考试阶段的深度词汇研究，我已经整理在了本书的"熟词生意"章节（Chapter 11），基本穷尽了整个北美考试阶段会遇到的对于词汇深度的常见考查。

英文词汇的习得意味着学习者内部词汇的积累。词汇的被习得表现在理解和表达两个方面。理解是接受性使用，表达是产生性使用。一般来说，接受性使用先于产生性使用，所以学习者能认知理解的词汇远远较能产生和表达的词汇要多。这就出现了同学们备考的一个主要问题，就是在长期的过程中积累了大量的内部词汇，但是在考试中还是不够用，甚至会出现学过的词汇也不认识的情况。这里有两个原因，一个是记忆上还不够牢固，另一个是许多词汇仅仅是处于领会式掌握状态，没有能够达到用以在言语中表达思想的程度。为此，习得一个词汇的具体要求是多方面的：应该基本上正确发音，包括正确掌握重音和语调；应该熟悉词汇的形态变化和使用中的搭配关系；应该理解词汇的基本意义和一定的具体意义。这也正是测试中对于掌握词汇的要求，而这些要求从来不是一次学习所能达到的，总是通过多次接触，反复再认、重现，逐渐更全面更熟练地掌握词汇的各方面特征。因而任何人任何语言的内部词汇都不是一次形成后固定不变，而是在学习中一直不断变化、发展、丰富的。

那么内部词汇是如何才能丰富起来呢？语言学家 J. Trier 认为，语言词汇在语义上是互相联系的，它们共同构成一个完整的词汇系统。这个词汇系统是很不稳定的，它处于不断变化之中，词汇只有在"语义场"中才有"意义"。由此可见，我们记忆中的英语词汇也是通过各种各样的联系存在于"语义场"中。这种理论为我们的词汇积累过程提供了一条捷径——有意识地在语义上建立各种形式的联系，而不是被动地等待它们形成联系。这就像蜘蛛织网一样，将词汇串联起来背诵。就词汇的串联，有两个方向：一个是横组合关系（Syntagmatic Relations）；另一个是纵聚合关系（Paradigmatic Relations）。关于这两种关系，本书都有介绍。

关于横组合关系（Syntagmatic Relations），比如 aria（抒情调；独唱曲，2014年考词），baton（指挥棒，2014年考词），bow（弓子，2013年考词），brass（铜管乐器，2013年考词），这些词汇其实都是会出现在音乐（Music）这样的一个语境中，它们构成了一个语义场，当我们孤立地去记忆这些词汇的时候，难度比较大，但是如果把它们放在一个语义场里，我们自然可以通过水平（horizontal）、链状（chain）、以及搭配关系（collocation）将这些词汇记牢。本书的 Chapter 8 将 SSAT 中最核心的一些概念，归纳成 19 类横组合关系的语义场，分别是形形色色的人、音乐、建筑、动物、植物、饮食、自然、城市、法律、艺术、文学、经济和政治、天文、气象与环境、宗教、生理与心理、外交、军事、学科、医疗。

阅读文学作品也是扩展横组合关系词群的重要方法，本书的 Chapter 14 就是文学名著初体验，介绍如何在阅读中记忆词汇。其实扩展词群的最佳方法就是大量阅读。当然，阅读本身应该是个兴趣活，也就是说一定要让学生从兴趣开始，比如引导他们从阅读报纸的体育部分或者生活趣闻开始。很多同学或者家长在选择读物之时，会选择那些畅销书籍。这本身没有问题，但是一定要加以指导，因为很多畅销书的词汇水平要么低于中学生的实际水平，要么用词过大导致很难用到，这需要用专业眼光去对待。除了文学作品，观看英文电影或者电视剧也是一个非常好的方法，但是就像之前担心的那样，并不是所有电影都值得去看，值得看的也并非可以引人沉思，引人沉思的也并非可以积累到 SSAT 领域需要掌握的词汇。本书的 Chapter 15 中就详细介绍了适合中学生朋友们观看的影视节目，并给出多段节选，供大家进行难度参考。

纵聚合关系（Paradigmatic Relations）是说在同一个位置上可以互相替换出现的词汇处在互相可以联想起来的关系中，从而聚合成为一类。这种关系叫做聚合关系，又叫做联想关系（associative）、垂直关系（vertical）、选择关系（choice）。比如 SSAT 中，有一类词群经常被考查到，就是以 phobia 结尾的词汇，叫做 irrational fear（非理性恐惧症），这部分内容在本书的 Chapter 16 有详细地阐释。比方说：

chiroptophobia: 蝙蝠恐惧症

choreophobia: 仇恨舞蹈症

chromophobia: 色彩恐惧症

cibophobia, sitophobia: 食物恐惧症

claustrophobia: 幽闭恐怖症

coulrophobia: 小丑恐惧症

cremnophobia: 断崖恐惧症

cryophobia: 冰冻恐惧症

这些可以在线性语链中处于相同的位置，以垂直的形式联系起来，如：

I have *chiroptophobia*.

I have *choreophobia*.

I have *chromophobia*.

...

还有一类比较特殊的纵聚合关系，是由同义词汇形成的，例如"表扬，赞扬（praise）"

这一个语义，在 SSAT 中就有以下这些表达：commend, commendation, compliment, complimentary, accolade, extol, extolment, exalt, acclaim, laud, tout, celebrate, eulogize, eulogy, applaud, glorify, glamorize, aggrandize, plaudit, approbation, tribute。这些意义相关、上下义相近的词汇就可以形成纵聚合关系。

除了纵横的词汇记忆方法，还有另一种有助于丰富小留学生内部词汇的途径，就是借助构词知识，即在掌握了一批重要词根的基础上，迅速吸收有关的同族词汇。在古希腊时期，对于语言的看法有两种：一种是约定俗成派（conventionalist），这一流派以亚里士多德为代表，认为语言是约定俗成的，词汇是不宜解构的，要把词汇当做一个单位看待，是"原子"，不可以也没有必要再加以切分；另一种是自然形成派（naturalist），以柏拉图为代表，他们认为词汇的形成是必然的，是可以解构的。比如柏拉图的学生是这样解构 catastrophe 这个词汇的，cat 意为降落，astro 表示星星，phe 相当于费用，即"突然天上掉下来一颗星星造成了很大费用"，所以 catastrophe 为"灭顶之灾"之意。从记忆单词的角度来说，我们当然趋向"柏拉图"派别的理论，以求发掘单词的内在规律，将其分解成词素，即词根、词缀，而词义是由词素产生的。单词的数量虽然浩瀚，但是词素的数量却非常有限。如果掌握了词素，掌握了解构和重构的原则（即构词法），就能很容易地突破单词记忆的难关，使得我们的记忆具有了"可追忆"和"可追溯"性，从而大大提高记忆词汇的效率。

对英语词汇的解构一般采用词源学（etymology）的途径，最常见的方法就是寻找词汇中的希腊或者拉丁词根和前后缀，也有一些词根词缀出自盎格鲁－撒克逊古语以及法语、意大利语等外来语，这大概可以成功地构建至少六成到七成的英语词汇，鉴于此，有人进一步发展了柏拉图的理论，认为字母组合甚至每个字母都有其特殊含义，比如，ab- 为拉丁前缀，有"from, away, off"之意；以"bl-、sl-、sm-、sn-"开头的词汇多有邪恶之意；gl 开头的词汇则表示"发光"。本书的 Chapter 9 和 Chapter 10 详细阐释了词源在 SSAT 中的具体应用。市面上尽管已经有一些语言学家做的基础工作，但是没有一个是针对 SSAT 的，所以针对这部分，我做了大量的前期工作，在词源科学的基础上，选取的词汇全是 SSAT 中出现的基础词汇。同学们可以以此为蓝本，适当运用构词知识有效地识记、内化、保持和反复运用这些词汇，达到迅速大量积累内部词汇的目的。

除了词源记忆词汇，还有语义对比联想这种方法可用。语义对比联想是指英语中特殊的一对对反义词，这些词汇在语义上是对比的反义词，而在形式和语音上非常接近和相似。放在一起，由于其对仗对偶性，且两个词汇中一般有一个是为大家所熟知的，这样便可通过熟知的那个词汇很容易地记忆另外一个词汇。比如英文习语表达 nature or nurture，nature 我们都知道是"先天"之意，于是 nurture 很容易地记忆出"后天"的意思。再比如英文习语表达 friend or foe，friend 我们都知道是"朋友"之意，foe 自然就是"敌人"之意。具体关于语义对比联想记忆的系统阐述，可以参见我即将出版的另外一本书《新托福写作高手全攻略》，对这种记忆法感兴趣的朋友们可以找来相关章节进行阅读。

老俞是教词汇出身，他的教法主要是后现代联想记忆法，也就是给学生编很多故事和段子去记忆词汇，比如 euthanasia（安乐死）一词，可以记成口诀"欧洲 (eu) 比 (than) 亚洲 (asia) 好"，这种方法的确趣味十足。这一教学法后来被赵丽老师继承与发扬到极致，几乎所有的词汇都可以编出口诀，比如 ponderous（沉重的），可以记成口诀"胖得要死"；abyss（深渊），可以记成口诀"俺必死"，这种方法的确趣味更甚。但是有学者认为这种记忆方法不是很科学，硬记这些故事可能都需要费不少脑细胞。其实，我倒是觉得这种后现代联想记忆，并非完全没有可取之处，因为它并非是当代英语培训人员的首创。早在二十世纪初，中国文人已经就这么做过，比如徐志摩先生将 melancholy（忧郁）一词译为"眸冷骨累"，鲁迅先生将 fair play（公平条件，公平竞赛）译为"费厄泼赖"，朱自清先生将 violin（小提琴）一词译为"梵阿玲"。这些都是典型的语言与语言之间的联想（intralingual association）。这种联想方法必然有牵强附会之感，并不把英语作为语言研究的学生可以采纳。对此，我个人采取"三不主义"，即"不主张，不教授，不反对"。

以上所说的是词汇记忆的方式、方法，但是就词汇的记忆效果而言，还需要辅以心理学的指导，这就是著名的艾宾浩斯（Hermann Ebbinghaus）记忆曲线。他认为，人们在学习中的遗忘是有规律的，遗忘的进程不是均衡的，不是固定的一天丢掉几个，转天又丢掉几个，而是在记忆的最初阶段遗忘的速度非常快，后来就逐渐减慢了，过了相当长的时间，几乎就不再遗忘了。这就是遗忘的发展规律，即"先快后慢"的原则。艾宾浩斯将他的实验数据绘制成图，即艾宾浩斯曲线，很多词汇教师也引用过，不过我觉得这个曲线没太多实用性，因为了解理论永远没有实际操作有价值。所以，有语言学者根据德国心理学家艾宾浩斯的记忆曲线，总结出"八周期背词法"更具有实际操作性。"八周期背词法"的内容是：

周期一：10 个单词（参考数目）为一组将所有词汇分组；用不到 5 分钟的时间背诵第一组的词汇。

周期二：此时 5 分钟已到，请不要看第二组词汇，立即复习第一组词汇，复习的标准是"试图回忆该词汇的意思"。

周期三：然后继续以同样的方式记忆后面的 2~8 组的词汇，每一组都要重复刚才的周期二，即每背完一组词汇，都要再复习一遍本组单词。

周期四：等背完第 8 组后，仍然重复周期二的方法，所不同的是在背完该组词汇之后，请不要再背第九组的词汇，而是进入周期五。

周期五：由于距离背诵第一组词汇的时间已经有了 30 多分钟了，应该立即回到第一组，迅速把 1~8 组的内容复习一遍。

周期六：对于剩下的词汇，仍然在半个小时的时间内，重复周期一到周期五，共用一个小时的时间记忆 16 组 160 个单词。建议大家选择晨时来背诵新的词汇。

周期七：到了晚上，也就是在背诵过单词的 12 小时之后，到了第三个记忆周期一定要复习今天新背诵过的单词。

周期八：到第二天、第三天、第七天、第三十一天再将第一天学习的词汇复习一遍。

与此同时，我们也应该注意到，每个人的生理特点、生活经历不同，可能导致不同的记忆习惯、记忆方式，甚至记忆特点。因此，"八周期记忆法"只是一个参考，每个人需要根据自己的不同特点，寻找到属于自己的记忆曲线。

还有一点需要提醒小留学生朋友，就是记忆词汇的顺序问题。顺序记忆词汇往往给人的压力很大，我们知道以字母 A 开头的英语词汇最为庞杂，不宜迅速驾驭和掌握，极易给人挫折感和失败感。相反，如果选择一个只有几个词汇的 W 字母，情况就大不一样了，数分钟可以将 W 开头的单词全部记住。我将整个北美考试的所有核心单词进行了梳理，发现按照词汇的数目由少至多的排序是：Z Y X Q J K U V W N O L F G I T H M B D E R C P S A，虽然不是完全倒序，但也姑且称之为"倒背如流"吧。此外，根据不少语言学家的研究，发现字母 X U V W O 等开头的词汇由于其语义关系相近，记忆起来要比其他字母开头的词汇容易得多。这里举一个例子，比如 V 字母群，大写 V 形似"山谷、缺口、凹口"，词汇 valley 就是"山谷"之意；V 形经常用于描述各种中空事物，如 vacant 就表示"空的，空白的"，vain 表示"徒劳的"；空之物体因空的特性可以通风，词汇 ventilate 意为"使通风"；通风这一特性又可以引申为声音或者叫唤之意，所以 voice 表示"噪音"。也许有这样的推测，即早期人类首先观察到的肯定是天地、山河、花草、人体等物体本身，然后才考虑万事万物的特性，接着才可以总结抽象到类别的概念，最后再借由这些抽象的概念引申开。

最后，就书的内容而言，全书还有几个章节的遗香，这里一并介绍：

首先是 Chapter 3 的类比选择的秘诀，GRE 自从改革之后就不再考查类比关系了，SSAT 成为有影响力的北美考试中最后一个考查类比关系的考试。Chapter 3 之所以敢称之为秘诀，是因为这一章介绍了 85 种类比关系题目的解法，这次的展示比较深入、系统。

其次是 Chapter 12 的神话与故事传说，SSAT 于 2013 年出了一道类比题，题干是 stygian is to dark，很多同学对 stygian 一词非常陌生，加之通过词源知识很难推测，于是乎称其为难题。stygian 源于神话词汇 Styx，Styx 意为"环绕冥土四周的冥河，阴河"，所以 stygian 一词意为"冥河的，阴间的；黑洞洞的；幽暗的"，这就是神话词源在 SSAT 中的应用。之后，我在给中学生讲课之时，时不时地讲授一些神话与传说故事的词源。比如 Venus（罗马名，希腊名叫 Aphrodite，神话系统往往出现古罗马和古希腊两种称呼体系）的原配老公 Vulcan（罗马名，希腊名为 Hephaestus）如何由于 Venus 与 Mars 的私情演化成单词 volcano；Venus 又如何与情人 Mars 生下私生子 Cupid（罗马名，丘比特），从而衍生出单词 cupidity（贪婪）；Cupid 的情人（Psyche）失恋之后又如何成为精神女神，从而衍化出单词 psychology（心理学）。中学生们对单词记忆非常不感兴趣，但是一提及神话与传说故事便两眼放光。这就是为了中学生们而创作的章节，学生们的兴趣是我这个章节创作灵感的来源。

最后是 Chapter 13 的大词就在你身边，中学生们可以利用身边所有的事物理解 SSAT 中的词汇。imperious 是 SSAT 考试中的一个词汇，难倒了很多孩子，但是你一定在身边接触过这个词汇。在《哈利波特》那部电影中出现的 Imperious Curse 你一定听说过。从这些参考中，你可以得出结论，imperious 的意思跟"重大"有关。其实，这已经足够做 SSAT 的题目了。实际上，imperious 的意思是"专横的；迫切的；傲慢的"。所以，当你不认识一个单词或者对这个单词的意思不太确定之时，试着看看能否记起你曾经在什么地方见过或者听过这个词——电视剧、电影、汽车广告、历史课、饭馆、大街上的广告栏。利用任何你可以想到的途径弄清楚这个词汇的意思。

此外，由于篇幅要求，Chapter4~7 的相应词性练习题和 22 套同义类比关系的套题练习，放在了本书的附赠手册中，并辅以参考答案，同学们在考前务必择取部分或者全部做完。如果想要更深层次地与我交流，同学们可以发送邮件至我的邮箱与我沟通，地址为：teachwang@sina.com。更为直接的方式就是扫描本书封面下方的微信二维码，可以第一时间与我取得联系。

又来到了感谢的环节了，还是由衷地感谢一些人。

感谢大连理工大学出版社的 Tessyli，感谢她向我发出邀请，她自然也就是我的第一读者，从我早起稚嫩的作品，到后来半成熟的作品，她一直等待我重新找到自己。没有她的时常催促，这本书也不可能如此迅速地与读者见面；没有她的灵感闪现，也不会有本书现在的体例。SSAT 这套书是我自写作以来最满意的作品，它的意义不仅仅在于我对于 SSAT 几个部分的剖析，甚至可以用它来向我成熟的写作与职业生涯敬礼。

感谢我的父母，正是他们的无私关爱与大力支持，我才可以醉心于语言研究，最后完成本书的创作。

感谢 Kerry 及 Vivian 妈，她们对于学术的欣赏态度让我感到有种停泊靠岸的宁静。

感谢 Professor Wu，他是我本科阶段的英文导师，更是我人生的导师。

感谢我的发小 Eric Tao，他永远有非凡的创造力，认真、执着，我从中受益匪浅。

另外，编写本书的过程中，以下几位朋友帮助提供和整理了一些资料，在这里也表示感谢，他们是：杨康、张展赫、郎悦琪、郎悦暄、陶卓、马娟、马涛、马卓、王丹青、沈辛、谢正龙、张艳、李博、王一卓、徐德尘、陈思良。在此期间，Wang Tianni、Han Tianyang 等小朋友也提供了帮助，在此一并感谢。也希望你们的青春，因为拥有梦想而美好。

最后，祝福每一位同学在 SSAT 及所有的北美考试中取得优异的成绩；祝福每一位读者从书中都能有自己的收获。

王 锐

2015 年 9 月写于 We House

目录 Contents

SSAT 的词汇部分是对英文词汇的直接考查，实际测试中，Verbal 部分共 60 道词汇题，具体又分为：30 道同义题、30 道类比题。此部分的答题时间为 30 分钟。同义题的题干为一个单词，要求考生从 5 个选项中选出一个和题干中单词意义相同的选项。解答时，除了依靠庞大的识记词汇量，还可使用基于构词知识的猜测和排除等方法。类比题，简言之就是语义配对，比如，题干中所给出的是"frog is to toad"，答案则可以是"turtle is to tortoise"，内在联系为"水生对陆生"。解答这类题，需要挖掘给出的两个词之间的内在联系，甚至是拼写方面的，然后在选项中寻找内在联系类型相同的一项即可。

这个预备测试中的题目与即将介绍的方法相对应。测试一下自己的水平，然后根据接下来的方法检查你的答案。

1. FEASIBLE
   (A) combustible
   (B) classical
   (C) accidental
   (D) possible
   (E) visible

2. TEMPO
   (A) tone
   (B) pace
   (C) clarity
   (D) design
   (E) texture

3. IMPLY
   (A) accuse
   (B) gossip
   (C) flatter
   (D) apologize
   (E) hint

4. ANALYSIS
   (A) diagnosis
   (B) perception
   (C) expansion
   (D) confusion
   (E) suffering

5. PROVOKE
   (A) steal
   (B) stop
   (C) catch
   (D) annoy
   (E) reduce

6. CONFER
   (A) sharpen
   (B) object
   (C) consult
   (D) exchange
   (E) forecast

7. DISMANTLE
   (A) run into
   (B) argue with
   (C) give away
   (D) work on
   (E) take apart

8. CLARIFICATION
   (A) reproduction
   (B) decrease
   (C) overcharge
   (D) explanation
   (E) connection

9. SOMBER
   (A) alarming
   (B) gloomy
   (C) feeble
   (D) cruel
   (E) ugly

10. COMPEL
    (A) force
    (B) tighten
    (C) agree
    (D) instruct
    (E) settle

11. TENACITY
   (A) perfection
   (B) commencement
   (C) alteration
   (D) persistence
   (E) delegation

12. SERENE
   (A) slow
   (B) meek
   (C) calm
   (D) patient
   (E) sober

13. RELINQUISH
   (A) decode
   (B) observe
   (C) decide
   (D) surrender
   (E) presume

14. GARRULOUS
   (A) shy
   (B) prompt
   (C) truthful
   (D) attentive
   (E) talkative

15. COMPRISE
   (A) contain
   (B) understand
   (C) control
   (D) interrupt
   (E) remember

16. Clam is to mollusk as
   (A) ant is to bug
   (B) deer is to cow
   (C) cat is to canine
   (D) spider is to arachnid
   (E) hippopotamus is to horse

17. Vegetarians are to meat as pacifists are to
   (A) disease
   (B) violence
   (C) emotion
   (D) ecology
   (E) insanity

18. Canyon is to gully as lightning is to
   (A) electricity
   (B) downpour
   (C) rainstorm
   (D) spark
   (E) thunder

19. Poacher is to game as rustler is to
   (A) cattle
   (B) rule
   (C) puzzle
   (D) pool
   (E) thief

20. Overture is to opera as
   (A) introduction is to story
   (B) review is to class
   (C) writing is to thinking
   (D) playing is to acting
   (E) lyric is to singer

21. Letter is to novel as note is to
   (A) mail
   (B) memo
   (C) binder
   (D) sentence
   (E) symphony

22. Poodle is to dogs as Hereford is to
   (A) zebras
   (B) moose
   (C) beavers
   (D) cattle
   (E) bears

23. Kitten is to cat as
   (A) eel is to brood
   (B) alpaca is to pup
   (C) foal is to horse
   (D) cygnet is to quail
   (E) gathering is to puffin

24. Tonsil is to throat as
   (A) molar is to incisor
   (B) thyroid is to gland
   (C) pancreas is to skeleton
   (D) stomach is to digestion
   (E) appendix is to abdomen

25. Presumptive is to plausible as
    (A) credible is to believable
    (B) far-fetched is to reality
    (C) knowledge is to truth
    (D) unlikely is to likely
    (E) fiction is to fact
26. Score is to composer as
    (A) clef is to staff
    (B) music is to note
    (C) book is to picture
    (D) essay is to outline
    (E) prescription is to doctor
27. Section is to orchestra as
    (A) stanza is to poem
    (B) stamp is to letter
    (C) verse is to rhyme
    (D) pen is to paper
    (E) title is to book

28. Agility is to gymnastics as
    (A) strength is to weight lifting
    (B) endurance is to sprinting
    (C) physique is to heredity
    (D) coordination is to training
    (E) grace is to athletics
29. Critic is to play as
    (A) pilot is to passenger
    (B) agent is to insurance
    (C) salesperson is to product
    (D) editor is to manuscript
    (E) carpenter is to cabinet
30. Radiologist is to x-rays as
    (A) senator is to law
    (B) waiter is to menu
    (C) flower is to a florist
    (D) radiator is to mechanic
    (E) police officer is to traffic

同义选择的思考模式与解题模式

我们来看预备测试中的题目：

1. FEASIBLE
   (A) combustible
   (B) classical
   (C) accidental
   (D) possible
   (E) visible

Answer and Explanation of Question 1

我们可以看到，同义关系的题目给出了一个大写的词汇，要求选出其同义表达。*feasible* 意为 "可行的"，于是选择 D 选项 "可能的"。A 选项的 "易燃的、可燃的"，B 选项的 "古典的、经典的"，C 选项的 "意外的、偶然发生的"，E 选项的 "可见的"，均不合适，因此都不选。

尽管同义关系题需要考生有基本的词汇量（同学们可以在 Chapter 4-7 中进行积累），但是就解题技巧而言，也有以下六个方面需要掌握：

第一，直接记忆

直接记忆，也就是说，考生必须 "系统地" 进行 SSAT 核心词汇的记忆，"系统" 指的是 SSAT 词汇库里的词汇，记忆后就可以直接选择出答案。本书的 Chapter 4-7 分别归纳总结了同义类比选择中的名词、动词、形容词、副词，每一章节直接辅以真题练习（具体内容见本书的《附赠手册》），作为巩固学习之用。

Example 1

PROHIBIT
(A) violate
(B) impair
(C) trespass
(D) punish
(E) forbid

题干中的 prohibit 意为 "禁止"，我们可以看到 Chapter 5 对 prohibit 一词的说明如下：

prohibit　　　阻止，禁止（*2014, 2012, 2009*）

所以选择 E 选项的 forbid，意为 "禁止"。由此可见，只要将 SSAT 真题题库里的核心词汇一网打尽，通过直接记忆就可以选出答案。A 选项的 "违反"，B 选项的 "损害、削弱"，C 选项的 "非法侵入、冒犯"，D 选项的 "惩罚"，都不对。

Example 2

CHERISH
(A) economize
(B) help

(C) value
(D) accumulate
(E) harmonize

　　题干中的 cherish 意为"珍惜"，所以正确答案应该为 C 选项，value 意为"价值；珍惜"。A 选项的"节约"，B 选项的"帮助"，D 选项的"积聚"，E 选项的"使协调，使一致"，都不对。

第二，动点心思

　　在真实的 SSAT 考试中，针对具体的题目，有时候我们会感觉一些单词有些熟悉，但是说不出它的具体意思。抑或是五个选项中有一些是认识的，它们可能明显是不合适的，可以迅速排除。还有可能通过一些词源的知识（第四点中会具体阐述）排除掉一些答案。这样，也许你并不是完全认识选项，但是也可以做出题目。没准，运气好的情况下，百发百中。

第三，分清主次

　　分清主次的意思是如果考试迫在眉睫，此时就需要分清主次，将最近一年的几次考试一网打尽。只要对这些词汇有精准的理解与记忆，真实考试中，有时甚至可以碰到八成以上的原词。如果考试迫在眉睫，从头开始背诵新词，基本属于得不偿失了，还不如一面复习之前已学习过的词汇，一面分清主次，记忆近年所考词汇。

第四，词源分析

　　学习 SSAT 的同学，入门之后，便踏上了扩大词汇量的漫长路程。能否突破词汇关，是成败的关键。但是面对纷繁复杂的词汇，是否有捷径可循呢？两百多年前，英国著名的作家与政治家 Lord Chesterfield 就指出了一条捷径。他在给准备进入外交界的儿子的一封信件中说道，"学习一门语言文字的最短最佳的途径，是掌握它的词根，即那些其他词汇借以形成的原生词"。20 世纪 80 年代，美国《读者文摘》编辑部主编了一本名为《如何增进你的词汇能力》的书，开创了词根应用的先河。这本书将词根誉为 "Your first key to word power"，换言之，增进词汇的关键，打开词汇宝库的第一把钥匙，正是词根。

　　既然词根在词汇学习中有如此大的神通，我们就应该对它有一番了解，以应对词汇量如此之大的 SSAT 考试。首先，我们应该对词根的基本知识有所了解。

　　一、什么是词根

　　词根是任何一个单词的核心部分，它包含着这个单词的基本意义。词根又是同族词汇中可以辨认出来的共同成分，是同族词汇间含义相连的内在线索。比如我们看几个单词，prologue, epilogue, neologism, dialogue, apologize, eulogy。我们可以看得出，这些词汇有一个共同的核心部分，即 log（说话），log 是这组词汇的共有的词根，这些词汇都是 log 的同族词汇。其实，研究词根不仅对掌握英语词汇非常有意义，也对研究不同语言之间的关系，有所助益。

　　二、英语词汇中的词根

　　中学朋友们，要想初步探索英语的词根，必须对于英语词汇发展的历史，做个大概的了解。英国本土早期的语言，是当地凯尔特人使用的凯尔特语（Celtic），其中有一些拉丁语词汇。公元五世纪，安格鲁撒克逊人入侵了不列颠，建立了他们的统治。他们使用的撒克逊语（Saxon）的词汇是属于西日耳曼语言分支的日耳曼词汇（Germanic），这种词汇成为古英语时期英语词汇的主体。十一世纪，诺尔曼人征服了英国。在这以后的几百年中，他们使用的法语和拉丁语（Latin）占据了统治地位。拉丁词汇和法语化的拉丁词汇被大量引进英语，是中世纪英语词汇发展的主要内容。

　　从十五世纪开始，到十六世纪的欧洲文艺复兴时代，也正是英语逐渐发展为现代英语的重要时期。这期间，由于英国人对于古希腊古罗马文化的兴趣和了解，大量的希腊（Greek）词汇和拉丁词汇随着新事物与新思想涌进英语词汇。英国人不但把拉丁词汇和希腊词汇作为他们新词来源的潜在仓库，还大胆地利用拉丁词根和希腊词根，创造出许多新词。尽管这一时期，法语、意大利语、德语等其他欧洲语言的词汇也不断流入英语，但是英语词汇量空前地扩大，主要是源于拉丁和希腊语源的词汇。到了十七世纪，英语的词汇系统已经基本稳定。这以后，随着英国的殖民扩张，英语走向全世界，也从世界各种语言中吸收新的词汇。新词的来源越来越复杂，新创造的词汇大量涌现，特别是以希腊词根和拉丁词根为基础造出的科技词汇，英语的词汇量持续增长。今天，英语已经成为了世界上语源成分最为复杂，词汇总量最大的一种语言。不过，英语词汇的主要源头还是印欧语系，因为它的四种基本语源，凯尔特语、日耳曼语、拉丁语和希腊语都属于印欧语系。

著名的英国语源学家 Walter W. Skeat，曾经编纂了一本英语语源词典，在词典的附录部分列举了 461 个印欧语系的词根。他认为，从理论上可以将英语词汇追本溯源归纳在这些词根之下。Skeat 博士的印欧词根数目，比东汉许慎在《说文解字》中所用的部首数目还要少一些。如果能够利用印欧语根来归纳学习英语词汇，当然比较理想，可惜实际上并不可行。因为若然如此，需要丰富的语言学知识和 Skeat 博士的那些天赋，但这并不是一般人所具备的。

既然直接利用印欧语词根是高不可攀的事情，就必须降低标准，将目光从英语词汇的远祖转移到它的直接祖先：凯尔特语、日耳曼语、拉丁语和希腊语。其中最为重要的是拉丁语和希腊语这两种语源的词根。

三、从词根看英语的构词法

词根的生命力只有通过构词才可以表现出来。一般来说，英语的主要构词方式有三种：合成、转化、派生。合成指的是两个或者两个以上单词的合并。转化只是单词词类的转变，根本不涉及词形的变化。派生则是通过添加词缀使一个单词变成另外一个单词。显然，这种分类方法是以单词为出发点讲解构词方式的，这里面并没有英语构词的基本要素—词根的半点地位。所以，要了解词根如何构词，以便于进行单词的词形分析，就必须从词形的角度，以词素为基础，重新认识英语单词的构词方法。这样，问题就简单多了，只有两种方法：

（一）单纯由词根构词。

（1）一个词根构词，这类词汇叫单词根，又称词根。

form（形状）—form（形成）

firm（固定的）—firm（坚定的）

fact（做）—fact（事实）

（2）词根＋词根，由两个词根构成的单词叫作双根词，但是，单纯由两个以上的词根构成的单词比较少见。

manu（手）+*script*（写）= manuscript（手稿）

ped（男孩）+*agogue*（引导）= pedagogue（教师）

（二）词根和词缀进行缀合构词。

（1）前缀＋词根

pro（向前）+*pel*（推动）= propel（推进）

ex（往外）+ *pend*（支付）= expend（花费）

im（进入）+*port*（运）= import（输入，进口）

（2）词根＋后缀

cosm（宇宙）+*ic*（形容词后缀，……的）= cosmic（宇宙的）

doc（教育）+*ile*（形容词后缀，易……的）= docile（驯服的）

equ（相等）+*ate*（动词后缀，使……）= equate（使相等）

（3）前缀＋词根＋后缀

intro（前缀，进入）+*duc*（引导）+*er*（名词后缀，……者）= introducer（引进者，介绍人）

pro（前缀，向前）+*gress*（步）+*ive*（形容词后缀，……的）= progressive（进步的）

in（前缀，不）+*vis*（看）+*ible*（形容词后缀，可……的）= invisible（看不见的）

这里，有必要指出，在上述的三种缀合构词方式中，词根、前缀或后缀的数量都不限于一个。比如：

re（再）+*im*（进入）+*port*（运）= reimport（再输入）

in（不）+*co*（合）+*her*（粘）+*ent*（……的）= incoherent（不粘聚的；分散的）

ego（自我）+*centr*（中心）+*ic*（……的）= egocentric（以自我为中心的）

senti（感觉）+*ment*（表示行为状态）+*al*（……的）= sentimental（多愁善感的）

re（反）+*act*（做）+*ion*（表示行为）+*ary*（……的）= reactionary（反动的）

纵观这几种词根的构词方式，我们可以看出，词根是构词的基础，它在单词中占据着核心支配的地位。所以，只要从单词中辨认出单词的形体，整个单词的结构就一目了然了。比如，在分析 misanthropist，一抓住词根 anthrop（人类），不难推出 misanthropist 表示"厌恶人类者、厌世者"。

最后，由于本书的学习者为中学生朋友们，所以择取的词汇均为 SSAT 阶段必须掌握的核心词汇，全部来自于 SSAT 真题，均在真题中有所考查，而并非如一般词汇书那般随意摘取，使得有的词汇极其简单，有的词汇异常复杂。此外，本书的词根介绍为中学生学习的初步探索，并非学术研究，如果中学生朋友们想要更为深刻地研究英语单词，可以发邮件与我联系，我们可以共同探讨。

第五，同义词群

在 SSAT 中，考官对于词汇给出的意思，总体来说还是非常地道的。尤其是一些高级词汇，表示同一个意思的词汇有很多，这些词汇可以放在一起背诵，这些内容就是同义词群。其实，SSAT Verbal 部分的同义选择的出题模式就是给出一对同义词，考查学生的单词认知能力和同义词替换能力。因此，平日记忆单词，采取总结对比的方法去记忆，本身也提高了有效性。因为对于十几岁的小朋友们来说，记忆庞大的词汇库，的确是一件极具挑战和非常痛苦的事情。所以很有必要对那些常考的高频词进行一个归纳和总结。比如以下这些就是 SSAT 中高频出现的同义词群。当然就分类而言，小朋友们都可以自己尝试去分类，因为每个孩子的成长经历与分类标准都不一样，这里只是抛砖引玉。

就事物性质而言，可以有以下一些同义词群的分类：

无聊 dull drab boring insipid stifling tedious monotonous humdrum tame torpid

宁静 serene pacific silent quiet tranquil still calm smooth tranquility serenity quiescence composure equanimity

复杂 complex complicated perplexed knotty knotted intricate convoluted

温顺 obedient meek gentle docile tame submissive

世俗 worldly mortal mundane secular

中立 disinterested indifferent apathetic dispassionate neutral unbiased impassive

混乱 commotion tumult chaos uproar ferment boisterous

疯狂 lunatic insane hysterical

荒谬 ridiculous absurd ludicrous zany silly

残暴 brutal cruel ruthless vicious fierce furious tyranny

粗俗 crass coarse crude rude vulgar imprudent indecent rough

粗糙 coarse crude rude rough

优雅 refined decent elegant graceful genteel

魅力 charming winsome spruce

致命 lethal fatal deadly

毒害 toxic noxious nocuous virulent malignant detrimental poisonous pernicious

不吉利 inauspicious ominous

潮湿 humid wet damp moist

琐碎 trivial frivolous unimportant insignificant paltry trifle

异常 erratic irregular eccentric exotic

相似 akin related homogenous

永久 undying eternal everlasting immortal permanent imperishable constant perpetual enduring

短暂 temporary transitory transient evanescent momentary impermanent provisional ephemeral

悦耳 euphonious melodic melodious tuneful harmonious

和谐 harmony concord rapport

模糊 obscure vague indefinite opaque

透明 translucent transparent

神秘 enigmatic mysterious esoteric occult cryptic secret clandestine arcane covert inscrutable

奇异 bizarre outlandish weird eerie exotic

机密 confidential secret clandestine

巨大 prodigious huge colossal enormous gigantic immense mammoth tremendous great

非凡 exceptional miraculous extraordinary incredible remarkable stupendous marvelous excellent

明显 obvious blatant overt conspicuous palpable evident clear

充足 sufficient adequate ample massive

丰富 affluent copious productive prolific fertile abundant opulent

多余 redundant superfluous surplus excrescent

简洁 brief concise compact compendious condensed terse succinctlaconic pithy

破败 derelict decrepit

壮丽 magnificent grandiose sublime majestic gallant palatial

贫穷 destitute impecunious indigent needy penurious destitution poverty indigence impoverishment

贫瘠 sterile infertile barren

肥沃 fertile fecund productive

真实 authentic veracious genuine unfeigned

严重 serious severe grave

严肃 serious severe stern solemn grave harsh

吓人 astonishing astounding horrible terrible ghastly lurid scary formidable

恶臭 fetid effluvial

微妙 subtle delicate

微不足道 paltry worthless trivial trifling negligible

就人物情感和性质，可以有如下的分类：

天真 artless innocent ingenuous naive

好斗 aggressive belligerent bellicose truculent pugnacious warlike antagonistic choleric cantankerous

同情 sympathetic compassionate commiserative miserable

多话 garrulous talkative loquacious long-tongued
无语 silent taciturn
著名 celebrated distinguished eminent prominent excellent renowned
恶名 notorious flagrant infamous arrant
傲慢 arrogant conceited haughty hubris imperious insolent pompous unscrupulous
    vain overbearing
活力 active exuberant vivacious energetic dynamic
谦虚 modest humble
懒惰 slothful sluggish indolent lazy
勤勉 hardworking diligent industrious assiduous sedulous
节俭 frugal thrifty economical
吝啬 miserly stingy petty
挥霍 prodigal extravagant lavish improvident squander
狡猾 crafty sly cunning glib quirky artful tricky
固执 stubborn obdurate intractable recalcitrant obstinate
伪装 camouflage disguise dissimulate mask pretend
胆小 timid cowardly craven trembling scared skittish
被吓 aghast astonished astounded startled scared
坚定 resolute confident adamant determined uncompromising unflinching tenacious
夸耀 flamboyant pretentious vain ostentatious
诚实 honest sincere trusty candid veracious frank integrity
忠诚 allegiance fidelity loyalty fealty faithfulness devotion committed
不忠 betrayal unfaithfulness treachery revolt
怀疑 dubious doubtful incredulous suspicious
可怜 abject mean pathetic woeful wretched ignoble miserable
善变 capricious caprice whimsical whim mercurial fickle protean inconstant erratic
    volatile quixotic versatile

就动作而言，还可以这么去分类：

承认 admit commit confess avow acknowledge
赞美 praise plaudit extol acclaim laud eulogize commend compliment exalt tout
指责 criticize reprimand reprehend blame berate condemn censure denounce
    reproach rebuff impugn upbraid rail castigate
轻蔑 belittle disdain despite disparage contempt contemptuous scorn denigrate
    minimize belittle derogate
尊敬 homage esteem revere honor respect regard admire hallow
崇拜 venerate worship hallow
抚慰 appease assuage alleviate lull conciliate reconcile mollify pacify placate
    palliate smooth quell mitigate
加速 advance facilitate accelerate hasten
驱逐 banish cast-out deport expel expatriate evict exile exclude ostracize oust
征服 conquer overcome subdue suppress vanquish overwhelm
居住 abide dwell inhabit reside
溺爱 coddle baby pamper indulge
颤抖 tremble quiver shiver

摇摆 sway waver
蹒跚 stagger falter totter dodder
阔步 swagger strut prance
行走 walk tread
漫步 ramble wander roam saunter meander

第六，主题词群

同一个主题下，会形成一定的语境。在同一语境下，记忆词汇就会异常轻松。本书的 Chapter 8 分 19 个专题具体阐述主题词群。

类比选择的思考模式与解题模式

类比题的形式接近中国古代的对对子，比如这样的题目，题干中给出的是 "frog is to toad"，答案则可以是 "turtle is to tortoise"，题目的内在联系为 "水生对陆生"。解答这类题，需要挖掘给出的两个词之间的内在联系，甚至是拼写方面的，然后在选项中寻找内在联系类型相同的一项即可。

我们来看看预备测试中的题目，这道题目在 2015 年 1 月 10 日的 SSAT 考试中也考查到了：

16. Clam is to mollusk as
    (A) ant is to bug
    (B) deer is to cow
    (C) cat is to canine
    (D) spider is to arachnid
    (E) hippopotamus is to horse

Answer and Explanation of Question 16

mollusk（软体动物）包含各类奇形怪状的生物，如 *clam*（蚌类），*squid*（鱿鱼），*octopus*（章鱼）等，所以本题考查的逻辑关系为种属关系（类比关系题目考查到的所有关系的详细解析请参见 *Chapter 3* 部分），*clam* 是 *mollusk* 的一种。D 选项中的 *arachnid* 意为 "蛛形纲类动物"。A 选项具有一定的迷惑性，如果把 *bug*（臭虫）改成 *insect*（昆虫）那就可以是正确答案了。所以，本题的正确答案为 D 选项。

就类比关系的解题技巧而言，有以下十个方面需要注意：

第一，简洁造句

类比选择题目的根本解题方法是造句寻找关系，用造句来体现两个词汇之间的关系。就造句而言，中文或者英文都可以，同学们只需要根据自己的习惯选择即可。句子应当简洁清楚，避免模糊不清的句子。例如，就 pilot is to airplane 这样的一个题干，造成 "飞行员开飞机" 这样的句子，要比 "飞行员在飞机上" 更为简洁明了。总而言之，造句不宜过于复杂。

第二，分清词性

分清词性的意思，就是在做题之时，可以利用单词的词性来排除错误选项。比如，我们可以看一道真题：

Original is to invention as
    (A) corrupt is to virtuous
    (B) absurdity is to sense
    (C) false is to lie
    (D) toe is to shoe
    (E) servile is to obey

题干中两个词汇的词性分别为：形容词 + 名词，因此正确选项也必须是 "形容词 + 名词" 的组合。于是第一个单词不是形容词或者第二个单词不是名词的选项都可以排除，正确答案应该为 C 选项。

第三，分清前后

分清前后，指的是要注意题干中词汇的前后顺序。比如题干 baker is to cake 与题干 cake is to baker 就属于两道完全不同的题目。

第四，搞清关系

做类比关系题时，最关键的就是搞清题干中两个词汇之间的关系。就 SSAT 而言，这种关系复杂多变，具体在类比关系的秘诀（Chapter 3）这一章节中有详细的阐述。

第五，分清题目的程度变化

在做类比关系的题目时，需要注意程度的变化。程度变化具体体现在快慢、大小、强弱、正式非正式等方面。

第六，分清"同义关系"与"程度变化关系"

有两种关系，在做题的时候，同学们会有所混淆，那就是同义关系与程度变化关系。之所以会混淆，就是因为能够符合程度变化关系的两个词汇，首先就必须是近义关系，这种近义关系往往会被有些同学误认为是同义关系。实际上，在初步判断题干中的两个词汇是近义关系之后，还必须分析题干中的两个词汇是否有程度变化，如果有程度变化，必须进一步判断。

比如，我们来看一道题目：

Funny is to hilarious as
- (A) amusing is to joke
- (B) safe is to dangerous
- (C) hot is to sweltering
- (D) helpful is to courteous
- (E) terrifying is to scary

初看之下，C 选项与 E 选项都属于近义关系，但是题干中后者比前者程度要深，E 选项正好相反，正确答案为 C 选项。

第七，分清反义关系和上下对应关系

与第六点中阐述的道理一样，如果对题干中的初步判断是反义关系，分析选项时却找出几个反义关系选项，此时就需要结合上下对应关系来判断，也就是注意单词的方向性。

比如，我们来看一道题目：

Inflate is to expel as
- (A) blow is to inhale
- (B) add is to subtract
- (C) grow is to maintain
- (D) eat is to exercise
- (E) fill is to drain

初看之下，A 选项、B 选项、E 选项都是反义关系，但是如果上下对应着看，inflate 和 fill 都是往里填的动作，expel 和 drain 都是向外排的动作。所以正确答案应该为 E 选项。

第八，注意形容词修饰名词的特征关系

特征关系分客观特征与主观特征，题干给出什么特征，应该选择特征相同的选项。而不是自己主观臆断。

比如，来看一道题目：

Example 1

Emerald is to green as sapphire is to
- (A) brown

(B) blue

(C) pink

(D) white

(E) purple

　　绿宝石是绿色的，属于客观特征，蓝宝石应是蓝色，所以正确答案为 B 选项。

Example 2

Banal is to conversation as

(A) dangerous is to situation

(B) sour is to vinegar

(C) insipid is to food

(D) doubtful is to person

(E) terrifying is to scary

　　无聊的谈话是谈话的一种负面特征，当然，谈话有无数种特征，有趣、沉闷、严肃，但是题目中考查的是负面特征，而且这种负面特征是无聊乏味之感。B 选项是客观特征，可以排除。A、D、E 选项尽管都为负面特征，但是与题干中的负面特征不同，也应该排除。C 选项中无味的食物是食物的一种负面特征，与题干的负面特征符合，因此正确答案为 C 选项。

Example 3

Transparent is to air as

(A) luminous is to sun

(B) opaque is to stone

(C) translucent is to balloon

(D) lucent is to a diamond

(E) lucid is to understanding

　　清澈的空气是空气的正面特征，当然，空气有浑浊的，也有清澈的。A、C、E 选项说的都是客观特征，可以排除。B 选项说不透明的石头，并非正面特征。E 选项说清晰的理解，是理解的正面特征，所以正确答案为 E 选项。

第九，理解需到位

　　类比选择题目中，有些词汇看着简单，却不容易找到类比关系或者合适选项。主要原因是我们对于词汇含义的理解不到位，有些简单的词汇往往会涉及很多我们不熟悉的含义。这就需要平日的不断积累。

　　比如，来看一道题目：

Lock is to hair as

(A) arm is to sleeve

(B) shoe is to foot

(C) finger is to hand

(D) blouse is to skirt

(E) house is to roof

　　如果同学们知道 a lock of hair 是一缕头发的意思，就可以选择出正确答案 C 选项。

第十，合理猜测

　　如果判断题干是两个形容词或者动词，就可以大胆猜测考查的是同义或者反义关系。

3 Chapter 类比选择的秘诀

Part 1 同义关系

同义关系（Synonyms），主要指的是语义相同，无所谓词性。所以同义关系可以是词性相同的两个词汇，比如可以是两个形容词，也可以是词性不同的两个词汇，比如形容词与名词，或者动词与形容词。注意，这里的"同义"主要指的是语义相近，并非词汇的外延与内涵完全一致，实际上，在语言学的研究中，本身也基本不存在绝对一致的词对。

Example 1

Gush is to effusive as
(A) exult is to honest
(B) deliberate is to secretive
(C) giggle is to innocent
(D) rage is to irate
(E) whisper is to confidential

Answer and Explanation

首先，判断题干中 gush（喷涌）与 effusive（喷涌而出的）的关系。显然两者是同义表达，因此本题考查的是同义关系。所以正确答案为 D 选项：大怒；大怒的，两个词汇也是一种同义关系。A 选项，"狂喜；诚实的"。B 选项，"慎重考虑；遮遮掩掩的"。C 选项，"咯咯笑；天真的，清白的"。E 选项，"耳语；机密的"。都不合适。

Example 2

Martial is to military as
(A) basic is to simplistic
(B) classic is to musical
(C) cosmic is to planetary
(D) runic is to mysterious
(E) endemic is to patriotic

Answer and Explanation

首先，判断题干中 martial（军事的）与 military（军事的）的关系。显然两者是同义表达，因此本题考查的是同义关系。所以正确答案为 D 选项：秘密的；秘密的，两个词汇也是一种同义关系。A 选项，"基础的；过分简单化的"。B 选项，"经典的；音乐的"。C 选项，"宇宙的；行星的"。E 选项，"地方性的；有爱国心的"。都不合适。

Example 3

Zealous is to enthusiastic as cautious is to
(A) pedantic
(B) flamboyant
(C) prudent
(D) pious
(E) devoted

Answer and Explanation

首先，判断题干中 zealous（热情的）与 enthusiastic（热情的）的关系。显然两者是同义表达，因此本题考查的是同义关系。所以正确答案为 C 选项：谨慎的；与题干中的 cautious（谨慎的）也是一种同义关系。A 选项，"迂腐的"。B 选项，"华丽的"。D 选项，"虔诚的"。E 选项，"奉献的"。都不合适。

Example 4

Dormant is to inactive as
(A) stark is to ornate
(B) malleable is to plastic
(C) inclined is to upright
(D) infuriating is to tedious
(E) slack is to excessive

Answer and Explanation

首先，判断题干中 dormant（静止的）与 inactive（不活跃的）的关系。显然两者是同义表达，因此本题考查的是同义关系。所以正确答案为 B 选项：可塑的；可塑的，两个词汇也是一种同义关系。A 选项，"生硬的，完全的；过分装饰的"。C 选项，"倾斜的；垂直的"。D 选项，"暴怒的；冗长、乏味的"。E 选项，"松弛懒惰的；过分的"。都不合适。

Example 5

Chary is to caution as
(A) circumspect is to recklessness
(B) imperturbable is to composure
(C) meticulous is to resourcefulness
(D) exigent is to stability
(E) fortuitous is to pluck

Answer and Explanation

首先，判断题干中 chary（谨慎的）与 caution（谨慎）的关系。显然两者是同义表达，只不过一个是形容词，一个是名词而已，因此本题考查的是同义关系。所以正确答案为 B 选项：镇静的；镇静，两个词汇也是一种同义关系。A 选项，"谨慎的；鲁莽"。C 选项，"小心谨慎的；机智"。D 选项，"紧急的；稳定"。E 选项，"偶然的，幸运的；勇气"。都不合适。

Example 6

Contiguous is to abut as
(A) possible is to occur
(B) simultaneous is to coincide
(C) comprehensive is to except
(D) synthetic is to create
(E) constant is to stabilize

Answer and Explanation

首先，判断题干中 contiguous（相邻的）与 abut（相邻）的关系。显然两者是同义表达，只不过一个是形容词，一个是动词而已，因此本题考查的是同义关系。所以正确答案为 B 选项：同时发生的；同时发生 / 巧合，两个词汇也是一种同义关系。A 选项，"可能的；发生"。C 选项，"综合的；除外"。D 选项，"综合的，合成的；创造"。E 选项，"恒定的，稳定的；使稳定"。都不合适。

更多的"同义关系"表达如下：

A	B（同义）	A	B（同义）
accommodate	supply	integrate	coalesce
acute	acumen	integrity	honesty
admonish	caution/ warning	inter	burial
adulate	fawn	interesting	intriguing
advisor	counselor/ consultant	intimidation	browbeat
advisory	caution	invective	abusive
affectionate	love	irrigate	flush
aggressive	combative	jeer	derision
ameliorate	improve	jibe	deride
annotate	commentary	judge	adjudicate
apocalyptic	prophetic	labyrinth	tortuous
apprise	information	lament	pity/ grief
aside	digression	lamentable	plaintive
assert	proclaim	laziness	slothfulness
assured	confident	lazy	inert
belligerent	assertive	licentious	dissoluteness
bellwether	leadership	loquacious	word
blandishment	coax	lucid	clear
blossom	bloom	malcontent	complain/ dissatisfaction
bootless	futile	malleable	knead
bootless	futility	martial	military
braided	stranded	medal	honor
brutish	mischievous	melodious	lyrical

burlesque	mockery	menacing	fear
bush	shrub	mentor	professor
callous	impassive	mettle	endure
calm	placid	mnemonic	memory
caprice	whimsical	moon	lunar
capricious	whim	museful	ruminative
car	automobile	nefarious	wickedness
charade	dissimulate	nicety	precision
cheer	encourage	nonplus	perplexity
clandestine	secrecy/ secretly	obfuscate	confusing
cliché	hackneyed	objective	fact
cohabit	reside	obliterate	removal/ remove
commend	esteem	obsequious	fawn/ servile
compliant	yield	obstinate	preserve
concern	interest	obstruct	impede
conspire	plot	occasional	incidental
contiguous	abut	odious	disgust/ repugnance
convoluted	complexity	officious	meddle
countenance	toleration	opportune	convenience
crawl	proceed	order	imperative
critical	derogatory	ornament	decorative
cursory	superficial	overblown	exaggerated
daredevil	audacity	overt	openly
declamation	grandiloquence	palatial	grandiosity
demur	objection	palmy	prosperity
depart	abscond	passion	devotion
despondent	depressed	penetrate	pervious
despotic	tyranny	peripatetic	itinerant
desultory	aimless	permeable	penetrate
devotional	reverence	perspicacity	acute
diatribe	abuse	pertinent	relevance
didactic	teach	phlegmatic	stolid
dilatory	procrastinate	plain	ordinary
diligence	effort	platitude	banal
disaffected	rebel	playful	banter
discontent	complain	pleasurable	paradisiacal
diverge	apart	pliant	flexibility
double-cross	disloyalty	polemic	disputatious

draconian	severity	pontifical	dogmatic
droll	laugh	postulate	presumptive
dupe	duplicity	potable	beverage
dwindle	decrease	prevarication	deceive
earnest	serious	profligate	money
earth	terrestrial	protest	dissuade
ecumenical	generality	pure	immaculate
effulgent	resplendence	putrefaction	rotten
elegiac	sorrow	question	interrogative
embarrass	mortify	quiver	vibrate
embellish	ornamentation	quixotic	idealistic
emotion	affective	rebellious	resurgent
encomium	eulogy	receive	admit
encompassed	surrounded	recidivism	relapse
enlarged	big	record	document
entice	tempt	redundant	superfluity
entire	integrity	rehabilitation	convalesce
epitomize	brevity	reprehend	censure
equivocate	misleading	reprimand	censure
exaggerated	hyperbole	resist	refuse
exculpatory	absolve	resolution	determination
excuse	pardon	rift	breach
exhortation	urge	runic	mysterious
expert	skilled	safari	expedition
exploit	adventure	sanitary	clean
fault-finding	criticize	satire	lampoon
filibuster	delay	saturated	wet
fire	dismiss	scanty	meager
firm	ironclad	scoff	contempt
flammable	inflammable	segregate	isolate
foresight	prudent	sensitization	allergic
fraud	cheater	sentient	emotion
furtive	stealth	separate	distribute
galvanize	stimulate	settle	remain
generous	liberality	simultaneous	coincide
genuine	authenticity	smart(折磨)	pain
glorious	exalted	smart(聪明)	brilliant
gloss	definition	snub	disdain

gouge	engrave	soluble	dissolve
gregarious	social	spartan	austerity
grieve	sorrow	spread	scatter
grisly	flinch	star	sidereal
grooved	striated	static	immobility
habitable	dwelling	store	secrete
habituation	inured	strange	odd
hack	carve	sullen	gloomy
harass	irritating	summary	excerpt
harmony	congruity	sun	solar
haunt	familiar	supplicate	entreat
headstrong	willfulness	sycophantic	obsequious
hoax	deceive	tactile	touch
homogenize	uniform	tactless	offend
hortative	encourage/ urge	temperate	restrain
illusion	fantasy	tenacious	persist
impartial	disinterested	thankful	gratitude
impenetrable	impervious	tightfisted	parsimonious
impermanent	transience	tirade	abuse
important	essential	touchy	sensitive
impostor	impersonator	transient	evanescence
impudence	brazenness	traverse	across
inconsequential	illogical	trivial	unimportant
indulge	molly coddle	unpleasure	repugnant
infrequent	rare	unusual	strange
infuriate	rage	void	empty/ emptiness
infuriate	rage	volatile	evaporate
insensitive	offend	voluble	verbosity
insight	discern	warrant	justified
insight	discerning	watchful	vigilant
insinuate	hint	wily	cunning
inspire	infuse	woo	adorn
inspiring	impressive		

Part 2 反义关系

反义关系（Antonyms），自然也就是与 Part 1 的同义关系相反的一种关系。"反义"主要指的也是语义，无所谓词性。比如可以是两个形容词，也可以是形容词与名词，或者动词与形容词。

Example 1

Audacious is to trepid as
(A) refractory is to stubborn
(B) laconic is to voluble
(C) solid is to liquid
(D) cursory is to accumulated
(E) derisive is to subordinate

Answer and Explanation

首先，判断题干中 audacious（勇敢的）与 trepid（胆怯的）的关系。勇敢与胆怯显然是一对反义词，因此本题考查的是反义关系。所以正确答案为 B 选项：简洁的；健谈的，这是一对反义词，也是反义关系。A 选项，"固执的；固执的"。C 选项，"固态的；液态的"。D 选项，"草率的；积累的"。E 选项，"嘲弄的；附属的"。都不合适。

Example 2

Invincible is to subdued as
(A) inconsistent is to expressed
(B) impervious is to damaged
(C) imprudent is to enacted
(D) bolted is to separated
(E) expensive is to bought

Answer and Explanation

首先，判断题干中 invincible（不可征服的）与 subdued（可被征服的）的关系。不可征服与可被征服，显然是一对反义词，因此本题考查的是反义关系。所以正确答案为 B 选项：不可摧毁的；被损坏的，这是一对反义词，也是反义关系。A 选项，"不一致的；被表达的"。C 选项，"不谨慎的；被执行的"。D 选项，"拴住的；分开的"。E 选项，"贵的；买的"。都不合适。

Example 3

Implacable is to appease as
(A) impregnable is to defy
(B) inconsistent is to persuade
(C) indomitable is to subdue
(D) imperturbable is to mollify
(E) intractable is to understand

Answer and Explanation

首先，判断题干中 implacable（难以抚慰的）与 appease（平息，抚慰）的关系。难以抚慰的与平息抚慰，显然是一对反义词，因此本题考查的是反义关系。所以正确答案为 C 选项：不可征服的；征服，这是一对反义词，也是反义关系。A 选项，"坚不可摧的；反抗"。B 选项，"不一致的；劝说"。D 选项，"平静的；抚慰"。E 选项，"脾气固执的；理解"。都不合适。

Example 4

  Exorbitant is to moderation as
  (A) dispassionate is to equanimity
  (B) macabre is to interest
  (C) perfidious is to loyalty
  (D) brilliant is to gullibility
  (E) lavish is to extravagance

Answer and Explanation

首先，判断题干中 exorbitant（过度的）与 moderation（节制）的关系。过度的与节制，显然是一对反义词，因此本题考查的是反义关系。所以正确答案为 C 选项：不忠的；忠诚，这是一对反义词，也是反义关系。A 选项，"平心静气的；镇静"。B 选项，"令人恐怖的；兴趣"。D 选项，"聪明的；轻信"。E 选项，"浪费的；浪费的"。都不合适。

更多的"反义关系"表达如下：

A	B（反义）	A	B（反义）
abandon	inhibition	indelibility	erasure
absolute	variability	indelible	forget
abstemious	indulge	indomitable	conquest
achromatic	hue	indomitable	subdue
acrid	gentleness	indomitable	subdued
acrimonious	goodwill	indulge	ascetic
adamant	flexibility	indulge	adherent
adeptness	maladroit	inelastic	stretch
adroit	ungainly	inevitable	avoid
alacrity	procrastinate	inevitable	chance
anxious	serenity	inexorable	dissuasion
apathetic	concern	infinite	exhaust
aphorism	diffuse	infinite	end
arrhythmic	regularity	ingenuous	dissemble
articulate	unclear	ingenuous	guile
assiduous	careless	initial	realized
astounding	expect	injury	invulnerable

audacious	trepid	inscrutable	understood
austere	decorate	insensate	conscious
bellicose	peaceable	insipid	flavor
bend	rigid	insouciant	worry
beneficent	harm	intangible	known
bias	impartial	intellectuality	dullard
blemish	flawless	interruption	continuity
blemish	impeccable	intrepid	fear
blunt	sharpness	invincible	subdue
blur	definition	invincible	subdued
boorish	sensitivity	irascible	placate
boundless	limit	irrepressible	servile
brash	deliberate	irresolute	decision
bumptious	humbleness	irrevocable	repeal
burnish	dull	juggernaut	stoppable
cacophony	melody	keen	obtuseness
callow	maturity	labyrinthine	direct
calmness	frenzy	labyrinthine	directness
candor	subterfuge	loquacious	taciturn
caprice	deliberate	loquacious	succinct
celebration	lament	magnanimous	begrudge
change	immutable	maladroit	deft
chorus	sing	mar	flawless
circuitous	directness	matchless	equaled
circular	asymmetrical	mean	prodigality
clarify	confusing	meek	arrogance
clarify	confusion	merciless	leniency
cliché	originality	mercurial	committed
clot	dissolved	model	differentiated
collect	scatter	money	poor
complaisance	intractable	mulish	flexible
complicated	plain	nil	quantity
confident	timid	nominal	significance
conscious	numbness	nonflammable	combustible
consensus	factionalism	obfuscation	clarity
convention	maverick	obscured	recognize
convoluted	simplicity	obtuse	keen
courage	rashness	opaque	translucence

craven	heroic	open	shy
crowd	dispersed	open	shy
cunning	truth	palter	candor
dark	light	paltry	covet
default	pay	parsimonious	expenditure
deferential	insolent	parsimonious	profligacy
delay	hasten	parsimonious	liberal
demanding	satisfied	parsimonious	spendthrift
despair	hope	penetrate	impermeable
despicable	adulate	penury	wealthy
despicable	value	peremptory	dispute
dexterous	inept	perfection	error
diehard	budge	perfidious	loyalty
dingy	glisten	peripheral	center
disaffected	contentment	peruse	smattering
discompose	placid	piddling	considerable
discompose	pacific	pierce	impenetrate
discrete	overlap	pliable	inflexible
disentangle	snarl	pliant	indomitable
disjunctive	unity	pluck	quit
dissipation	temperation	polite	snub
disturbing	composure	precaries	stabilize
doctrine	heterodoxy	precedent	unique
dogma	iconoclast	prevarication	truth
dour	geniality	pride	grovel
drab	cheer	pristine	decay
dubious	commitment	probity	dishonest
dubious	conviction	profane	inviolable
elaborate	sketch	profligate	solvent
elaborate	sketchy	prohibitive	purchase
embed	disinter	protean	rigid
enunciate	mumbling	prudence	daredevil
ephemeral	endure	raffish	decorum
ephemeral	enduring	raffish	preen
equivocate	directness	rash	circumspective
equivocation	truth	recalcitrant	obey
equivocation	clarity	recycle	disposal
erratic	permanent	refractory	control

euphemism	offensive	rehabilitate	demolition
exacting	satisfied	repatriate	emigration
exoneration	blame	repeal	ratification
exorbitant	moderation	restive	calmness
exotic	pedestrian	restiveness	calmness
expedition	foot-dragging	restless	serenity
extemporize	rehearsal	restrain	libertine
extraordinary	purlieu	ribald	seemly
fabricate	authentic	ruthless	mercy
fawn	imperviousness	sagacity	simpleton
fecundity	sterility	satiate	hunger
flag	vigor	scatter	overlap
flamboyant	reserved	schism	consensus
forthright	guile	self-confident	timid
frank	secretiveness	shipshape	disarray
furtive	openness	simple	profundity
garbled	comprehend	simpleton	sagacity
generosity	prodigality	slack	tension
genteel	vulgarity	slacken	tension
genteel	churl	slake	thirst
glean	disburse	slight	show respect
guile	naif	slippery	adhere
guile	artless	slovenly	dapper
guileless	chicanery	speak	reticent
hackneyed	original	specious	genuineness
heroic	craven	spend	parsimonious
hodgepodge	uniformity	spontaneous	studied
honest	theft	spotless	blemish
honest	swindle	squalid	cleanliness
honesty	duplicity	stare	leer
honesty	guilt	static	move
husbandry	dissipate	still	movement
hypothetical	proven	subjugate	independence
illusion	perception	submerge	buoyant
illusory	reality	taciturn	chatter
imaginary	real	tact	offensive
immaterial	relevance	tangible	indefinite
immature	developed	tardy	prompt

immutable	change	taut	commodious
immutable	vary	tedious	energy
immutable	altered	tenacious	yield
impeccable	fault	terseness	voluble
impeccable	flaw	terseness	superfluous
impede	facilitate	threadbare	novelty
imperious	servile	timeworn	novelty
impermeability	passage	tranquility	agitation
impertinent	propriety	transitory	permanent
impervious	damaged	transitory	endure
impervious	penetrate	transitory	permanence
impervious	friable	troupe	perform
impervious	damaged	truculent	gentleness
impetuous	hesitance	turncoat	constancy
impetuous	hesitate	unabashed	embarrassment
impetuous	vacillation	unblemished	imperfection
impetuous	hesitation	uncontrovertible	disputed
implacable	appease	understand	recondite
implacable	propitiated	unequivocable	ambiguous
implacable	compromise	unheralded	announcement
implacable	appease	uninformative	knowledge
implacable	propitiated	unmanageable	controlled
impracticable	effected	unregenerate	remorse
impromptu	rehearsal	untenable	defended
impromptu	performance	untenable	defend
inalienable	surrendered	urbane	gaucherie
inanimate	living	urbanity	bumpkin
inchoate	realized	vacuum	matter
incipient	realized	valiant	entrapped
incognizance	knowledgeable	volatile	constant
incongruent	conform	voluble	terseness
inconsonant	concord	voluble	terse
incontrovertible	disputed	voluble	laconic
incorrigible	reformed	waffle	enunciate
indecipherable	decoded	waver	resolution
indecorous	propriety	windy	concise
indefensible	excused	yield	resist

Part 3 修饰关系

> SSAT 中的修饰关系，主要指的是形容词修饰名词，具体来说，就是题干中的一个形容词，可以完美地修饰另外一个名词，比如"芳香的"和"花"，这是一种天然的修饰。除了本身的修饰关系，修饰的内涵也值得考虑，比如花的芬芳，给人以嗅觉享受,选项中的答案除了体现修饰关系,也应该体现嗅觉享受这层意思。

Example 1

Redolent is to smell as
(A) curious is to knowledge
(B) lucid is to sight
(C) torpid is to motion
(D) ephemeral is to touch
(E) piquant is to taste

Answer and Explanation

首先,判断题干中 redolent(芬芳的)与 smell(气味)的关系。芬芳的是用以修饰气味一词的,因此本题考查的是修饰关系。所以正确答案为 E 选项：辛辣的；味道,同样是一种修饰关系,而且也是说味道,味道可以辛辣,也是一种天然的修饰关系。A 选项,"好奇的；知识"。B 选项,"清晰的；视力"。C 选项,"有气无力的；动作"。D 选项,"短暂的；接触"。都不合适。

Example 2

Frenetic is to movement as
(A) perceptive is to analysis
(B) effortless is to expression
(C) focused is to thought
(D) spontaneous is to behavior
(E) fanatical is to belief

Answer and Explanation

首先,判断题干中 frenetic（狂热的）与 movement（行为）的关系。狂热的是用以修饰行为一词的,因此本题考查的是修饰关系,而且给人的感受是狂热。所以正确答案为 E 选项：狂热的；信仰,同样是一种修饰关系,信仰同样可以狂热。A 选项,"有洞察力的；分析"。B 选项,"不费力的；表达"。C 选项,"聚焦的；思想"。D 选项,"自发的；行为"。都不合适。

Example 3

Laconic is to speech as
(A) believable is to excuse
(B) unyielding is to attitude
(C) austere is to design
(D) somber is to procession

(E) gradual is to transition

Answer and Explanation

首先，判断题干中 laconic（言简意赅的）与 speech（讲话）的关系。言简意赅的是用以修饰讲话一词的，因此本题考查的是修饰关系，此外也体现出了简洁之意。所以正确答案为 C 选项：简朴的；设计，同样是一种修饰关系，设计可以简朴，也体现出了简洁之意。A 选项，"可信的；借口"。B 选项，"不屈服的；态度"。D 选项，"忧郁的；前进"。E 选项，"逐渐的；转变"。都不合适。

Example 4

Articulate is to speech as
(A) meticulous is to power
(B) graceful is to movement
(C) dissenting is to thought
(D) fawning is to respect
(E) engaging is to acceptance

Answer and Explanation

首先，判断题干中 articulate（口齿清晰的）与 speech（讲话）的关系。口齿清晰的是用以修饰讲话一词的，因此本题考查的是修饰关系，体现出了到位之感。所以正确答案为 B 选项：优雅的；动作，同样是一种修饰关系，动作可以优雅，也是非常到位的感觉。A 选项，"过分小心的；力量"。C 选项，"持不同意见的；观念"。D 选项，"献媚地；尊重"。E 选项，"吸引人的；接受"。都不合适。

Example 5

Impregnable is to fortress as
(A) defensive is to weapon
(B) tenable is to notion
(C) substantial is to planet
(D) unconquerable is to warrior
(E) reconnoitered is to territory

Answer and Explanation

首先，判断题干中 impregnable（坚不可摧的）与 fortress（城堡）的关系。坚不可摧的是用以修饰城堡一词的，因此本题考查的是修饰关系，而且给人以不可战胜之感。所以正确答案为 D 选项：不可战胜的；战士，同样是一种修饰关系，不可战胜的战士，也是给人以坚不可摧之感。A 选项，"防御的；武器"。B 选项，"站得住脚的；观念"。C 选项，"重要的；行星"。E 选项，"侦察的；领土"。都不合适。

Example 6

Mercurial is to mood as
(A) energetic is to delirium
(B) jovial is to conviviality

(C) fickle is to affection
(D) martial is to anarchy
(E) paranoid is to suspicion

Answer and Explanation

　　首先，判断题干中 mercurial（易变的）与 mood（情绪）的关系。易变的是用以修饰情绪一词的，因此本题考查的是修饰关系，并体现出易变的特点。所以正确答案为 C 选项：易变的；爱，同样是一种修饰关系，易变的爱，也是一种易变之感。A 选项，"精力充沛的；精神错乱"。B 选项，"快活的；高兴"。D 选项，"战争的；无政府"。E 选项，"偏执的；怀疑"。都不合适。

　　更多的"修饰关系"表达如下：

A(*adj.*)	B(*n.*)
acrid	odor
adroit	movement
agile	acrobat
ambiguous	understand
antediluvian	age
archaic	age
articulate	orator
articulate	speech
banal	conversation
broad	width
coeval	age
colossal	size
congruent	dimension
equivocal	meaning
exuberant	mood
fanatical	belief
frenetic	movement

A(*adj.*)	B(*n.*)
graceful	movement
heavy	weight
insipid	food
intense	emotion
interchangeable	function
laconic	speech
legible	handwriting
massive	size
piercing	sound
piquant	taste
polymorphous	shape
pungent	odor
ready	wit
redolent	smell
synonymous	meaning
variegated	color
volatile	temper

Part 4 搭配关系

　　SSAT 中的搭配关系，主要指的是动宾搭配关系，具体就是题干中一个动词搭配一个名词宾语。比如"植物"与"种植"的动宾搭配就是种植植物，或者"书籍"与"购买"的动宾搭配就是购买书籍。类比题目中给出一个动词以及与其搭配的宾语，正确选项中的两个词也需要构成逻辑上一致的动宾关系。动宾关系的选项中会经常出现多对动宾搭配，考生在进行选择时需要在多对动宾关系中进行比较，选择逻辑关系与题干关系最接近的一对。动宾关系的正确答案的特点是——选项动词的特征与题干动词的特征基本一致，甚至是同义词。

Example 1

Decipher is to hieroglyph as
(A) transcribe is to recording
(B) separate is to component
(C) heat is to metal
(D) break is to code
(E) edit is to text

Answer and Explanation

首先，判断题干中 decipher（破译）与 hieroglyph（象形文字）的关系。象形文字是可以破译的，因此本题考查的是动宾搭配关系。所以正确答案为 D 选项：破译；密码，同样是一种动宾搭配关系，密码也是可以破译的。A 选项，"抄写；记录"。B 选项，"分开；成分"。C 选项，"加热；金属"。E 选项，"编辑；文本"。都不合适。

Example 2

Aliment is to cure as malfunction is to
(A) repair
(B) bandage
(C) misinterpret
(D) throw
(E) disassemble

Answer and Explanation

首先，判断题干中 aliment（疾病）与 cure（治愈）的关系。疾病是需要治愈的，因此本题考查的是动宾搭配关系。所以正确答案为 A 选项：故障与修复，同样是一种动宾搭配关系，故障是需要修复的。B 选项，"绷带"。C 选项，"误解"。D 选项，"扔"。E 选项，"拆卸"。都不合适。

Example 3

Embroider is to cloth as
(A) chase is to metal
(B) patch is to quilt
(C) gild is to gold
(D) carve is to knife
(E) stain is to glass

Answer and Explanation

首先，判断题干中 embroider（刺绣）与 cloth（布）的关系。布上可以刺绣，因此本题考查的是动宾搭配关系。所以正确答案为 A 选项：雕镂；金属，同样是一种动宾搭配关系，金属可以用来雕镂。B 选项，"打补丁；棉被"。C 选项，"镀金；金。"D 选项，"切割；刀"。E 选项，"染色；玻璃"。都不合适。

Example 4

Carve is to turkey as
(A) slice is to cake
(B) peel is to peach
(C) mince is to onion
(D) core is to apple
(E) stew is to prune

Answer and Explanation

首先，判断题干中 carve（切割）与 turkey（火鸡）的关系。切割火鸡是一种动宾搭配，因此本题考查的是动宾搭配关系，体现出一种分割的动作。所以正确答案为 A 选项：切；蛋糕，同样是一种动宾搭配关系，也体现出分割的动作。B 选项，"剥；桃子"。C 选项，"切碎；洋葱"。D 选项，"去核；苹果"。E 选项，"炖；梅子"。都不合适。

Example 5

Parry is to question as
(A) return is to affection
(B) shirk is to duty
(C) confront is to dread
(D) hurl is to insult
(E) surrender is to temptation

Answer and Explanation

首先，判断题干中 parry（逃避）与 question（问题）的关系。逃避问题是一种动宾搭配，因此本题考查的是动宾搭配关系。所以正确答案为 B 选项：逃避；职责，同样是一种动宾搭配关系，也体现出了逃避之感。A 选项，"返回；爱情"。C 选项，"面对；恐怖"。D 选项，"投掷；侮辱"。E 选项，"投降；引诱"。都不合适。

Example 6

Listen is to recording as
(A) carve is to statue
(B) reproduce is to plan
(C) review is to book
(D) frame is to painting
(E) view is to photograph

Answer and Explanation

首先，判断题干中 listen（听）与 recording（录音）的关系。录音是用来听的，听录音是一种动宾搭配关系，因此本题考查的是动宾搭配关系。所以正确答案为 E 选项：看；照片，看照片也是一种动宾搭配关系，而且也涉及观感问题。A 选项，"雕刻；雕像"。B 选项，"再生；计划"。C 选项，"复习；书"。D 选项，"框架；画作"。都不合适。

Example 7

Conundrum is to solve as
(A) mirage is to vanish
(B) tangle is to unravel
(C) dilemma is to arbitrate
(D) joke is to amuse
(E) target is to aim

Answer and Explanation

首先，判断题干中 conundrum（谜语）与 solve（解决）的关系。谜语是需要解决的，解决谜语是一种动宾搭配关系，例如表达 solve the conundrum of achieving full employment without inflation（解决既不引起通货膨胀又能实现全民就业这个难题）。因此本题考查的是动宾搭配关系，正确答案的选项需要构成与题干逻辑一致的动宾关系。A 选项与 D 选项均为主谓关系。A 选项中的 vanish 为不及物动词，因此我们只能表达海市蜃楼消失（The mirage vanished.），而不能说消失一个海市蜃楼（vanish the mirage）。D 选项中，尽管 amuse（娱乐，消遣）为及物动词，但与 joke（笑话）搭配使用时，只能表达为 A joke amuses us. 这种主谓关系的形式。因此 A、D 两个选项均可排除。其实，主谓关系是动宾关系中经常出现的干扰选项，考生在动宾关系的类比题目中应对主谓关系的干扰选项高度警觉。选项中的动宾关系包括 B、C 和 E。B 选项 unravel（解开）与 tangle（混乱的状态，纠结）可以构成如下的动宾搭配：to unravel a tangle of family feuds and old flames（解开家族间的恩恩怨怨）。C 选项 arbitrate the dilemma（在两难抉择间进行仲裁）也是动宾关系。E 选项 aim（瞄准）与 target（目标）可以表达为 aim the gun at the target 的动宾形式。但 E 选项的动宾形式与题干不一致，其直接宾语并不是 target，而是 gun，因此可以排除 E。B、C 的动宾搭配均与题干一致，但 B 选项动词 unravel 的特征与题目的动词 solve 的特征相一致，其中心意思是"澄清或解释某种令人疑惑或不可理解的事情"，本质上是去解答（clear up），而 arbitrate 本质上是去决策与选择（decide and choose），如 arbitrate a dispute between neighbors（仲裁邻居间的争论）。因此在动词的特征对应上 unravel 与题干的 solve 更好，因此本题的正确答案为 B 选项。

Example 8

Rig is to contest as
(A) repudiate is to thesis
(B) predict is to race
(C) gerrymander is to district
(D) solve is to conundrum
(E) incriminate is to evidence

Answer and Explanation

首先，判断题干中 rig（操控）与 contest（比赛）的关系。rig 与 contest 可以构成 rig a contest/ prizefight/stock prices（操纵比赛 / 价格战 / 股价）的动宾关系。选项中的动宾关系包括 ABCD。E 选项不能构成动宾关系，但可以表达为如下形式：evidence that incriminated the defendant（表明被告有罪的证据）。为选出答案，需要发掘动词的特征。题目中的动词 rig 的解释为 to manipulate dishonestly for personal gain，其特征为欺骗与不公正，即我们平时表达的"暗箱操作"，"内定"的含义。比较 ABCD 四个选项动词的特征，C 的 gerrymander

的解释为 to divide （a geographic area） into voting districts so as to give unfair advantage to one party in elections，同样体现出了（划分选区的）欺骗与不公正性。因此动词含有的欺骗特征相一致，本题的正确答案为 C 选项。

更多的"动宾搭配关系"表达如下：

A(v.)	B(n.)	A(v.)	B(n.)
abase	length	filter	impurities
abase	prestige	fuel	car
abase	status	harvest	grain
abate	force	irrigate	water
abate	intensity	lower	height
abate	tax	molt	feathers
abate	prestige	pack	suitcase
abbreviate	letter	pantomime	viewer
alleviate	power	proliferate	number
alleviate	distress	purify	water
abridge	length	refine	oil
abridge	word	rehabilitate	person
astray	path	restoration	building
attenuate	force	retrenchment	money
attenuate	thickness	sew	fabric/cloth
barter	commodities	shed	hair
base	prestige	shorten	length
betray	trust	shrink	size
braid	hair	simplify	complexity
break	code	slice	cake
carve	turkey	stoke	fuel
catch	fish	storyteller	listener
chill	temperature	taper	width
convert	belief	tenuate	thickness
cool	temperature	transfer	location
correspond	letters	transfigure	aspect
damp	ardor	transgress	rule
debark	ship	trespass	boundary
debase	status	truncate	extent
debase	value	varnish	wood
debilitate	strength	veer	direction
decelerate	speed	wax	linoleum
decipher	hieroglyph	weaken	potency
disbar	attorney	weld	metal

dismount	horse
expand	volume
expel	student
fade	loudness

wind	clock
winnow	chaff
winnow	grain
winnow	wheat

Part 5 组成关系

组成关系有两种类型，一种是群体组成关系，另一种是个体组成关系。群体组成关系，指的是一个词语是由另外一个词语组成，比如"鱼群"与"鱼"的关系，"鱼群"是由"鱼"组成。个体组成关系，指的是题干中的一个词语是另外一个词语的一部分，比如"鸟"与"羽毛"的关系，羽毛是鸟身上的一部分。

Example 1

School is to fish as
(A) posse is to crowd
(B) arrow is to feathers
(C) union is to labor
(D) flock is to birds
(E) stock is to cattle

Answer and Explanation

首先，判断题干中 school（鱼群）与 fish（鱼）的关系。显然鱼群由鱼组成，因此鱼群与鱼是群体组成关系。所以正确答案为 D 选项：鸟群；鸟。A 选项，"民兵队；人群"。B 选项，"箭；羽毛"。C 选项，"工会；工人"。E 选项，"牲畜；牛"。都不合适。

SSAT 中总是喜爱考查群体的概念，如鱼群（school）、羊群/鸟群（flock）、鹅群（gaggle）、狮群（pride）、狼群（pack）、兽群/畜群（herd）、昆虫群（swarm）。

Example 2

Choir is to singer as
(A) election is to voter
(B) anthology is to poet
(C) cast is to actor
(D) orchestra is to composer
(E) convention is to speaker

Answer and Explanation

首先，判断题干中 choir（合唱团）与 singer（歌手）的关系。合唱团是由众多歌手组成，因此本题考查的是群体组成关系。所以正确答案为 C 选项：全体演员；演员。A 选项，"选举；投票人"。B 选项，"诗集；诗人"。D 选项，"管弦乐队；作曲家"。E 选项，"会议；演讲人"。都不合适。有同学会选择 A 选项，投票人（voter）组成的不是选举（election）这个抽象的概念，它组成的整体应该是选民（electorate）。

Example 3

Bird is to feathers as
(A) mammal is to spine
(B) hand is to fingers
(C) branch is to fruit
(D) limb is to fur
(E) fish is to scales

Answer and Explanation

首先，判断题干中 bird（鸟）与 feathers（羽毛）的关系。羽毛是鸟身上的一部分，因此本题考查的是个体组成关系。所以正确答案为 E 选项：鱼；鱼鳞，鱼鳞是鱼身上的一部分，此外，羽毛和鱼鳞都是动物最外层的部分。A 选项，"哺乳动物；脊椎"。B 选项，"手；手指"。C 选项，"树枝；水果"。D 选项，"四肢；皮毛"。都不合适。

Example 4

Skeleton is to animal as
(A) ivory is to piano
(B) peel is to fruit
(C) ore is to mine
(D) brig is to ship
(E) framing is to building

Answer and Explanation

首先，判断题干中 skeleton（骨骼）与 animal（动物）的关系。骨骼是动物身上的一部分，因此本题考查的是个体组成关系。但是这个题目还是有点难度，因为五个选项都可以理解为个体组成关系。于是需要更为仔细地观察这对概念，可以发现骨骼之于动物，还具有支撑的作用。所以正确答案为 E 选项：框架；建筑，框架之于建筑也是支撑的作用。A 选项，"象牙；钢琴"。B 选项，"果皮；水果"。C 选项，"矿石；矿山"。D 选项，"禁闭室；船"。都不合适。

Example 5

Tile is to mosaic as
(A) wood is to totem
(B) stitch is to sampler
(C) ink is to scroll
(D) pedestal is to column
(E) tapestry is to rug

Answer and Explanation

首先，判断题干中 tile（瓷砖）与 mosaic（马赛克）的关系。马赛克是由很多小块瓷砖组成，因此本题考查的是群体组成关系。所以正确答案为 B 选项：一针一脚；刺绣花样，刺绣花样也是由一针一脚所组成，体现的也是群体组成关系。A 选项，"木头；图腾"。C 选项，"墨水；卷轴"。D 选项，"基座；柱子"。E 选项，"挂毯；小地毯"。都不合适。

Example 6

Bouquet is to flowers as
(A) forest is to trees
(B) husk is to corn
(C) mist is to rain
(D) woodpile is to logs
(E) ice is to snow

Answer and Explanation

首先，判断题干中 bouquet（花束）与 flowers（花）的关系。花束显然是由很多花组成，因此本题考查的是群体组成关系。所以正确答案为 D 选项：木头堆；木头。A 选项，"森林；树"。B 选项，"壳；谷物"。C 选项，"薄雾；雨"。E 选项，"冰；雪"。都不合适。有同学会选成 A 选项，森林：树。尽管森林中有树，但是森林并非完全由树组成。此外，题干中的花束与 D 选项中的木头堆，均为人工形成，而 A 选项中的森林为自然形成，因此 D 选项才是正确选项。

Example 7

Symbols is to rebus as
(A) notes is to score
(B) military is to insignia
(C) proportions is to recipe
(D) program is to computer
(E) silversmith is to hallmark

Answer and Explanation

首先，判断题干中 symbols（符号）与 rebus（画谜）的关系。画谜是由很多符号组成，因此本题考查的是群体组成关系。所以正确答案为 A 选项：音符；乐谱。B 选项，"军队；徽章"。C 选项，"比例；处方"。D 选项，"程序；计算机"；E 选项，"银匠；纯度检验的证明印记"。都不合适。

Example 8

Gaggle is to goose as
(A) fin is to gill
(B) library is to book
(C) flock is to sheep
(D) seal is to flipper
(E) university is to mascot

Answer and Explanation

首先，判断题干中 gaggle（鹅群）与 goose（鹅）的关系。鹅群是由鹅组成的，因此本题考查的是群体组成关系。所以正确答案为 C 选项：羊群；羊。A 选项，"鱼鳍；鱼鳃"。B 选项，"图书馆；书"。D 选项，"海豹；鳍状肢"。E 选项，"大学；吉祥物"。都不合适。

更多的"组成关系"表达如下：

A（由B组成）	B	A（由B组成）	B
anthology	works	mosaic	ceramic
archipelago	islands	mosaic	tile
ballad	stanza	movie	picture
bath	water	music	score
bouquet	flower	music	note
cabal	conspirator	narrative	synopsis
cast	actor	nation	citizen
choir	singer	novel	chapter
chord	note	opera	act
clique	intimates	orchestra	instrumentalist
coffee	caffeine	orchestra	musician
colony	bacterium	patchwork	cloth
constellation	star	pebble	gravel
coven	witch	play	act
crowd	person/ people	poem	stanza
curriculum	course	poetry	stanza
drama	script	prose	paragraph
dune	sand	quartet	singer
essay	paragraph	rebus	symbols
filigree	wire	retinue	retainer
flax	linen	retinue	attendant
flock	bird	scale	note
flock	sheep	school	fish
fur	hair	score	note
forest	tree	screw	thread
galaxy	stars	sea	water
gear	tooth	sentence	word
glacier	ice	sound	pitch
gravel	pebble	staff	officer
grove	tree	stanza	line
herd	animals	symphony	movement
image	pixel	tapestry	thread
jigsaw puzzle	piece	team	player
lace	thread	tobacco	nicotine
lexicon	words	treatise	abstract
light	color	triptych	panel
medley	songs	troupe	actor

menu	dish		union	member
montage	images		volume	issue
mosaic	glass		woodpile	logs

Part 6 位置关系

位置关系指的是题干中的一个词语是另一个词语的放置或者存在的位置，在 SSAT 中，主要考查的是人或者事物之于位置场合的关系。比如"图书"与"图书馆"就是这种关系，图书馆是用以存放图书之地。

Example 1

Fresco is to wall as
(A) fountain is to courtyard
(B) parquetry is to floor
(C) thatch is to roof
(D) statuary is to passage
(E) gargoyle is to gutter

Answer and Explanation

首先，判断题干中 fresco（壁画）与 wall（墙）的关系。壁画显然是画于墙上，因此二者是位置关系。所以正确答案为 B 选项：镶木地板；地面，镶木地板自然也就是镶于地面。A 选项，"喷泉；庭院"。C 选项，"茅草屋顶；屋顶"。D 选项，"雕像；过道"。E 选项，"滴水嘴；排水沟"。都不合适。

Example 2

Folder is to papers as
(A) wardrobe is to clothing
(B) recipe is to ingredients
(C) zoo is to mountains
(D) suitcase is to luggage
(E) box is to cube

Answer and Explanation

首先，判断题干中 folder（文件夹）与 papers（文件）的关系。文件当然是要置于文件夹中，因此二者是位置关系。所以正确答案为 A 选项：衣柜；衣服，衣服当然是要置于衣柜之中了。B 选项，"食谱；成分"。C 选项，"动物园；山"。D 选项，"手提箱；行李箱"。E 选项，"盒子；立方"。都不合适。也有同学会选择 C 选项，认为动物园里也会有假山，这就属于过度延伸了，动物园不是放置假山的最佳位置，并不构成位置关系。

Example 3

Granite is to quarry as oil is to

(A) mine
(B) water
(C) woods
(D) drill
(E) stream

Answer and Explanation

　　首先，判断题干中 granite（花岗岩）与 quarry（采石场）的关系。采石场之于花岗岩，显然是位置关系。所以我们需要寻找放置 oil（油）的理想位置，即 D 选项，油井。drill 最常背诵到的可能是"钻头"的意思，实际上它还有"油井"的意思。A 选项，"矿井"。B 选项，"水"。C 选项，"树林"。E 选项，"小溪"。都不合适。

Example 4

　　Envelop is to letter as
(A) scarf is to hat
(B) box is to bag
(C) crate is to produce
(D) neck is to head
(E) blood is to heart

Answer and Explanation

　　首先，判断题干中 envelop（信封）与 letter（信纸）的关系。信封是放置信纸之地，考查的显然是位置关系。所以正确答案为 C 选项：柳条筐；农产品，柳条筐为放置农产品的合适位置，体现的也是位置关系。A 选项，"围巾；帽子"。B 选项，"盒子；包"。D 选项，"脖子；头"。E 选项，"血；心脏"。都不合适。

Example 5

　　Larder is to food as
(A) depository is to storage
(B) terminal is to aircraft
(C) garage is to mechanics
(D) armory is to munitions
(E) factory is to tools

Answer and Explanation

　　首先，判断题干中 larder（食品柜）与 food（食物）的关系。食品柜是放置食物的地方，考查的显然是位置关系。所以正确答案为 D 选项：军火库；军火，军火库为放置军火的合适位置，体现的也是位置关系。A 选项，"仓库；存储"。B 选项，"终点；飞机"。C 选项，"车库；机械学"。E 选项，"工厂；工具"。都不合适。

Example 6

　　Greenhouse is to plant as
(A) refrigerator is to milk

(B) well is to water

(C) orchard is to fruit

(D) incubator is to infant

(E) tank is to fuel

Answer and Explanation

　　首先，判断题干中 greenhouse（温室）与 plant（植物）的关系。温室是放置植物的场所，所以本题考查的显然是位置关系。所以正确答案为 D 选项：育儿箱；婴儿，育儿箱也是放置婴儿的合适位置，体现的也是位置关系。A 选项，"冰箱；牛奶"。B 选项，"井；水"。C 选项，"果园；水果"。E 选项，"容器；燃料"。都不合适。

Example 7

　　Vernacular is to place as

(A) landmark is to tradition

(B) code is to solution

(C) fingerprint is to identity

(D) symptom is to disease

(E) jargon is to profession

Answer and Explanation

　　首先，判断题干中 vernacular（方言）与 place（地点）的关系。地点之于方言，显然是位置关系，不同的地方存在着不同的方言。所以正确答案为 E 选项：行话；职业，在不同的职业中，存在不同的行话。A 选项，"里程碑；传统"。B 选项，"密码；解决方法"。C 选项，"指纹；身份"。D 选项，"症状；疾病"。都不合适。

Example 8

　　Painting is to exhibition as

(A) symphony is to concert

(B) melody is to accompaniment

(C) chorus is to audition

(D) solo is to improvisation

(E) orchestra is to rehearsal

Answer and Explanation

　　首先，判断题干中 painting（绘画）与 exhibition（绘画展览）的关系。绘画的发生场所可以是绘画展览，因此本题考查的是特定事件与其发生场所的关系。所以正确答案为 A 选项：交响乐；音乐会，交响乐的发生场所可以是音乐会，体现的也是特定事件与其发生场所的关系。B 选项，"旋律；伴奏"。C 选项，"合唱；听觉"。D 选项，"独唱；即兴演出"。E 选项，"交响乐团；排练"。都不合适。

更多的"位置关系"表达如下：

人、事物	位置、场合	人、事物	位置、场合
animal	zoo	kitchen	house
arrow	quiver	lapel	chest

baby	crib
baseball	diamond
book	bookcase
book	library
button	shirt
circuits	computer
clothes	wardrobe
color	palette
concert	theater
corpse	morgue
electricity	wire
eye	face
finger	hand
galley	ship
gladiator	arena
golf	course
grain	mill
hen	coop
herd	corral
homily	church
horse racing	track
judge	bench

lawyer	courtroom
lecture	auditorium
lessons	school
mask	face
nose	face
orator	rostrum
parrot	jungle
passenger	train
petroleum	refinery
plane	hangar
shoe	foot
surgery	hospital
swarm	hive
tennis	court
throne	monarch
trees	forest
tuna	ocean
water	hose
water	canteen
water	aqueduct
worker	factory

Part 7　程度关系

　　程度关系（Degree of intensity），指的是题干中的两个词语在意思相近的基础上，两个词语在程度上又有词义深浅或者感情色彩上的些许不同。

Example 1

　　Glaring is to bright as
(A) iridescent is to colorful
(B) perceptible is to visible
(C) discordant is to harmonious
(D) peppery is to salty
(E) deafening is to loud

Answer and Explanation

　　首先，判断题干中glaring（耀眼的）与bright（明亮的）的关系。这两个词汇都有明亮之意，但是glaring要远比bright程度深，因此二者是程度关系。所以正确答案为E选项：震耳欲聋的；大声的。震耳欲聋与大声，都是声音大，但是震耳欲聋又比大声程度要深。A 选项，"彩虹色的；多彩的"。B 选项，"感知的；看得见的"。C 选项，"不和谐的；和谐的"。D 选项，"暴躁的；盐的"。都不合适。

Example 2

 Peccadillo is to sin as
 (A) provocation is to instigation
 (B) anxiety is to fear
 (C) perjury is to corruption
 (D) penury is to poverty
 (E) admonishment is to castigation

Answer and Explanation

首先，判断题干中 peccadillo（小错）与 sin（罪过）的关系。这两个词汇都有错误之意，但是 peccadillo 要远比 sin 的程度浅得多。因此二者是程度关系，所以正确答案为 E 选项：警告；严厉惩罚。警告与严厉惩罚，都是告诫，但是警告远比严厉惩罚程度要浅。A 选项，"挑衅；煽动"。B 选项，"忧虑；畏惧"。C 选项，"伪证；腐败"。D 选项，"极度贫穷；贫穷"。都不合适。这个题目，有同学会误选成 D 选项，但是原题题干中前者比后者程度浅，但是 D 选项前者比后者程度深，正好相反。所以，我们在做题的时候，不但要注意词义，还要注意先后顺序。

Example 3

 Fascination is to interest as
 (A) laughter is to humor
 (B) adoration is to fondness
 (C) loyalty is to admiration
 (D) innocence is to ignorance
 (E) violence is to disaffection

Answer and Explanation

首先，判断题干中 fascination（迷恋）与 interest（感兴趣）的关系。这两个词语都有感兴趣之意，但是 fascination 要比 interest 程度深，因此二者是程度关系。所以正确答案为 B 选项：非常喜爱；喜爱。两者都是喜爱，但是非常喜爱显然比喜爱程度要深。A 选项，"笑声；幽默"。C 选项，"忠诚；赞赏"。D 选项，"天真；无知"。E 选项，"暴力；不满"。都不合适。

Example 4

 Garrulous is to talkative as
 (A) suspicious is to unreliable
 (B) cantankerous is to obtuse
 (C) cloying is to sweet
 (D) reflective is to insightful
 (E) prudent is to indecisive

Answer and Explanation

首先，判断题干中 garrulous（贫嘴的）与 talkative（健谈的）的关系。这两个词汇都有健谈之意，但是 garrulous 比 talkative 程度要深，因此二者是程度关系。所以正确答案为 C 选项：甜腻的；甜的。两者都是甜，但是甜腻显然比甜的程度要深。A 选项，"怀疑的；不可靠的"。B 选项，"脾气暴躁的；愚笨的"。D 选项，"沉思的；有洞察力的"。E 选项，"谨慎的；优柔寡断的"。都不合适。

Example 5

Complain is to carp as
(A) supply is to donate
(B) argue is to debate
(C) grumble is to accuse
(D) drink is to guzzle
(E) pacify is to intervene

Answer and Explanation

首先，判断题干中 complain（抱怨）与 carp（吹毛求疵）的关系。这两个词汇都有抱怨之意，但是 carp 显然要比 complain 程度深，因此本题考查的是程度关系，所以正确答案为 D 选项：喝；大口喝。两者都是喝，但是大口喝显然比喝的程度要深，体现的也是程度关系。A 选项，"供应；捐赠"。B 选项，"争论；争辩"。C 选项，"抱怨；控告"。E 选项，"抚慰；干涉、干预"。都不合适。

Example 6

Attentive is to officious as
(A) doubtful is to ambiguous
(B) absorbed is to engrossed
(C) refined is to snobbish
(D) magisterial is to authoritative
(E) impromptu is to spontaneous

Answer and Explanation

首先，判断题干中 attentive（关心的）与 officious（过分关心的）的关系。这两个词汇都有关心之意，但是 officious 显然要比 attentive 程度深，因此本题考查的是程度关系。所以正确答案为 C 选项：讲究的；假充绅士，势利的。讲究的与势利的，都是比较讲究，但是为人势利显然比为人讲究程度更深，体现的也是程度关系。A 选项，"疑惑的；模棱两可的"。B 选项，"全神贯注的；全神贯注的"。D 选项，"有权威的；有权威的"。E 选项，"即兴的；自发的"。都不合适。

Example 7

Patriotic is to chauvinistic as
(A) impudent is to intolerant
(B) furtive is to surreptitious

(C) incisive is to trenchant
(D) receptive is to gullible
(E) verbose is to prolix

Answer and Explanation

　　首先，判断题干中 patriotic（爱国的）与 chauvinistic（沙文主义的）的关系。这两个词汇都有关心之意，但是 chauvinistic 显然要比 patriotic 程度深，因此本题考查的是程度关系。所以正确答案为 D 选项：能接受的；易上当的。能接受与易上当，都是可以接受，但是易上当显然要比能接受的程度更深，体现的也是程度关系。A 选项，"厚颜无耻的；不容异己的"。B 选项，"鬼鬼祟祟的；偷偷摸摸的"。C 选项，"一针见血的；一针见血的"。E 选项，"冗长的；冗长的，啰唆的"。都不合适。

Example 8

　　Mania is to enthusiasm as
(A) exercise is to activity
(B) fever is to symptom
(C) coma is to unconsciousness
(D) honesty is to virtue
(E) doting is to fondness

Answer and Explanation

　　首先，判断题干中 mania（狂热）与 enthusiasm（热情）的关系。这两个词汇都有热情之意，但是 mania 显然要比 enthusiasm 程度深，因此本题考查的是程度关系。所以正确答案为 C 选项：昏迷；无知觉。昏迷与无知觉，都是没有知觉，但是昏迷显然要比无知觉的程度更深，体现的也是程度关系。A 选项，"锻炼；活动"。B 选项，"发烧；症状"。D 选项，"诚实；美德"。E 选项，"溺爱；喜爱"。都不合适。

Example 9

　　Coma is to unconsciousness as
(A) amnesia is to effort
(B) delirium is to confusion
(C) paralysis is to pain
(D) hallucination is to numbness
(E) fever is to claim

Answer and Explanation

　　首先，判断题干中 coma（昏迷）与 unconsciousness（无知觉）的关系。这两个词汇都有没有知觉之意，但是 coma 显然要比 unconsciousness 程度深，因此本题考查的是程度关系，所以正确答案为 B 选项：精神错乱；迷惑。精神错乱与迷惑，都具有迷惑之意，但是精神错乱显然要比迷惑的程度更深，体现的也是程度关系。A 选项，"健忘症；努力"。C 选项，"瘫痪；痛苦"。D 选项，"幻觉；麻木"。E 选项，"狂热；声称"。都不合适。

Example 10

Hemorrhage is to bleeding as
(A) vertigo is to dizziness
(B) asthma is to respiration
(C) obesity is to food
(D) anemia is to vitality
(E) tension is to pain

Answer and Explanation

首先，判断题干中 hemorrhage（大出血）与 bleeding（出血）的关系。这两个词汇都有出血之意，但是 hemorrhage 显然要比 bleeding 程度深，因此本题考查的是程度关系。所以正确答案为 A 选项：眩晕；头晕眼花。两者都是眩晕，但是眩晕显然要比头晕眼花的程度更深，体现的也是程度关系。B 选项，"哮喘；呼吸"。C 选项，"肥胖症；食物"。D 选项，"贫血；活力"。E 选项，"紧张；痛苦"。都不合适。

更多的"程度关系"表达如下：

A（程度浅）	B（程度深）	A（程度浅）	B（程度深）
affection	adoration	like	dote
amble	wander	little	none
amusing	uproarious	meander	dash
apprehension	terror	nibble	gobble
careful	picky	officious	obliging
clean	pristine	period	exclamation
damp	quench	plummet	waft
confident	arrogant	plausible	definite
covetous	interrupted	probable	certain
covetous	rapacious	question	grill
crush	pulverize	recommend	urge
communicative	garrulous	reprimand	condemn
cut	shred	reproach	upbraid
desire	craving	request	plead
destroy	demolish	sip	gulp
disapproval	upbraid	sip	swill
encourage	demand	smolder	blaze
fear	terror	suggest	order
foible	failing	sweet	cloying
fondness	adoration	talkative	garrulous
frugal	miserly	tiff	squabble
funny	hilarious	tint	suffuse
glance	stare	tired	exhausted

happy	ecstatic		touch	push
hot	sweltering		translucent	opaque
hunger	ravenous		transparent	translucent
indignation	furious		tremor	earthquake
infrequently	never		trickle	gush
interest	fascination		trot	gallop
interest	zeal		troubled	distraught
interested	obsessed		visionary	idealistic
interesting	mesmerizing		warm	sear
involve	entangle			

Part 8 长短关系

长短关系，与大小关系一样，严格来说，也可以算是程度关系。只不过为了在应试时间之内做题便捷，所以才又细腻地分了一类。

Example

Novel is to poem as
(A) letter is to alphabet
(B) toy is to child
(C) marathon is to sprint
(D) elephant is to dinosaur
(E) urban is to rural

Answer and Explanation

首先，判断题干中的 novel（小说）与 poem（诗歌）的关系。小说往往比诗歌篇幅要长（广义说来，这个题目的逻辑如此，尽管并不十分严谨），因此本题考查的是长短关系。所以正确答案为 C 选项：马拉松；冲刺跑，马拉松要远比冲刺跑长，也是一种长短关系。A 选项，"信件；字母表"。B 选项，"玩具；儿童"。D 选项，"大象；恐龙"。E 选项，"城市的；郊区的"。都不合适。

更多的"长短关系"表达如下：

A（长）	B（短）	A（长）	B（短）
drama	skit	novel	poem
marathon	sprint	scene	vignette

Part 9　种属关系

> 种属关系，指的是在题干中，一个词语的概念范畴包含着另外一个词语。其中，外延大的概念叫属；外延小的概念叫种。比如苹果与水果，苹果是水果的一种，因此苹果与水果是种属关系。

Example 1

Apple is to fruit as
(A) egg is to chicken
(B) rung is to chair
(C) wool is to fabric
(D) fuse is to dynamite
(E) wick is to candle

Answer and Explanation

首先，判断题干中的 apple（苹果）与 fruit（水果）的关系。显然苹果是水果的一种，因此苹果与水果是种属关系。所以正确答案为 C 选项：羊毛织物；织物。A 选项，"鸡蛋；鸡"。B 选项，"横杠；椅子"。D 选项，"导火索；炸药"。E 选项，"烛心；蜡烛"。都不合适。

Example 2

Insect is to butterfly as
(A) perfume is to flagrance
(B) botany is to daisy
(C) tool is to hammer
(D) pitch is to black
(E) color is to brightness

Answer and Explanation

首先，判断题干中的 insect（昆虫）与 butterfly（蝴蝶）的关系。显然蝴蝶是昆虫的一种，因此蝴蝶与昆虫是种属关系。所以正确答案为 C 选项：工具；锤子。A 选项，"香水；芬芳"。B 选项，"植物学；雏菊"。D 选项，"沥青；黑色"。E 选项，"颜色；明亮"。都不合适。

Example 3

Alcove is to recess as
(A) turret is to chimney
(B) dome is to roof
(C) column is to entrance
(D) foyer is to ballroom
(E) foundation is to building

Answer and Explanation

首先，判断题干中的 alcove（神龛）与 recess（凹陷）的关系。神龛是一种墙上的凹陷，里面供奉着神像（idol），因此神龛与凹陷是种属关系。所以正确答案为 B 选项：圆屋顶；屋顶，圆屋顶也是屋顶的一种，也是种属关系。A 选项，"塔楼；烟囱"。C 选项，"柱子；入口"。D 选项，"休息室、门厅；舞厅"。E 选项，"地基；建筑"。都不合适。

Example 4

Simper is to smile as
(A) babble is to talk
(B) thought is to blank
(C) look is to espy
(D) leer is to ogle
(E) wink is to eye

Answer and Explanation

首先，判断题干中的 simper（傻笑）与 smile（笑）的关系。傻笑显然是笑的一种，因此傻笑与笑是种属关系。所以正确答案为 A 选项：牙牙学语；说话，牙牙学语也是说话的一种，也是种属关系。B 选项，"思想；空白"。C 选项，"看；发现"。D 选项，"斜视；秋波"。E 选项，"眨眼；眼睛"。都不合适。

Example 5

Doggerel is to verse as
(A) burlesque is to play
(B) sketch is to drawing
(C) operetta is to symphony
(D) fable is to narration
(E) limerick is to sonnet

Answer and Explanation

首先，判断题干中的 doggerel（打油诗）与 verse（诗）的关系。打油诗显然是诗的一种，因此打油诗与诗是种属关系。所以正确答案为 A 选项：讽刺滑稽戏剧；戏剧，讽刺滑稽戏剧是戏剧的一种，也是种属关系。B 选项，"素描；绘画"。C 选项，"小歌剧；交响乐"。D 选项，"寓言；记叙文"。E 选项，"打油诗；十四行诗"。都不合适。

Example 6

Subsidy is to support as
(A) assistance is to endowment
(B) funds is to fellowship
(C) credit is to payment
(D) debt is to obligation
(E) loan is to note

Answer and Explanation

首先，判断题干中的 subsidy（津贴、资助）与 support（支持）的关系。津贴显然是支持的一种，而且属于经济支持，因此津贴与支持是种属关系。所以正确答案为 D 选项：债务；

义务，债务也是义务的一种，也是种属关系。A 选项，"帮助；捐助"。B 选项，"基金；奖学金"。C 选项，"信用；付款"。E 选项，"贷款；纸币"。都不合适。

更多的"种属关系"表达如下：

A（种）	B（属）	A（种）	B（属）
allergy	reaction	metaphysics	philosophy
amble	walk	miracle	occurrence
anecdote	story	mumble	talk
augury	prediction	musician	performer
automobile	vehicle	parquetry	floor
barter	trade	poet	writer
bicycle	vehicle	portrait	painting
biography	history	prodigy	person
bowl	receptacle	raft	watercraft
brook	river	ramble	travel
butterfly	insect	relationship	friendship
chat	talk	sacrifice	worship
clarinet	woodwind	scalpel	instrument
clutch	hand	scribble	write
cymbal	percussion	sculpture	art
dirge	music	shout	voice
doodle	draw	skit	play
elegy	poetry	sneaker	shoe
elegy	poem	snow	precipitation
figurine	statue	talisman	object
fresco	wall	tango	dance
granite	rock	terminology	language
hoard	save	tiger	cat
hurricane	wind	tinker	adjust
hut	dwelling	tornado	air
images	montage	twig	limb
incantation	utterance	uniform	clothing
iron	metal	vestige	remainder
jog	exercise	whirlpool	water
lurk	wait	zigzag	turns
mammal	human		

种属关系，还会涉及"上下"这一概念，比如以下这些表达：

A	B	A	B
building	foundation	dungeon	castle

root	plant		brig	ship
roof	house		head	body

我们可以看到，首先 *roof* 是 *house* 的一部分，这是种属关系。但是它又位于上部，是为上下之辨。

Part 10 大小关系

> 大小关系，从实质上来说，是种属关系的引申。不过，这里的大小关系，多是指外观上的，鲜少感情色彩上的区别。比如：写与涂鸦，写是大，涂鸦是小，因为涂鸦只是写这个概念的一种，只不过特点是凌乱。

Example 1

Cello is to viola as tuba is to
(A) trumpet
(B) drum
(C) piano
(D) woodwind
(E) clock

Answer and Explanation

首先，判断题干中的 cello（大提琴）与 viola（中提琴）的关系。大提琴是大型乐器，中提琴相比之下就要小，因此本题考查的是大小关系。所以正确答案为 A 选项：小号（trumpet），大号（tuba）要远比小号大，体现的也是大小关系。B 选项，"鼓"。C 选项，"钢琴"。D 选项，"木管乐器"。E 选项，"钟表"。都不合适。

Example 2

Twig is to limb as
(A) microbe is to slide
(B) galaxy is to star
(C) verse is to poetry
(D) plant is to root
(E) brook is to river

Answer and Explanation

首先，判断题干中的 twig（小树枝）与 limb（树枝）的关系。显然小树枝是树枝的一种，因此 twig 与 limb 是种属关系，只不过除了种属这层关系，还多了一个大小关系。所以正确答案为 E 选项：小溪；河流，小溪是河流的一种，小溪跟河流相比，也具有小的特点。A 选项，"微生物；载玻片"。B 选项，"星系、银河；星星"。C 选项，"诗歌；诗歌"。D 选项，"植物；（植物的）根"。都不合适。

Example 3

Babble is to talk as
(A) chisel is to sculpt
(B) harmonize is to sing
(C) scribble is to write
(D) hint is to imply
(E) quibble is to elude

Answer and Explanation

首先，判断题干中的 babble（胡说）与 talk（说话）的关系。显然胡说是说话的一种方式，因此 babble 与 talk 是种属关系，只不过除了种属这层关系，还多了一个大小关系，talk 为大，babble 为小。此外，babble 既然是胡说，"胡"就是其特点。所以正确答案为 C 选项：胡写；写，胡写是写的一种方式，胡写跟写，体现出大小的关系，也体现出"胡"这一特点。A 选项，"凿子；雕刻"。B 选项，"和谐；歌唱"。D 选项，"暗示；暗示"。E 选项，"强词夺理；躲避"。都不合适。

Example 4

Deluge is to droplet as
(A) beach is to wave
(B) desert is to oasis
(C) blizzard is to icicle
(D) landslide is to pebble
(E) cloudburst is to puddle

Answer and Explanation

首先，判断题干中的 deluge（大洪水，大暴雨）与 droplet（小水滴，小雨滴）的关系。很明显，一个大，一个小，体现的是大小关系。所以正确答案为 D 选项：山崩；小卵石，一个大，一个小，体现的也是大小关系。A 选项，"沙滩；波浪"。B 选项，"沙漠；绿洲"。C 选项，"暴风雪；冰垂"。E 选项，"骤雨；水洼"。都不合适。

更多的"大小关系"表达如下：

A（范围小）	B（范围大）	A（范围小）	B（范围大）
amend	change	hill	mountain
arroyo	channel	moment	era
brook	river	note	letter
bus	car	pebble	boulder
comment	speech	pebble	landslide
creek	river	pebble	rock
dolphin	whale	puddle	lake
drip	deluge	site	region
drop	pond	sprint	job
droplet	deluge	symphony	song

figurine	colossus		twig	branch
figurine	statue		twig	limb
grotto	cavern		tornado	wind
haiku	epic			

Part 11 正面特征关系

正面特征关系，指的是题干中的一个词语可以表现出另外一个词语的最直接的特征。比如"智者"与"智慧"这一对词语，智慧显然是智者的特点。再比如，慈善家自然也就具有利他主义的特点了。当然，有些时候，这种正面特征，我们需要放在更广的层面去看，也就是说，这个事物或者人物只择取了其一个显著特征（characteristic of something）。比如小争论（skirmish）的特征为不重要（insignificance），而决斗（duel）的特征为正式（formality）。

（1）人及其正面动作特征关系

Example 1

Proctor is to supervise as
(A) prophet is to rule
(B) profiteer is to consume
(C) profligate is to demand
(D) prodigal is to squander
(E) prodigy is to wonder

Answer and Explanation

首先，判断题干中 proctor（监考人）与 supervise（监督）的关系。监考人的最主要特征就是监督这一动作，因此本题考查的是正面特征关系。所以正确答案为 D 选项：挥霍者；挥霍，挥霍者的最主要特征就是挥霍这一动作，体现的也是正面特征。A 选项，"预言者；统治"，明显不对，预言者的最主要特征应该是预测（predict）。B 选项，"投机商；消费"，不对，投机商最主要的动作应该是投机（speculate）。C 选项，"挥霍者；要求"。E 选项，"天才；惊奇"。都不合适。

（2）人及其正面性格特征关系

Example 2

Fervor is to zealot as
(A) antipathy is to philanthropist
(B) improvidence is to spendthrift
(C) concision is to politician
(D) determination is to ecologist
(E) nonchalance is to acrobat

Answer and Explanation

首先，判断题干中 fervor（狂热）与 zealot（狂热者）的关系。狂热自然就是狂热者的特点了，因此二者是正面特征关系。所以正确答案为 B 选项：目光短浅；挥霍者，挥霍者自然也就具有目光短浅的特点了。A 选项，"厌恶；慈善家"，显然厌恶不是慈善家的特点。C 选项，"简洁；政客"，政客与简洁八竿子打不到一块。D 选项，"决心；生态学家"，有决心与生态学家也没有必然的联系。E 选项"冷漠；杂耍演员"，这就更为离谱了。因此其余这四个选项都不合适。

Example 3

Coward is to craven as
(A) liar is to facetious
(B) dupe is to gullible
(C) commentator is to caustic
(D) judge is to formal
(E) criminal is to hostile

Answer and Explanation

首先，判断题干中 coward（懦夫）与 craven（懦弱）的关系。懦弱显然是懦夫的特点，因此本题考查的是正面特征关系。所以正确答案为 B 选项：易受骗之人；易受骗的，易受骗的自然是易受骗之人的特征。A 选项，"撒谎之人；诙谐的，滑稽的"。C 选项，"评论员；尖刻的"。D 选项，"法官；正式的"。E 选项，"罪犯；有敌意的"。都不合适。

Example 4

Pest is to irksome as
(A) salesclerk is to courteous
(B) expert is to proficient
(C) enigma is to unexpected
(D) leader is to nondescript
(E) accuser is to indicted

Answer and Explanation

首先，判断题干中 pest（令人讨厌之人）与 irksome（令人讨厌的）的关系。令人讨厌之人的特征自然就是令人讨厌，因此二者是正面特征关系。所以正确答案为 B 选项：专家；专业的，专家的特征自然也就是专业的，体现的也是正面特征关系。A 选项，"售货员；礼貌的"。C 选项，"谜一般的人；出乎意料的"。D 选项，"领导；无特征的"。E 选项说，"指控者；被起诉的"。都不合适。

Example 5

Annoying is to gadfly as
(A) brave is to underdog
(B) conniving is to killjoy
(C) insipid is to bungler

(D) rude is to churl
(E) vicious is to manipulator

Answer and Explanation

首先，判断题干中 annoying（令人反感的）与 gadfly（令人讨厌之人）的关系。令人讨厌之人的特征自然就是令人反感，因此二者是正面特征关系。所以正确答案为 D 选项：粗鲁的；粗人，粗人的特征自然也就是粗鲁，体现的也是正面特征关系。A 选项，"勇敢的；受压迫者"。B 选项，"默许的；败兴之人"。C 选项，"乏味的；把工作做糟之人"。E 选项说，"邪恶的；操纵者"。都不合适。

（3）动物及其正面行为特征关系

Example 6

Slither is to snake as
(A) perch is to eagle
(B) bask is to lizard
(C) waddle is to duck
(D) circle is to hawk
(E) croak is to frog

Answer and Explanation

首先，判断题干中 slither（滑行）与 snake（蛇）的关系。滑行显然就是蛇的出行方式，因此本题考查的是正面特征关系。所以正确答案为 C 选项：摇摇摆摆地走；鸭子，摇摇摆摆地走生动地展示了鸭子的行走方式，体现的也是正面特征关系。A 选项，"栖息；鹰"。B 选项，"晒太阳；蜥蜴"。D 选项，"原地转圈；鹰"。E 选项，"青蛙叫；青蛙"。都不合适。

（4）事物及其正面特征关系

Example 7

Skirmish is to insignificance as
(A) revolution is to democracy
(B) duel is to formality
(C) feud is to impartiality
(D) bout is to sparring
(E) crusade is to remoteness

Answer and Explanation

首先，判断题干中 skirmish（小争吵，小战斗）与 insignificance（微不足道）的关系。一场小争吵或者小战斗之于整个大局是微不足道的，因此本题考查的是正面特征关系，具体是事物及其正面特征关系。所以正确答案为 B 选项：决斗；正式，在西方，决斗是正规、正式的，有特定的时间、地点和武器，甚至还需要仲裁人（arbitrator）。正式是决斗的正面特征，体现的是事物及其正面特征关系。A 选项，"革命；民主"。不对，革命未必有民主的特征，奴隶制社会中的革命是封建性的。C 选项，"世仇；公正客观"。不对，世仇往往是由两个家族之间的偏见所致，所以 feud 与 impartiality 构成了事物及其反面特征关系。D 选项，"回合；拳击"。E 选项，"运动；遥远"。都不合适。

更多的"正面特征关系"表达如下：

A	B（正面特征）	A	B（正面特征）
altruistic	benevolence	midget	minuscule
altruist	selflessness	milk	nutrient
anecdote	amusement	miser	stingy
athlete	training	monarch	migrate
autobiographer	author	mountain	height
bear	hibernation	mouth	oral
bedlam	tumultuous	mule	stubborn
bee	sting	nose	olfactory
bibulous	drink	obstinate	preserve
bigot	intolerant	overture	introductory
bird	migration	partisan	bias
bully	browbeat	pest	irksome
burlesque	mockery	philanthropist	generous
can	cylinder	philanthropist	benevolent
cat	pounce	pig	idleness
censor	expurgate	polymorphous	shape
chain	clank	pond	stagnant
choleric	belligerence	porcupine	quill
churl	uncouth	potentate	power
claustrophobic	enclosure	proselyte	convert
clown	zany	prude	fastidious
cobwebs	gossamer	puritan	simple
colossus	gargantuan	pyramid	triangle
conniver	conspiratorial	raconteur	storytelling
connoisseur	discriminating	rain	patter
connoisseur	expertise	rainforest	humid
core	central	recidivist	relapse
coward	craven	recluse	solitary
cylinder	circle	reprobate	misbehave
desert	arid	scrooge	miserly
devotee	fervid	self-portrait	artist
dice	cube	showoff	flamboyant
dilettante	superficiality	skunk	odor
diplomat	tact	squander	wasteful
distillate	purity	stream	flowing
dog	domestic	student	studying
dupe	gullible	surface	superficial

dupe	trusting
ear	audible
expert	proficient
extortionist	blackmail
extortionist	intimidation
eye	visual
fantasy	fiction
farce	hilarious
fox	clever
gluttonous	food
greyhound	speedy
grizzly	hibernate
ground dog	hibernate
gymnast	agility
hermit	solitary
hive	active
idolater	reverent
instigator	incite
judge	impartial
kleptomaniac	steal
klutz	inept
lecture	instruction
loner	solitary
malcontent	complaint
meat	edible

swallow	migrate
swindler	cheat
sycophant	fawn
sycophant	flatter
sycophant	flattery
synopsis	conciseness
tactless/insensitive	offend
teacher	educated
tearjerker	maudlin
tirade	anger
toady	favor
toady	flatter
trench	depth
trivia	insignificant
variegated	color
veils	diaphanous
vendor	purvey
venom	toxin
veto	prohibitive
virtuoso	skill
water	potable
wolf	wild
wordsmith	writing
zealot	fanatic devotee

Part 12 反面特征关系

反面特征关系，顾名思义，和正面特征是对立的。指的是题干中的一个词语是另外一个词语的最反面或者最对立的特征。比如"骗子"与"诚实"这一对词语，骗子是不具备诚实这一特点的，也就是骗子与诚实是反面特征关系。

Example 1

Coward is to brave as
(A) hero is to cynical
(B) doctor is to impatient
(C) philanthropist is to selfish
(D) seer is to intuitive
(E) traitor is to careful

Answer and Explanation

首先，判断题干中 coward（懦夫）与 brave（勇敢）的关系。懦夫的特点是懦弱，勇敢是懦夫的反面特征，因此本题考查的是反面特征关系。所以正确答案为 C 选项：慈善家；自私的，慈善家的特点是无私，它的反面特征就是自私。A 选项，"英雄；愤世嫉俗的"。B 选项，"医生；没有耐心的"。D 选项，"先知；自觉的"。E 选项，"叛徒；小心的"。都不合适。

Example 2

Maverick is to conformity as
(A) renegade is to ambition
(B) extrovert is to reserve
(C) reprobate is to humility
(D) zealot is to loyalty
(E) strategist is to decisiveness

Answer and Explanation

首先，判断题干中 maverick（违反传统之人，特立独行之人）与 conformity（传统习俗）的关系。违反传统之人、特立独行之人的特点是违反传统、特立独行，传统习俗自然是其反面特征，因此本题考查的是反面特征关系。所以正确答案为 B 选项：外向的人；沉默寡言，外向的人的特点是能言善辩，其反面特征就是沉默寡言，所以体现的也是反面特征关系。A 选项，"叛变的人；雄心"。C 选项，"放荡堕落的人；谦虚"。D 选项，"狂热者；忠诚"。E 选项，"战略家；果断"。都不合适。

Example 3

Inevitable is to chance as
(A) absolute is to variability
(B) candid is to openness
(C) certain is to regularity
(D) relaxed is to diligence
(E) sincere is to hesitancy

Answer and Explanation

首先，判断题干中 inevitable（不可避免）与 chance（机会）的关系。不可避免，就是不留机会，"机会"自然是其反面特征，因此本题考查的是反面特征关系。所以正确答案为 A 选项：绝对的；可变性，绝对的，就是不具有可变性，所以体现的也是反面特征关系。B 选项，"坦诚的；坦白"。C 选项，"确定的；规则"。D 选项，"放松的；勤奋"。E 选项，"真诚的；犹豫"。都不合适。

Example 4

Yokel is to sophistication as
(A) nomad is to direction
(B) huckster is to salesmanship

(C) extrovert is to pragmatism
(D) coward is to courage
(E) gambler is to luck

Answer and Explanation

首先，判断题干中 yokel（乡下佬）与 sophistication（诡辩，世故）的关系。乡下佬的特点是愚钝、乡土，与诡辩、世故相反，因此本题考查的是反面特征关系。所以正确答案为 D 选项：懦夫；勇气，懦夫的特点是懦弱，勇气与懦弱相反，体现的也是反面特征关系。A 选项，"游牧民；方向"。B 选项，"叫卖小贩；推销术"。C 选项，"性格外向者；实用主义"。E 选项，"赌徒；运气"。都不合适。

Example 5

Fawn is to imperiousness as
(A) equivocate is to directness
(B) elaborate is to originality
(C) boggle is to imagination
(D) manipulate is to repression
(E) coddle is to permissiveness

Answer and Explanation

首先，判断题干中 fawn（奉承拍马）与 imperiousness（傲慢无礼）的关系。一个傲慢无礼的人一般是不会奉承拍马的，所以这是人及其反面动作特征，因此本题考查的是反面特征关系。所以正确答案为 A 选项：模棱两可；直率，一个直率的人说话也不会是模棱两可的，体现的也是反面特征关系。B 选项，"精工细作；创造性"。C 选项，"畏缩不前；想象力"。D 选项，"操纵；镇压"。E 选项，"溺爱；纵容"。都不合适。

更多的"反面特征关系"表达如下：

A	B（反面特征）	A	B（反面特征）
absent	present	joined	apart
accept	reject	laughable	seriousness
acknowledge	ignore	lax	resolution
adversity	happiness	meager	abundant
agitated	placidity	microcosm	macrocosm
allow	restrict	misogynist	women
anemic	robust	modest	vanity
antagonist	protagonist	modesty	arrogance
bald	hairy	morose	cheerful
bass	soprano	motivate	undermine
bewildered	comprehension	mysterious	understandable
brazen	tact	oblivious	awareness
broad	narrow	obscure	clear
cheer	jeer	obstinacy	pliable

clean	dirty		ostentatious	reserve
comatose	consciousness		perpetuity	impermanence
complex	plain		philanthropist	miser
concerned	apathy		plaintiff	defendant
confident	doubt		plenty	lack
confirm	deny		poseur	unaffected
contiguous	separate		prosecute	defend
cunning	gulled		provincial	international
dark	light		purist	adulteration
dearth	surplus		recalcitrant	obedience
deceitful	sincerity		recluse	compassion
decrepit	robust		refined	vulgar
dependent	supportive		refractory	change
disorganized	form		safety	danger
doubtful	credulous		saturated	desiccated
dreary	happy		smile	frown
ecstatic	panic		splicing	splitting
encourage	prevent		sporadic	steady
episodic	constant		spurious	authenticity
exotic	pedestrian		stickler	approximation/imprecision
extroverted	shy		stickler	derelict
fickle	steadfast		stickler	imprecision
fidelity	unfaithfulness		stoic	emotion
follow	lead		submissive	recalcitrant
frugal	spending		support	undermining
fundamental	frivolous		taciturn	words
fusion	fission		tasteful	garish
generous	frugal		tempestuous	peacefulness
graceful	clumsy		thrifty	money
happy	worried		truth	nonsense
hero	villain		turncoat	consistency
honesty	deceit		unexceptionable	oppose
hygienic	contaminated		unruly	obedient
idle	employed		unruly	authority
immaculate	dirt		vain	humble
import	export		vehement	serenity
include	omit		vigilant	ambushed
innocent	guilt		wary	duped

innocent	guilt	wary	gulled
insolent	respect	watchful	waylaid
interminable	brief	wet	dry
internal	external	widespread	limited
introvert	extrovert	worthless	valuable
irk	soothing		

Part 13 对立关系

对立关系，又叫 can't 关系，不等于反义关系或者反面特征关系。比如 intangible（不能触摸的）与 touching（触摸）这一对词语。这一对词语并不是严格意义上的反义词。intangible 的反义词应该是 tangible，即"可以触摸的"，而不是 touching。然而，intangible 与 touching 确实也存在着某种对立，这种对立，在 SSAT 的类比关系题目中为 can't 关系。比如上面那一对词汇，touching（触摸）再配以 can't 就是 intangible（不能触摸的），这是必然的，不能"触摸"当然也就是"不能触摸的"。因此 intangible（不能触摸的）与 touching（触摸）是一种对立关系 /can't 关系。

Example 1

Intangible is to touching as
(A) incisive is to cutting
(B) inadvertent is to seeing
(C) inarticulate is to reading
(D) inaudible is to hearing
(E) incendiary is to burning

Answer and Explanation

首先，判断题干中的 intangible（不能触摸的）与 touching（触摸）的关系。"触摸"再配以 can't，就是"不能触摸的"，因此本题考查的是对立关系 /can't 关系。所以正确答案为 D 选项：不能听到的；"听"再配以 can't 也就是"不能听到的"，这也是一种对立关系 / can't 关系。A 选项，"尖锐的；切"。B 选项，"不留意的；看"。C 选项，"说话不清晰的；读"。E 选项，"燃烧的；燃烧"。都不合适。

Example 2

Indecipherable is to decoded as
(A) indecisive is to advised
(B) insensitive is to criticized
(C) unlawful is to apprehended
(D) unimaginative is to stimulated
(E) unmanageable is to controlled

Answer and Explanation

首先，判断题干中的 indecipherable（不可破译的）与 decoded（被破译了的）的关系。"被破译了的"再配以 can't，就是"不可破译的"，因此本题考查的是对立关系 /can't 关系。所以正确答案为 E 选项：不可控制的；被控制的，"被控制的"再配以 can't 也就是"不可控制的"，这也是一种对立关系 /can't 关系。A 选项，"犹豫不决的；被建议的"。B 选项，"不敏感的；被批评的"。C 选项，"不合法的；被逮捕的"。D 选项，"缺乏想象力的；被刺激的"。都不合适。

更多的"对立（can't）关系"表达如下：

A	(can't) B
acme	surpass
diehard	budge
erratic	predict
exorbitant	reason
illegible	read
imperceptible	notice
impervious	damaged
implacable	appease

A	(can't) B
impossibility	execute
inaudible	hearing
indemonstrable	prove
indomitable	subdue
intangible	touch
invincible	subdued
invisible	see
vagary	predict

Part 14 可以关系

可以关系，又叫 can 关系，显而易见，can 关系是与 Part 13 中的 can't 关系相反的一种关系。

Example 1

Fragile is to break as
(A) invisible is to see
(B) erratic is to control
(C) flammable is to burn
(D) noxious is to escape
(E) industrial is to manufacture

Answer and Explanation

首先，判断题干中的 fragile（易碎的）与 break（打破）的关系。"易碎的"也就是可以（can）打破的，因此本题考查的是可以关系 /can 关系。所以正确答案为 C 选项：易燃的；燃烧，易燃的也就是可以（can）燃烧，这也是一种可以关系 /can 关系。A 选项，"看不见的；看见"。B 选项，"古怪的；控制"。D 选项，"有毒的；逃避"。E 选项，"工业的；制造"。都不合适。

Example 2

Combustible is to ignite as
(A) impermeable is to saturate
(B) impenetrable is to pierce
(C) malleable is to shape
(D) rigid is to stretch
(E) sterile is to extract

Answer and Explanation

首先，判断题干中的 combustible（易燃的）与 ignite（点燃）的关系。"易燃的"也就是可以（can）点燃的，因此本题考查的是可以关系 /can 关系。所以正确答案为 C 选项：可塑的；塑造，"可塑的"也就是可以（can）塑造的，这也是一种可以关系 /can 关系。A 选项，"不可渗透的；浸透"。B 选项，"不可刺透的；刺穿"。D 选项，"坚硬的；伸展"。E 选项，"无菌的；提炼"。都不合适。

Example 3

Porous is to liquid as
(A) flimsy is to material
(B) transparent is to light
(C) flexible is to plastic
(D) malleable is to shape
(E) open-minded is to opinion

Answer and Explanation

首先，判断题干中的 porous（容易穿过的）与 liquid（液体）的关系。"液体"是可以（can）或者说容易穿过的（porous），因此本题考查的是可以关系 /can 关系。所以正确答案为 B 选项：有穿透性的；光，"光"是可以（can）有穿透性的，这也是一种可以关系 /can 关系。A 选项，"轻薄的；材料"。C 选项，"灵活的；塑料"。D 选项，"可塑的；形状"。E 选项，"开明的；意见"。都不合适。

更多的"可以（can）关系"表达如下：

A	(can) B	A	(can) B
tactile	touch	gullible	bilk
olfactory	smell	docile	lead

Part 15 容易关系

容易关系，又叫 easy to 关系，指的是题干中一个词语，其内容就是 easy to 题干中的另外一个词语。

Example 1

Conspicuous is to see as
(A) repulsive is to forget
(B) prohibited is to discount
(C) deceptive is to delude
(D) impetuous is to disregard
(E) transparent is to understand

Answer and Explanation

首先，判断题干中的 conspicuous（显而易见的）与 see（见）的关系。see 配以 easy to，即 easy to see（见），就是显而易见（conspicuous），因此本题考查的是容易（easy to）关系。所以正确答案为 E 选项：透明的；懂得，easy to 懂得，也就相当于透明，体现的也是容易（easy to）关系。A 选项，"排斥的；忘记"。B 选项，"价格过高的；折扣"。C 选项，"欺骗性的；欺骗"。D 选项，"冲动的；忽视"。都不合适。

Example 2

Evanescent is to disappear as
(A) transparent is to penetrate
(B) onerous is to struggle
(C) feckless is to succeed
(D) illusory is to exist
(E) pliant is to yield

Answer and Explanation

首先，判断题干中的 evanescent（短暂的，容易消失的）与 disappear（消失）的关系，disappear 配以 easy to，即 easy to disappear（消失），就是容易消失的（evanescent），因此本题考查的是容易（easy to）关系。所以正确答案为 E 选项：柔顺的，柔软的；弯曲，easy to 弯曲，也就相当于柔软，体现的也是容易（easy to）关系。A 选项，"透明的；穿透"。B 选项，"繁重的；奋斗"。C 选项，"无目标的，无责任心的；成功"。D 选项，"幻觉的；存在"。都不合适。

更多的"容易关系"表达如下：

A	（容易）B
testy	annoy
hesitate	balk

A	（容易）B
tractable	control

当然，与容易关系相对的一种就是难以（hard to）关系，只不过相对考查较少，真题里还没有考查到（这种情况均列在此处，下同）。"难以关系"的表达如下：

A	（难以）B
jeopardy	overcome
obstinate	persuade

A	（难以）B
unflappable	upset
uninformative	fathom(=understand)

Part 16 因果关系

因果关系,指的是题干中的两个词汇可以构成广义的原因与结果的关系。注意,SSAT 中考察到的因果关系是一种广义的因果关系,也就是说两个词汇并非互为绝对的因果关系,不具有排他性。比如"天气热"与"出汗",正是由于天气热,人们才会出汗。但是人们出汗,也可能有其他原因,天气热只是可能的原因,但是在 SSAT 的类比关系考题中将其视为因果关系考点。

Example 1

Numb is to insensible as
(A) reflect is to luminous
(B) burnish is to lustrous
(C) push is to expansive
(D) repulse is to hostile
(E) break is to sinuous

Answer and Explanation

首先,判断题干中的 numb(麻木)与 insensible(没有感觉)的关系。麻木会导致没有感觉,因此本题考查的是因果关系。所以正确答案为 B 选项:抛光;有光泽,抛光之后就会有光泽,体现的也是因果关系。A 选项,"反射;明亮的"。C 选项,"推;扩展的"。D 选项,"厌恶;令人讨厌的"。E 选项,"打破;弯曲的"。都不合适。

Example 2

Perspiration is to nervousness as
(A) heat is to weather
(B) stress is to articulation
(C) caffeine is to coffee
(D) shivering is to cold
(E) sweat is to water

Answer and Explanation

首先,判断题干中的 perspiration(出汗)与 nervousness(紧张)的关系。会出汗,是因为紧张,因此本题考查的是因果关系。所以正确答案为 D 选项:颤抖;冷,会颤抖是因为冷,也是因果关系。A 选项,"热;天气"。B 选项,"压力;发音清晰"。C 选项,"咖啡因;咖啡"。E 选项,"出汗;水"。都不合适。

Example 3

River is to gorge as
(A) glacier is to ice
(B) rain is to cloud
(C) wind is to dune
(D) delta is to swamp

(E) lava is to island

Answer and Explanation

　　首先，判断题干中的 river（河流）与 gorge（峡谷）的关系。流水侵蚀是峡谷的形成原因之一，因此本题考查的是因果关系。所以正确答案为 C 选项：风；沙丘，风也是沙丘的形成原因，也是一种因果关系。A 选项，"冰川；冰"。B 选项，"雨；云"。D 选项，"三角洲；沼泽"。E 选项，"熔岩；岛屿"。都不合适。

Example 4

　　Macabre is to shudder as
　(A) hilarious is to laugh
　(B) vain is to preen
　(C) nostalgic is to cry
　(D) tedious is to smirk
　(E) timid is to dare

Answer and Explanation

　　首先，判断题干中的 macabre（令人恐怖的）与 shudder（颤抖）的关系。正因为令人恐怖，才有颤抖之动作，因此本题考查的是因果关系。所以正确答案为 A 选项：引人发笑的；笑，有引人发笑之人或物，才会让人笑，也是一种因果关系。B 选项，"虚荣自负的；刻意打扮"。C 选项，"思乡的；哭"。D 选项，"乏味的；得意地笑"。E 选项，"害羞胆怯的；胆敢"。都不合适。

Example 5

　　Torque is to rotation as
　(A) centrifuge is to axis
　(B) osmosis is to membrane
　(C) traction is to elongation
　(D) elasticity is to variation
　(E) gas is to propulsion

Answer and Explanation

　　首先，判断题干中的 torque（扭矩）与 rotation（转动）的关系。扭矩是物体转动的原因，因此本题考查的是因果关系。所以正确答案为 C 选项：拉力；延长，拉力是延长的原因，也是一种因果关系。A 选项，"离心力；轴"。B 选项，"渗透；膜"。D 选项，"弹力；变化"。E 选项，"汽油；推进力"。都不合适。

Example 6

　　Pernicious is to injure as
　(A) officious is to deny
　(B) propitious is to conjure
　(C) audacious is to allude
　(D) avaricious is to dispel

(E) disingenuous is to mislead

Answer and Explanation

首先，判断题干中 pernicious（有害）与 injure（伤害）的关系。正因为有害，才会导致伤害，因此本题考查的是因果关系。所以正确答案为 E 选项：不真诚的；误导，不真诚也是误导这一行为的原因，也是一种因果关系。A 选项，"过分关心的；否定"。B 选项，"吉利的；变戏法"。C 选项，"鲁莽的；暗指"。D 选项，"贪婪的；驱散"。都不合适。

Example 7

Redoubtable is to awe
(A) tart is to pungency
(B) tacit is to solitude
(C) despicable is to contempt
(D) engrossing is to obliviousness
(E) venerable is to renown

Answer and Explanation

首先，判断题干中 redoubtable（令人敬畏的）与 awe（敬畏）的关系。令人敬畏的是敬畏这一行为的原因，因此本题考查的是因果关系。所以正确答案为 C 选项：可鄙的；鄙视，可鄙的是鄙视这一行为的原因。A 选项，"酸的；辛辣，刺激"。B 选项，"心照不宣的；孤独"。D 选项，"迷人的；粗心，遗忘"。E 选项，"令人敬畏的；声望"。都不合适。

更多的"因果关系"表达如下：

A（因）	B（果）	A（因）	B（果）
accelerator	motion	improvements	mastery
analgesic	deaden	inflate	burst
bilious	queasy	joke	laughter
birth	celebrate	light	vision
burnish	lustrous	macabre	shudder
carelessness	accident	nervousness	perspiration
catalyst	change	numb	insensible
challenge	exertion	opposition	defiance
clue	solution	pain	wince
cold	shivering	perspiration	nervousness
dangerous	alarm	polish	lustrous
death	grieve	pull	tear
discontent	rebellion	read	knowledgeable
dishonest	distrust	refine	pure
downpour	flooding	ripen	maturity
drought	famine	river	gorge
eating	obesity	sad	tears

erosion	gully		savings	wealth
excavation	mime		shivering	cold
exercise	strong		signpost	destination
food	nutrition		therapeutic	recovery
friction	spark		tonic	invigorate
harden	solidity		waggish	laughs
healing	health		wind	dune
hilarious	laugh		wind	erosion

Part 17 动作—结果关系

动作（activity）—结果（result）关系，严格上来说，也属于因果关系。只是这种关系突出和强调动作，便于理解题目的内涵，即某个动作会导致某个结果。

Example 1

Homogenization is to uniform
(A) coagulation is to brittle
(B) combustion is to flammable
(C) digestion is to edible
(D) putrefaction is to rotten
(E) fermentation is to liquid

Answer and Explanation

首先，判断题干中的 homogenization（均化）与 uniform（一致的）的关系。均化的结果就是一致，因此本题考查的是动作—结果关系。所以正确答案为 D 选项：腐化；腐烂的，腐化的结果就是（物体）腐烂，同样也是动作—结果关系。A 选项，"凝固；易碎的"。B 选项，"燃烧；可燃的"。C 选项，"消化；可吃的"。E 选项，"发酵作用；液体"。都不合适。

Example 2

Distill is to purity as
(A) leaven is to volume
(B) pulverize is to fragility
(C) absorb is to brilliance
(D) homogenize is to fluidity
(E) conduct is to charge

Answer and Explanation

首先，判断题干中的 distill（蒸馏）与 purity（纯度）的关系。蒸馏的结果就是纯度增加，因此本题考查的是动作—结果关系，所以正确答案为 A 选项：发酵；体积，发酵的结果就是（物体的）体积膨胀，同样也是动作—结果关系。B 选项，"使成粉末；脆弱性"。C 选项，"吸收；光辉"。D 选项，"均化；流动性"。E 选项，"传导；电荷"。都不合适。

Example 3

Inflate is to burst as
(A) atrophy is to evaporate
(B) pull is to tear
(C) expose is to hide
(D) excavate is to increase
(E) break is to shatter

Answer and Explanation

　　首先，判断题干中的 inflate（打气）与 burst（爆炸）的关系。打气可能会导致爆炸，因此本题考查的是动作—结果关系。所以正确答案为 B 选项：拉扯；撕裂，拉扯也可能会导致撕裂，也是一种动作—结果关系。A 选项，"萎缩；蒸发"。C 选项，"暴露；隐藏"。D 选项，"挖出；增加"。E 选项，"打破；粉碎"。都不合适。

Example 4

Exercise is to strong as
(A) perform is to shy
(B) watch is to alert
(C) decide is to astute
(D) drink is to thirsty
(E) read is to knowledgeable

Answer and Explanation

　　首先，判断题干中的 exercise（锻炼）与 strong（强壮）的关系。锻炼后就会变得强壮，因此本题考查的是动作—结果关系。所以正确答案为 E 选项：读书；知识渊博的，读书后自然就会知识渊博，也是一种动作—结果关系。A 选项，"表演；害羞的"。B 选项，"监视；警觉的"。C 选项，"判断；机敏的"。D 选项，"喝；渴的"。都不合适。

Example 5

Evaporate is to vapor as
(A) petrify is to stone
(B) centrifuge is to liquid
(C) saturate is to fluid
(D) corrode is to acid
(E) incinerate is to fire

Answer and Explanation

　　首先，判断题干中的 evaporate（蒸发）与 vapor（蒸汽）的关系。蒸发的结果就是会产生蒸汽，因此本题考查的是动作—结果关系。所以正确答案为 A 选项：石化；石头，石化的结果就是会产生石头，也是一种动作—结果关系。B 选项，"离心；液体"。C 选项，"饱和；流体"。D 选项，"腐蚀；酸"。E 选项，"焚烧；火"。都不合适。

更多的"动作—结果关系"表达如下：

A	B
distill	purity
evaporate	vapor
exercise	strong
homogenization	uniform
inflate	burst
leaven	volume
overexposure	jaded
petrify	stone

A	B
pull	tear
putrefaction	rotten
read	knowledgeable
sand	smooth
tarnish	dull
vaccination	immune
varnish	glossy
vitrify	smooth

Part 18 目的关系

目的关系（purpose），顾名思义，就是"为了"的概念。题干中的两个词汇，其中一个词语的目的是为了另一个词语。比如，学习（study）的目的是为了学会（learn）知识。

Example 1

Tender is to acceptance
(A) publish is to wisdom
(B) exhibit is to inspection
(C) scrutinize is to foresight
(D) authorize is to approval
(E) declare is to observation

Answer and Explanation

首先，判断题干中的tender（提出）与acceptance（接受）的关系。提出的目的就是（让人）接受，因此本题考查的是目的关系。所以正确答案为B选项：展出；参观，展出的目的就是（让人）参观，也是一种目的关系。A选项，"发表；智慧"。C选项，"细查；先见"。D选项，"授权；承认"。E选项，"宣告；观测"。都不合适。

Example 2

Hoax is to deceive
(A) scandal is to vilify
(B) lottery is to disburse
(C) gimmick is to wheedle
(D) filibuster is to delay
(E) boast is to cajole

Answer and Explanation

首先，判断题干中的hoax（骗局）与deceive（欺骗）的关系。骗局的目的自然是欺骗别人，因此本题考查的是目的关系。所以正确答案为 D 选项：阻碍；拖延，阻碍的目的是为了拖延，也是一种目的关系。A 选项，"丑闻；诽谤"。B 选项，"抽彩票；支付"。C 选项，"伎俩，噱头；哄骗"。E 选项，"炫耀；哄骗"。都不合适。

Example 3

Study is to learn as
(A) pervade is to encompass
(B) search is to find
(C) gather is to win
(D) agree is to keep
(E) accumulate is to raise

Answer and Explanation

首先，判断题干中的 study（学习）与 learn（学会）的关系。学习的目的自然就是学会，因此本题考查的是目的关系。所以正确答案为 A 选项：弥漫；包围，弥漫的目的是包围，也是一种目的关系。B 选项，"寻找；找到"。C 选项，"收集；赢得"。D 选项，"同意；保持"。E 选项，"积累；提升"。都不合适。

更多的"目的关系"表达如下：

A	（目的是）B	A	（目的是）B
alibi	exculpatory	pervade	encompass
concession	placate	stratagem	deceive
exhibit	inspection	study	learn
filibuster	delay	tender	acceptance
hoax	deceive	warning	admonishery

Part 19 缺乏关系

缺乏关系，指的是题干中的一个词语的特点就是缺乏另外一个词语。比如"秃头"与"头发"，秃头的特点就是缺乏头发。再比如粗人（yokel）与诡辩（sophistication），粗人缺乏的就是诡辩的口才。

Example 1

Flag is to vigor as
(A) endure is to courage
(B) tire is to monotony
(C) question is to perception
(D) waver is to resolution
(E) flatter is to charm

Answer and Explanation

首先，判断题干中的 flag 与 vigor 的关系，flag 为熟词生义，词义为衰弱，（Chapter 11

具体介绍北美考试中需要同学们掌握的熟词生义的表达），vigor 为活力之意。衰弱显然就是缺乏活力，因此本题考查的是缺乏关系。所以正确答案为 D 选项：动摇；决心，动摇也就缺乏决心。A 选项，"忍耐；勇气"。B 选项，"厌倦；单调"。C 选项，"质问；洞察"。E 选项，"奉承；魅力"。都不合适。

Example 2

Interregnum is to government
(A) splice is to rope
(B) clearage is to crystal
(C) infraction is to law
(D) frequency is to wave
(E) hibernation is to activity

Answer and Explanation

首先，判断题干中的 interregnum（无王时期）与 government（统治）的关系。无王时期自然是缺乏官员统治，因此本题考查的是缺乏关系。所以正确答案为 E 选项：冬眠；活动，冬眠自然就会缺乏活动，也是一种缺乏关系。A 选项，"连接；绳子"。B 选项，"分裂；水晶"。C 选项，"违反；法律"。D 选项，"频率；波"。都不合适。

Example 3

Boundless is to limit as
(A) truncated is to length
(B) voracious is to appetite
(C) impeccable is to flaw
(D) fascinating is to interest
(E) syncopated is to beat

Answer and Explanation

首先，判断题干中的 boundless（无边界的）与 limit（边界）的关系。无边界也就是没有/缺乏边界，因此本题考查的是缺乏关系。所以正确答案为 C 选项：无缺陷的；缺陷，无缺陷的，也就是没有/缺乏缺陷的，体现的也是缺乏关系。A 选项，"截短的；长度"。B 选项，"贪吃的；食欲"。D 选项，"着迷的；兴趣"。E 选项，"切分的；节拍"。都不合适。

Example 4

Flip is to respect
(A) curt is to ignorance
(B) bleak is to firmness
(C) wry is to humor
(D) nonchalant is to concern
(E) rash is to promptness

Answer and Explanation

首先，判断题干中的 flip（轻率无礼的）与 respect（尊敬）的关系。轻率无礼就是缺乏对别人的尊敬，因此本题考查的是缺乏关系。所以正确答案为 D 选项：冷漠的；关心，冷漠也就是缺乏对别人的关心，体现的也是缺乏关系。A 选项，"简短的；无知"。B 选项，"荒凉的；稳固"。C 选项，"挖苦的；幽默"。E 选项，"鲁莽的；敏捷"。都不合适。

Example 5

Melodrama is to subtlety as
(A) chimera is to authenticity
(B) parody is to wit
(C) war is to strategy
(D) brief is to abstract
(E) hypothesis is to theory

Answer and Explanation

首先，判断题干中的 melodrama（情景剧）与 subtlety（细微差别）的关系。情景剧类似于肥皂剧，剧内的好人或者坏人一目了然，结局往往也都是皆大欢喜、扬善除恶，于是它缺乏对现实社会的复杂与细微的体现，因此本题考查的是缺乏关系，所以正确答案为 A 选项：神兽；真实，神兽都是神话中的动物，缺乏真实性，体现的也是缺乏关系。B 选项，"嘲弄文章；机智"。C 选项，"战争；战略"。D 选项，"摘要；抽象的"。E 选项，"假设；理论"。都不合适。

更多的"缺乏关系"表达如下：

A	（缺乏）B	A	（缺乏）B
achromatic	hue	impertinent	propriety
albino	pigment	impetuous	patience
amnesia	memory	ingenuous	guile
amorphous	shape	innocent	guilt
babble	sense	insomnia	sleep
boor	sensitivity	interregnum	government
carefree	responsibility	lethargic	energy
chaos	predictability	loutish	grace
chimera	authenticity	lumber	grace
coltish	discipline	maladroit	skill
coward	courage	melodrama	subtlety
debility	strength	modest	vanity
depravity	virtue	neophyte	experience
despair	hopeful	nomad	domicile
destitute	money	numb	sensation
digress	topic	oasis	desert
digressive	topic	odorless	scent
discombobulated	order	pallor	color
disquiet	composure	parrot	originality
dissemble	honesty	pelf	impecunious

doldrums	energy	perturb	serenity
drought	water	poseur	sincerity
dyslexia	read	prairie	tree
empty	substance	precarious	stability
enervation	vigor	random	pattern
equivocal	meaning	recluse	gregariousness
errant	standard	restive	calmness
erratic	consistency	ruthless	pity
experience	green	self-depreciatory	swagger
extraneous	essence	shiftless	ambition
famine	food	snub	politeness
feeble	strength	spent	efficacy
foolish	discretion	starve	nutrients
freelancer	employer	sterile	germ
glade	forest	stiff	suppleness
glib	profundity	stupor	alert
hibernation	activity	suffocate	oxygen
hidebound	flexibility	vacuous	intelligence
impeccable	flaw	wandering	course
impecunious	money	waver	resolution
imperious	fawn	yokel	sophistication

Part 20 消除关系

消除关系，有三种考查方式，第一是行为，指的是题干中的一个词汇的行为可以将另外一个词汇部分或者完全消除。第二是物体，比如杀虫剂与害虫，杀虫剂可以用来消除害虫。第三是动宾搭配关系，比如废除法律这一动宾搭配的结果就是法律被废除了。

Example 1

Purify is to imperfection as
(A) align is to adjustment
(B) weary is to boredom
(C) disagree is to controversy
(D) verify is to doubtfulness
(E) hone is to sharpness

Answer and Explanation

首先，判断题干中的 purify（提纯）与 imperfection（瑕疵）的关系。提纯的过程自然也就是消除瑕疵，因此本题考查的是消除关系。所以正确答案为 D 选项：证实；疑惑，证实这个举动可以消除疑惑，也是一种消除关系。A 选项，"排成排；调整"。B 选项，"厌倦；无聊"。C 选项，"不同意；争论"。E 选项，"磨快；锋利"。都不合适。

Example 2

Antidote is to poison as
(A) cure is to recovery
(B) narcotic is to sleep
(C) stimulant is to relapse
(D) pesticide is to insect
(E) resuscitation is to breathing

Answer and Explanation

首先，判断题干中的 antidote（解毒剂）与 poison（毒药）的关系。解毒剂当然是为了消除毒药的毒性，因此本题考查的是消除关系。所以正确答案为 D 选项：杀虫剂；昆虫，杀虫剂自然是杀虫之用，也是一种消除关系。A 选项，"治疗；恢复"。B 选项，"催眠药；睡觉"。C 选项，"兴奋剂；旧病复发"。E 选项，"复活；呼吸"。都不合适。

Example 3

Anxious is to reassurance as
(A) resentful is to gratitude
(B) perplexed is to clarification
(C) inured is to imagination
(D) vociferous is to suppression
(E) abstemious is to indulgence

Answer and Explanation

首先，判断题干中的 anxious（焦虑）与 reassurance（使安心）的关系。使安心，自然就可以消除焦虑，因此本题考查的是消除关系。所以正确答案为 B 选项：迷惑的；澄清、将迷惑消除，澄清这一举动，就是为了消除迷惑，也是一种消除关系。A 选项，"憎恨的；感激"。C 选项，"习惯的；想象力"。D 选项，"吵闹的；镇压"。E 选项，"节制的；沉溺，放纵"。都不合适。

Example 4

Embellish is to austere as
(A) condense is to illusive
(B) alter is to remarkable
(C) train is to clumsy
(D) adulterate is to pure
(E) refine is to unique

Answer and Explanation

首先，判断题干中的 embellish（装饰，润色）与 austere（简朴的）的关系。装饰某物之后，自然就会导致其简朴状况的消失，因此本题考查的是消除关系。所以正确答案为 D 选项：掺假；纯的，掺假自然也就会消除纯的这一状态，也是一种消除关系。A 选项，"浓缩；幻觉的"。B 选项，"改变；显著的"。C 选项，"训练；笨拙的"。E 选项，"提炼；独特的"。都不合适。

Example 5

Clot is to dissolved as
(A) enthusiast is to influenced
(B) cartoon is to distorted
(C) crowd is to dispersed
(D) chain is to disengaged
(E) disciple is to inspired

Answer and Explanation

首先，判断题干中的 clot（凝块）与 dissolved（溶解的）的关系。凝块溶解之后，自然也就消除了，因此本题考查的是消除关系。所以正确答案为 C 选项：人群；驱散的，人群驱散后，这种群体也就消除了，也是一种消除关系。A 选项，"热心者；有影响的"。B 选项，"卡通；扭曲的"。D 选项，"链条；拆开的，分开的"。E 选项，"信徒；被鼓舞的"。都不合适。

Example 6

Rescind is to law as
(A) postpone is to performance
(B) withdraw is to candidacy
(C) default is to debt
(D) demote is to hierarchy
(E) retire is to position

Answer and Explanation

首先，判断题干中的 rescind（废除）与 law（法律）的关系。废除法律之后，法律自然也就消除了，因此本题考查的是消除关系。所以正确答案为 B 选项：撤销；候选资格，撤销候选资格之后，候选资格自然也就消除了，也是一种消除关系。A 选项，"拖延；表演"。C 选项，"拖欠；债务"。D 选项，"降级；等级"。E 选项，"退休；职位"。都不合适。

更多的"消除关系"表达如下：

A	（消除）B	A	（消除）B
abdicate	authority	pesticide	insect
analgesic	pain	purify	imperfection
antidote	poison	purification	dross
antidote	poisoning	reassurance	anxious
antibiotic	infection	repair	malfunction
arbitrate	dispute	rescind	law
balm	irritation	resign	occupation
clarification	perplexed	slacken	tautness

coagulant	bleeding
desalinization	salt
dilute	strength
dispersed	crowd
dissolved	clot
embellish	austere
heal	injury
irrigate	dry
pacification	anger

smooth	coarse
solace	sorrow
solace	grief
solve	mystery
soporific	alertment
tonic	lethargy
verify	doubtfulness
withdraw	candidacy

Part 21 违背关系

违背关系，指的是题干中的一个词语违背了另一个词语。

Example 1

Overdose is to prescription as
(A) deprivation is to materialism
(B) indiscretion is to convention
(C) affliction is to sympathy
(D) adventure is to expedition
(E) drug is to medicine

Answer and Explanation

首先，判断题干中的 overdose（服药过量）与 prescription（处方）的关系。服药过量，也就违背了处方的规定，因此本题考查的是违背关系。所以正确答案为 B 选项：言行不谨慎；习俗，言行不谨慎，也就违背了习俗，也是一种违背关系。A 选项，"剥夺；唯物主义"。C 选项"苦闷；同情"。D 选项，"冒险；探险"。E 选项，"药；药"。都不合适。

Example 2

Dogma is to iconoclast as
(A) authority is to subordinate
(B) patriotism is to coward
(C) ideology is to rebel
(D) responsibility is to renegade
(E) convention is to maverick

Answer and Explanation

首先，判断题干中的 dogma（教条）与 iconoclast（攻击传统的人）的关系。攻击传统的人，也就违背了教条，因此本题考查的是违背关系。所以正确答案为 E 选项：传统习俗；特立独行之人，特立独行之人，也就违背了传统习俗，也是一种违背关系。A 选项，"权力；下属"。B 选项，"爱国主义；懦夫"。C 选项，"意识形态；反叛者"。D 选项，"责任；叛徒"。都不合适。

Example 3

Transgression is to morality as
(A) mistake is to probity
(B) invitation is to hospitality
(C) gift is to generosity
(D) presumption is to propriety
(E) misconception is to curiosity

Answer and Explanation

首先，判断题干中的 transgression（犯罪）与 morality（道德）的关系。犯罪，自然也就违背了道德，因此本题考查的是违背关系。所以正确答案为 D 选项：冒昧；礼节礼貌，冒昧，也就违背了礼节或礼貌，也是一种违背关系。A 选项，"错误；正直"。B 选项，"邀请；好客"。C 选项，"礼物；慷慨"。E 选项，"误解；好奇"。都不合适。

Part 22 排斥关系

排斥关系，指的是题干中的一个词语所具备的特征是排斥另外一个词语。而且，这样的词汇往往都是以 phobia 结尾（具体这部分词汇请参见 Chapter 16 那些非理性恐惧症）。

Example

Xenophobia is to stranger as acrophobia is to
(A) picture
(B) height
(C) plane
(D) sound
(E) snake

Answer and Explanation

首先，判断题干中的 xenophobia（排外症）与 stranger（外人）的关系。排外症自然也就会排斥"外人"，因此本题考查的是排斥关系。所以正确答案为 B 选项：高度（height），恐高症（acrophobia）自然也就会排斥有"高度"的地方，也是一种排斥关系。A 选项，"图片"。C 选项，"飞机"。D 选项，"声音"。E 选项，"蛇"。都不合适。

Part 23 阻止或防止关系

阻止或者防止关系，指的是题干中的一个词语所具备的特征是阻止或者防止另外一个词语。比如"雨伞"是为了防止"下雨"。

Example 1

Raincoat is to rain as
(A) wages is to inflation
(B) prevention is to cure
(C) prediction is to weather
(D) insurance is to loss
(E) work is to unemployment

Answer and Explanation

首先，判断题干中的 raincoat（雨衣）与 rain（雨）的关系。雨衣是为了防止雨，因此本题考查的是防止关系。所以正确答案为 D 选项：保险；损失，保险是为了防止损失的发生，因此也是一种防止关系。A 选项，"工资；通货膨胀"。B 选项，"预防；治疗"。C 选项，"预报；天气"。E 选项，"工作；失业"。都不合适。

Example 2

Ballast is to instability as
(A) buoy is to direction
(B) purchase is to slippage
(C) lathe is to metal
(D) pulley is to leverage
(E) hoist is to elevator

Answer and Explanation

首先，判断题干中的 ballast（压舱物）与 instability（不稳）的关系。压舱物是为了防止不稳，因此本题考查的是防止关系。所以正确答案为 B 选项：支点；下滑，支点是为了防止下滑的发生，因此也是一种防止关系。A 选项，"浮标；方向"。C 选项，"车床；金属"。D 选项，"滑轮；杠杆"。E 选项，"起重机；升降机"。都不合适。

Example 3

Censorship is to information as
(A) frugality is to constraint
(B) sampling is to measurement
(C) sanitation is to disease
(D) cultivation is to erosion
(E) philanthropy is to generosity

Answer and Explanation

首先，判断题干中的 censorship（新闻审查制度）与 information（信息）的关系。新闻审查制度是为了防止信息随意传播，因此本题考查的是防止关系。所以正确答案为 C 选项：卫生设施；疾病，卫生设施是为了防止疾病的发生，因此也是一种防止关系。A 选项，"节约；压迫"。B 选项，"采样；测量"。D 选项，"耕种；腐蚀"。E 选项，"仁慈；慷慨"。都不合适。

Example 4

Foolproof is to fail as
(A) translucent is to filter
(B) viscous is to smear
(C) volatile is to explode
(D) airtight is to leak
(E) taut is to break

Answer and Explanation

首先，判断题干中的 foolproof（万无一失的）与 fail（失败）的关系。万无一失是为了防止失败，因此本题考查的是防止关系。所以正确答案为 D 选项：密封的；泄漏，密封是为了防止泄漏，因此也是一种防止关系。A 选项，"半透明的；过滤"。B 选项，"粘的；弄脏，玷污"。C 选项，"易发挥的；爆炸"。E 选项，"拉紧的；破裂"。都不合适。

更多的"阻止或防止关系"表达如下：

A	（阻止或防止）B	A	（阻止或防止）B
air pocket	plane	orderly	chaos
airtight	leak	protocol	blunder
amulet	evil	quirky	schedule
brake	motion	raincoat	rain
bumper	damage	rampart	invasion
earplug	noise	rein	horse
foolproof	fail	rut	vehicle
helmet	injury	sanitation	filth
insurance	loss	shield	impact
levee	flood	tourniquet	bleeding
moratorium	activity	umbrella	rain
odd	agenda		

Part 24 保卫关系

保卫关系，指的是题干中的一个词语所具备的特征是保卫另外一个词语。比如"军队"是为了保卫"国家"。

Example 1

Army is to country as
(A) suffocate is to oxygen
(B) soften is to uneven
(C) helmet is to cycling
(D) projector is to film

(E) starve is to nutrients

Answer and Explanation

　　首先,判断题干中的army(军队)与country(国家)的关系。军队是为国家提供安全保障的,因此本题考查的是保卫关系。所以正确答案为 C 选项:头盔;骑行,头盔也是为骑行提供安全保障的,也是保卫关系。A 选项,"窒息;氧气"。B 选项,"软化;不平"。D 选项,"投影仪;电影"。E 选项,"挨饿;营养"。都不合适。

Example 2

Bodyguard is to person as
(A) police officer is to traffic
(B) teacher is to pupil
(C) major is to city
(D) soldier is to country
(E) secretary is to office

Answer and Explanation

　　首先,判断题干中的bodyguard(保镖)与person(人)的关系。保镖是给人提供安全保障的,因此本题考查的是保卫关系。所以正确答案为 D 选项:战士;国家,战士也是为国家提供安全保障的,也是保卫关系。A 选项,"警察;交通"。B 选项,"教师;小学生"。C 选项,"市长;城市"。E 选项,"秘书;办公室"。都不合适。

更多的"保卫关系"表达如下:

A	(保卫)B
army	country
cap	baseball
helmet	cycling

A	(保卫)B
fence	sword
glove	box

Part 25 支撑关系

　　支撑关系,指的是题干中的一个词语所具备的特征是支撑另外一个词语。比如"三脚架"是为了支撑"照相机"。

Example 1

Tripod is to camera as
(A) scaffolding is to ceiling
(B) prop is to set
(C) easel is to canvas
(D) projector is to film
(E) frame is to photograph

Answer and Explanation

　　首先，判断题干中的 tripod（三脚架）与 camera（照相机）的关系。三脚架是用来支撑照相机的，因此本题考查的是支撑关系。所以正确答案为 C 选项：画架；画布，画架是用来支撑画布的，也是支撑关系。A 选项，"脚手架；天花板"。B 选项，"支撑物；整套（道具）"。D 选项，"投影仪；电影"。E 选项，"框架；照片"。都不合适。

Example 2

　　Strut is to wing as
(A) lever is to handle
(B) axle is to wheel
(C) buttress is to wall
(D) beam is to rivet
(E) well is to pipe

Answer and Explanation

　　首先，判断题干中的 strut（支杆）与 wing（机翼）的关系。支杆是用来支撑机翼的，因此本题考查的是支撑关系。所以正确答案为 C 选项：扶墙；墙，扶墙是用来支撑墙的，也是支撑关系。A 选项，"杠杆；把手"。B 选项，"轮轴；车轮"。D 选项，"大梁；铆钉"。E 选项，"井；管道"。都不合适。

Example 3

　　Bone is to body as
(A) scaffold is to hinge
(B) brace is to corner
(C) strut is to buttress
(D) lattice is to division
(E) girder is to skyscraper

Answer and Explanation

　　首先，判断题干中的 bone（骨骼）与 body（身体）的关系。骨骼是用来支撑身体的，因此本题考查的是支撑关系。所以正确答案为 E 选项：大梁；摩天大楼，大梁是用来支撑摩天大楼的，体现的也是支撑关系。A 选项，"脚手架；铰链"。B 选项，"支架；墙脚"。C 选项，"支杆；扶墙"。D 选项，"格子架；分格"。都不合适。

更多的"支撑关系"表达如下：

A	（支撑）B	A	（支撑）B
beam	building	buttress	wall
bone	body	guy	pylon
easel	canvas	leg	table
bone	mammal	skeleton	animal
framing	building	tripod	camera
bracket	shelf	rafter	roof

girder	skyscraper	strut	wing

Part 26 依赖关系

依赖关系,也叫依靠关系,考查范围非常广泛,比如教师: 教师资格证明 = 司机: 驾驶执照(职业与其依赖的证明);默许的: 推断 = 加密的: 解码(事物特征及其依赖的必须手段)。

Example

Director is to script as
(A) politician is to document
(B) conductor is to score
(C) photographer is to picture
(D) choreographer is to dance
(E) historian is to genealogy

Answer and Explanation

首先,判断题干中的 director(导演)与 script(剧本)的关系。导演是依靠剧本来拍戏的,因此本题考查的是依靠关系。所以正确答案为 B 选项: 乐队指挥; 乐谱, 乐队指挥依靠乐谱来指挥, 所以也是依靠关系。A 选项, "政治家; 文件"。C 选项, "摄影师; 照片"。D 选项, "舞蹈编排者; 舞蹈"。E 选项, "历史学家; 家谱"。都不合适。

更多的 "依赖关系" 表达如下:

A	(依赖)B	A	(依赖)B
conductor	score	tacit	infer
director	script	thirsty	imbibe
encoded	decode	transportation	fare
exhausted	rest	teacher	certification
instruction	tuition	driver	license

Part 27 渴望关系

渴望关系,指的是题干中的一个词语渴望着另外一个词语。

Example 1

Miser is to gold as
(A) politician is to document
(B) general is to victories
(C) photographer is to picture
(D) choreographer is to dance
(E) historian is to genealogy

Answer and Explanation

首先，判断题干中的 miser（守财奴）与 gold（金币）的关系。守财奴当然是渴望金钱的，因此本题考查的是渴望关系。所以正确答案为 B 选项：将军；胜利，将军自然也是渴望胜利的，所以也是渴望关系。A 选项，"政治家；文件"。C 选项，"摄影师；照片"。D 选项，"舞蹈编排者；舞蹈"。E 选项，"历史学家；家谱"。都不合适。

Example 2

　Curiosity is to know as
(A) temptation is to conquer
(B) starvation is to eat
(C) wanderlust is to travel
(D) humor is to laugh
(E) survival is to live

Answer and Explanation

首先，判断题干中的 curiosity（好奇心）与 know（知道）的关系。拥有好奇心的人当然是渴望知道很多事情的，因此本题考查的是渴望关系。所以正确答案为 C 选项：旅游癖；旅行，拥有旅游癖的人自然是渴望旅行的，所以也是渴望关系。A 选项，"诱惑；征服"。B 选项，"饿死；吃"。D 选项，"幽默；笑"。E 选项，"幸存；活"。都不合适。

更多的"渴望关系"表达如下：

A	（渴望）B		A	（渴望）B
miser	gold		general	victories

Part 28 捕捉关系

捕捉关系，指的是题干中的一个词语用于捕捉另一个词语。

Example 1

　Bird is to snare as
(A) lion is to den
(B) fish is to seine
(C) lamb is to shears
(D) scorpion is to sting
(E) lobster is to claw

Answer and Explanation

首先，判断题干中的 bird（鸟类）与 snare（罗网）的关系。罗网当然是用以捕捉鸟的，因此本题考查的是捕捉关系。所以正确答案为 B 选项：鱼；网，网自然也是捕捉鱼的，所以也是捕捉关系，只不过一个是天上飞的，一个是水里游的。A 选项，"狮；兽穴"。C 选项，"羊羔；大剪刀"。D 选项，"蝎子；蜇刺"。E 选项，"龙虾；螯"。都不合适。

这里，需要积累 snare 与 seine 这两个难词，The snare is a trap for catching a bird, and the seine is a net for catching the fish.

Example 2

Antenna is to signal as
(A) lion is to den
(B) fish is to seine
(C) lamb is to shears
(D) scorpion is to sting
(E) lobster is to claw

Answer and Explanation

首先，判断题干中的 antenna（天线）与 signal（信号）的关系。天线当然是用以捕捉信号的，因此本题考查的是捕捉关系。所以正确答案为 B 选项：网；鱼，网自然也是捕捉鱼的，体现的也是捕捉关系。本题选项与上题完全相同，A 选项，"狮；兽穴"。C 选项，"羊羔；大剪刀"。D 选项，"蝎子；蜇刺"。E 选项，"龙虾；螯"。都不合适。

Part 29 反射关系

反射关系，指的是题干中一个词语反射的是另一个词语。

Example

Reflection is to light as
(A) emotion is to feeling
(B) echo is to sound
(C) film is to scene
(D) microphone is to hearing
(E) iris is to vision

Answer and Explanation

首先，判断题干中的 reflection（反射）与 light（光）的关系。光可以反射，因此本题考查的是反射关系。所以正确答案为 B 选项：回声；声音，回声是声音的反射，所以也是反射关系，只不过一个是光，一个是声。A 选项，"情绪；感情"。C 选项，"电影；场景"。D 选项，"麦克风；听觉"。E 选项，"彩虹、虹膜；视觉"。都不合适。

Part 30 编排关系

编排关系，指的是题干中一个词语是为了编排另一个词语。

Example

Choreography is to dance as
(A) ceremony is to sermon
(B) agenda is to advertisement

(C) poetry is to recitation
(D) instrumentation is to conductor
(E) plot is to story

Answer and Explanation

首先，判断题干中的 choreography（舞蹈设计）与 dance（舞蹈）的关系。舞蹈设计就是为了编排舞蹈，因此本题考查的是编排关系。所以正确答案为 E 选项：故事情节；故事，故事情节也是为了编排故事的，体现的也是编排关系。A 选项，"仪式；布道"。B 选项，"会议议程；广告"。C 选项，"诗歌；背诵"。D 选项，"乐器；指挥"。都不合适。

更多的"编排关系"表达如下：

A	（用以编排）B	A	（用以编排）B
choreography	dance	agenda	meeting
plot	story	itinerary	trip
syllabus	course	program	concert

Part 31 通道关系与阻塞关系

Example

Door is to room as
(A) rudder is to anchor
(B) boat is to ship
(C) patio is to terrace
(D) hatch is to hold
(E) basement is to attic

Answer and Explanation

首先，判断题干中的 door（门）与 room（房间）的关系。门是房间进出的通道，因此本题考查的是通道关系。所以正确答案为 D 选项：船舱门；船舱，船舱门也是船舱的通道，体现的也是通道关系。A 选项，"舵；锚"。B 选项，"艇；船"。C 选项，"庭院；阳台"。E 选项，"地下室；阁楼"。都不合适。

Example 2

Drawbridge is to castle as
(A) lawn is to house
(B) gangway is to ship
(C) aisle is to stage
(D) hallway is to building
(E) sidewalk is to garage

Answer and Explanation

首先，判断题干中的 drawbridge（吊桥）与 castle（城堡）的关系。吊桥是进出城堡的通道，因此本题考查的是通道关系。所以正确答案为 B 选项：上下船的跳板；船，上下船的跳板是船的通道，体现的也是通道关系。A 选项，"草坪；房子"。C 选项，"通道；舞台"。D 选项，"门厅，过道；建筑物"。E 选项，"人行道；汽车库"。都不合适。

与通道关系相反的是阻塞关系，比如 Artery is to plaque as channel is to silt，动脉之于血小板，就像河道之于淤泥，体现的是阻塞关系。再比如，Clog is to drainage as stalemate is to negotiations，阻塞之于排水，就像僵局之于谈判，体现的也是阻塞关系。

Part 32 覆盖关系

覆盖关系，指的是题干中的一个词汇，可以覆盖另外一个词汇。

Example

Tablecloth is to table as
(A) tent is to ground
(B) shirt is to hanger
(C) window is to sill
(D) sheet is to mattress
(E) cloud is to earth

Answer and Explanation

首先，判断题干中的 tablecloth（桌布）与 table（桌子）的关系。桌布是用来覆盖桌子的，因此本题考查的是覆盖关系。所以正确答案为 D 选项：床单；床垫，床单也是用来覆盖床垫的，体现的也是覆盖关系。A 选项，"帐篷；地"。B 选项，"衬衫；衣架"。C 选项，"窗户；窗台"。E 选项，"云；地球"。都不合适。

更多的"覆盖关系"表达如下：

A	（覆盖）B	A	（覆盖）B
tablecloth	table	tarpaulin	covering
sheet	mattress	raincoat	garment

Part 33 遮蔽关系

遮蔽关系，指的是题干中的一个词汇，可以遮蔽另外一个词汇。

Example

Curtain is to stage as
(A) footlight is to orchestra
(B) lid is to jar
(C) upholstery is to sofa
(D) veil is to face
(E) screen is to film

Answer and Explanation

首先，判断题干中的 curtain（幕布）与 stage（舞台）的关系。幕布是用来遮蔽舞台的，因此本题考查的是遮蔽关系。所以正确答案为 D 选项：面纱；面，面纱是用来掩面的，体现的也是遮蔽关系。A 选项，"舞台脚灯；管弦乐队"。B 选项，"盖子；罐子"。C 选项，"室内装饰品；沙发"。E 选项，"银幕；电影"。都不合适。

Part 34 编织关系

编织关系有两种形式，一个是动作，一个是结果。

Example

Web is to spider as
(A) flower is to bee
(B) canal is to otter
(C) nest is to bird
(D) acorn is to squirrel
(E) bait is to fish

Answer and Explanation

首先，判断题干中的 web（蜘蛛网）与 spider（蜘蛛）的关系。蜘蛛网是蜘蛛编织的，因此本题考查的是编织关系。所以正确答案为 C 选项：鸟巢；鸟，鸟巢是由鸟编织而成的，体现的也是编织关系。A 选项，"花；蜜蜂"。B 选项，"运河；水獭"。D 选项，"橡实；松鼠"。E 选项，"鱼饵；鱼"。都不合适。

Example 2

Knit is to yarn as
(A) darn is to sock
(B) plait is to hair
(C) crochet is to hook
(D) braid is to knot
(E) weave is to loom

Answer and Explanation

首先，判断题干中的 knit（编织）与 yarn（纱线）的关系。纱线是用来编织的，因此本题考查的是编织关系。所以正确答案为 B 选项：编辫；头发，编辫子编的就是头发，体现的也是编织关系。A 选项，"缝补；短袜"。C 选项，"钩织品；钩针"。D 选项，"编织；结"。E 选项，"编织；织布机"。都不合适。

更多的"编织关系"表达如下：

A	（编织）B	A	（编织）B
bird	nest	spider	web

yarn	knit	plait	hair

Part 35 形状关系

Example

Scoop is to concave as
(A) tongs is to hollow
(B) spatula is to flat
(C) beater is to tined
(D) cleaver is to indented
(E) skewer is to rounded

Answer and Explanation

首先，判断题干中的 scoop（勺子）与 concave（凹的）的关系。勺子的形状是凹的，因此本题考查的是形状关系。所以正确答案为 B 选项：抹刀；平的，抹刀的形状是平的，体现的也是形状关系。A 选项，"钳子；空的"。C 选项，"搅拌器；尖的"。D 选项，"切肉刀；锯齿状的"。E 选项，"串肉杆；圆的"。都不合适。

Part 36 收藏关系

收藏关系，指的是题干中的一个词语收藏另外一个词语。

Example

Philatelist is to stamps as
(A) numismatist is to coins
(B) astrologer is to predictions
(C) geneticist is to chromosomes
(D) cartographer is to maps
(E) pawnbroker is to jewelry

Answer and Explanation

首先，判断题干中的 philatelist（集邮家）与 stamps（邮票）的关系。集邮家当然喜欢收藏邮票，因此本题考查的是收藏关系。所以正确答案为 A 选项：钱币收藏家；硬币，钱币收藏家自然也喜欢收藏硬币，体现的也是收藏关系。B 选项，"星相学家；预测"。C 选项，"遗传学家；染色体"。D 选项，"地图绘制者；地图"。E 选项，"当铺老板；珠宝"。都不合适。

Part 37 逃避关系

逃避关系指的是题干中的一个词语，千方百计地逃避另一个词语。比如，素食者：肉 = 隐士：社会。

Example 1

Equivocate is to commitment as
(A) procrastinate is to action
(B) implicate is to exposition
(C) expostulate is to confusion
(D) corroborate is to falsification
(E) fabricate is to explanation

Answer and Explanation

首先，判断题干中的 equivocate（含糊其辞，支吾）与 commitment（承诺，义务）的关系。对于一个承诺或者一项义务，含糊其辞或者支支吾吾就是一种逃避，因此本题考查的是逃避关系。所以正确答案为 A 选项：拖延；行动，拖延之于行动，自然也是一种逃避，体现的也是逃避关系。B 选项，"牵连；说明"。C 选项，"告诫；迷惑"。D 选项，"证实、加强；篡改"。E 选项，"捏造；解释"。都不合适。

Example 2

Euphemism is to offense as
(A) rhetoric to persuasion
(B) prevarication is to truth
(C) metaphor is to description
(D) repetition is to boredom
(E) conciliation is to appeasement

Answer and Explanation

首先，判断题干中的 euphemism（委婉语）与 offense（冒犯）的关系。委婉语之于冒犯这样的行为，就是一种逃避，因此本题考查的是逃避关系。所以正确答案为 B 选项：说谎，支吾；真理，说谎之于真理这种真实情况，自然也是一种逃避，体现的也是逃避关系。A 选项，"浮夸的言语；说服"。C 选项，"暗喻；描述"。D 选项，"重复；厌烦"。E 选项，"调和，抚慰；平息，抚慰"。都不合适。

Example 3

Smuggler is to tariff as
(A) embezzler is to funds
(B) burglar is to entry
(C) stowaway is to fare
(D) impersonator is to credentials
(E) shoplifter is to prosecution

Answer and Explanation

首先，判断题干中的 smuggler（走私者）与 tariff（关税）的关系。走私者的目的就是逃避关税，因此本题考查的是逃避关系。所以正确答案为 C 选项：偷乘车船者；车船费，偷乘车船者逃避的就是车船费，体现的也是逃避关系。A 选项，"贪污者；基金"。B 选项，"夜盗；进入"。

D 选项，"扮演者；证明、证书"。E 选项，"超市顺手牵羊者；控告"。都不合适。

更多的"逃避关系"表达如下：

A	（逃避）B	A	（逃避）B
anarchist	order	recluse	crowd
claustrophobia	enclosure	recluse	publicity
equivocate	commitment	recluse	society
escape	confinement	run	danger
euphemism	offense	shirker	duty
hermit	society	smuggler	tariff
prevarication	truth	stowaway	fare
procrastinate	action	vegetarian	meat
reactionary	change		

Part 38 追求关系

追求关系，指的是题干中的一个词语，追求的是另外一个词语。比如享乐主义者追求的自然就是快乐，理想主义者追求的就是理想。

Example

Hedonist is to pleasure as
(A) humanist is to pride
(B) ascetic is to tolerance
(C) stoic is to sacrifice
(D) recluse is to privacy
(E) idealist is to compromise

Answer and Explanation

首先，判断题干中的 hedonist（享乐主义者）与 pleasure（愉快，享乐）的关系。享乐主义者自然就是追求享乐了，因此本题考查的是追求关系。所以正确答案为 D 选项：隐士；隐私，隐士自然也就是追求隐私了，体现的也是追求关系。A 选项，"人道主义者；骄傲"。B 选项，"禁欲者；忍耐"。C 选项，"坚忍克己者；牺牲"。E 选项，"理想主义者；妥协"。都不合适。

更多的"追求关系"表达如下：

A	（追求）B	A	（追求）B
contestant	trophy	student	honors

Part 39 分泌关系

分泌关系，又叫给出关系，指的是题干中的两个词语，一个词语分泌或者给出了另一个词语。

Example

Insulin is to pancreas as
(A) bile is to liver
(B) menthol is to eucalyptus
(C) oxygen is to heart
(D) honey is to bee
(E) vanilla is to bean

Answer and Explanation

首先，判断题干中的 insulin（胰岛素）与 pancreas（胰腺）的关系。胰腺是分泌胰岛素的，因此本题考查的是分泌关系。所以正确答案为 A 选项：胆汁；肝，肝是分泌胆汁的，体现的也是分泌关系。B 选项，"薄荷醇；桉树"。C 选项，"氧气；心脏"。D 选项，"蜂蜜；蜜蜂"。E 选项，"香草；豆子"。都不合适。

更多的"分泌关系"表达如下：

A	（分泌／给出）B
lung	exhale
breathing	carbon dioxide
skin	perspire

A	（分泌／给出）B
spinach	milk
weeping	tears
lettuce	juice

Part 40 培育关系

培育关系，指的可以是题干中的一个词语培育另外一个词语。也可以是题目中的两个词语在动宾搭配上体现的是培育关系。

Example

Nurture is to child as
(A) cultivate is to crop
(B) quench is to fire
(C) marvel is to infant
(D) secure is to possession
(E) delimit is to obligation

Answer and Explanation

首先，判断题干中的 nurture（培育）与 child（孩子）的关系。严格来说，培育孩子是一种动宾搭配关系，只不过它重点体现的是培育，因此本题考查的是培育关系。所以正确答案为

A 选项：培育；庄稼，（农民）培育庄稼，体现的也是培育关系。B 选项，"熄灭，压制；火"。C 选项，"惊叹；婴儿"。D 选项，"使安全；拥有"。E 选项，"划界；义务，责任"。都不合适。

Part 41 清点关系

清点关系，指的是题干中的一个词语是对另外一个词语的清点。

Example

Census is to population as
(A) itinerary is to journeys
(B) inventory is to merchandise
(C) roster is to audience
(D) slate is to incumbents
(E) manifest is to debts

Answer and Explanation

首先，判断题干中的 census（人口普查）与 population（人口）的关系。人口普查是对人口的清点，因此本题考查的是清点关系。所以正确答案为 B 选项：库存清单；商品，库存清单是对商品的清点，体现的也是清点关系。A 选项，"旅行日程安排；旅行"。C 选项，"花名册；听众"。D 选项，"石板；任职者"。E 选项，"船货清单；债务"。都不合适。

Part 42 牵引关系

牵引关系，指的是题干中的一个词语牵引另一个词语。

Example

Locomotive is to flatcar as
(A) bus is to passenger
(B) airplane is to cargo
(C) bicycle is to frame
(D) tugboat is to barge
(E) automobile is to chassis

Answer and Explanation

首先，判断题干中的 locomotive（火车头）与 flatcar（平板车）的关系。火车头是平板车的牵引，因此本题考查的是牵引关系。所以正确答案为 D 选项：拖船；驳船，拖船也可以作为驳船的牵引，体现的也是牵引关系。A 选项，"公共汽车；乘客"。B 选项，"飞机；货物"。C 选项，"自行车；框架"。E 选项，"汽车；汽车底盘"。都不合适。

Part 43 象征关系与表示关系

象征关系，指的是题干中的一个词语象征着另外一个词语。比如王冠象征着君主，国旗象征着国家等等。

Example 1

Flag is to country as
(A) dialect is to region
(B) handshake is to greeting
(C) trademark is to company
(D) patent is to product
(E) souvenir is to vacation

Answer and Explanation

首先，判断题干中的 flag（国旗）与 country（国家）的关系。国旗是一个国家的象征，因此本题考查的是象征关系。所以正确答案为 C 选项：注册商标；公司，注册商标是公司的象征，体现的也是象征关系。A 选项，"方言；地区"。B 选项，"握手；问候"。D 选项，"专利；产品"。E 选项，"纪念品；度假"。都不合适。

Example 2

Cornucopia is to abundance as
(A) fortune is to success
(B) mace is to authority
(C) ensign is to ship
(D) unicorn is to myth
(E) medal is to badge

Answer and Explanation

首先，判断题干中的 cornucopia（象征丰收的羊角）与 abundance（丰收）的关系。象征丰收的羊角，自然就是丰收的象征，因此本题考查的是象征关系。所以正确答案为 B 选项：权杖；权威，权杖是权威的象征，体现的也是象征关系。A 选项，"财富；成功"。C 选项，"舰旗；船"。D 选项，"独角兽；神话"。E 选项，"奖章；徽章"。都不合适。

更多的"象征关系"表达如下：

A	（象征）B	A	（象征）B
throne	monarch	Bacchus	wine
bench	judge	Diana	hunt
miter	pope	Midas	gold
flag	country	Athena	wisdom

比象征关系在概念上要轻一些的是表示关系，它没有象征来得那么必然。表示关系指的是，一个词语可以表示另一个词语。比如：

A	（表示）B
brand	ownership
confession	culpability

A	（表示）B
testimonial	appreciation
underscore	emphasis

Part 44 增加关系

增加关系，指的是动作 A 的发生就是增加了 B。

Example 1

Accelerate is to speed as
(A) assess is to value
(B) elaborate is to quality
(C) disperse is to strength
(D) prolong is to duration
(E) enumerate is to quantity

Answer and Explanation

首先，判断题干中的 accelerate（加速，促进）与 speed（速度）的关系。加速（accelerate）一词，增加的就是速度（speed），因此本题考查的是增加关系。所以正确答案为 D 选项：延长；持续时间，延长指的就是延长某事的持续时间，体现的也是增加关系。A 选项，"评价；价值"。B 选项，"精工细作；质量"。C 选项，"分散；力量"。E 选项，"列举；数量"。都不合适。

Example 2

Distill is to purity as
(A) leaven is to volume
(B) pulverize is to fragility
(C) absorb is to brilliance
(D) homogenize is to fluidity
(E) conduct is to charge

Answer and Explanation

首先，判断题干中的 distill（蒸馏）与 purity（纯度）的关系。蒸馏的结果就是增加了（液体的）纯度，因此本题考查的是增加关系。所以正确答案为 A 选项：发酵；体积，发酵的结果就是增加了体积，体现的也是增加关系。B 选项，"粉碎；脆弱"。C 选项，"吸收；光辉"。D 选项，"使均匀；流动性"。E 选项，"传导；充电"。都不合适。

更多的"增加关系"表达如下：

A	（增加）B
accelerate	speed
amplify	sound
bolster	courage

A	（增加）B
prolong	duration
prolong	time
expand	space

Part 45 减少关系

减少关系，指的是动作 A 的发生就是减少了 B。

Example

Decelerate is to speed as
(A) desiccate is to dryness
(B) extinguish is to oxygen
(C) interpolate is to interval
(D) decontaminate is to sterility
(E) enervate is to vitality

Answer and Explanation

首先，判断题干中的 decelerate（减速）与 speed（速度）的关系。减速（accelerate）一词，减少的就是速度（speed），因此本题考查的是减少关系。所以正确答案为 E 选项：削弱；体力，削弱体力，也就是使体力减少，体现的也是减少关系。A 选项，"使干燥；干"。B 选项，"熄灭；氧气"。C 选项，"插入；空隙"。D 选项，"净化；无菌"。都不合适。

更多的"减少关系"表达如下：

A	（减少）B
abatement	intensity
abbreviation	sentence
abridgment	essay
decelerate	speed

A	（减少）B
deceleration	speed
enervate	vitality
synopsis	narrative

Part 46 探险关系

探险关系，指的是题干中的一个词语探险的是另一个词语。

Example 1

Cavern is to spelunker as
(A) wood is to carpenter
(B) horse is to jockey
(C) machine is to mechanic
(D) star is to astronomer
(E) ocean is to diver

Answer and Explanation

首先，判断题干中的 cavern（洞穴）与 spelunker（洞穴探险者）的关系。洞穴探险者探险的自然是洞穴，因此本题考查的是探险关系。所以正确答案为 E 选项：海洋；潜水爱好者，潜水爱好者探险的自然是海洋，体现的也是探险关系。A 选项，"木头；木匠"。B 选项，"马；

骑师"。C选项，"机器；机械师"。D选项，"恒星；天文学家"。都不合适。

Part 47 行为与内心关系

行为与内心关系，指的是题干中的一个词语是行为词语，另一个词语体现了这一行为所表达的内心情感。比如，微笑与高兴，微笑这种行为可以体现高兴这种内心情感。再比如，讥笑这种行为表现的是蔑视的内心情感。

Example 1

Discomfited is to blush as
(A) nonplused is to weep
(B) contemptuous is to sneer
(C) affronted is to blink
(D) sullen is to groan
(E) aggrieved is to gloat

Answer and Explanation

首先，判断题干中的 discomfited（为难的）与 blush（脸红）的关系。脸红这种行为表现，体现的是为难这种内心情感，因此本题考查的是行为与内心关系。所以正确答案为 B 选项：轻蔑的；讥笑，讥笑这种行为，体现的是轻蔑这种内心情感。A 选项，"狼狈的；小声哭"。C 选项，"被冒犯的；眨眼"。D 选项，"阴郁的；呻吟"。E 选项，"悲痛的；幸灾乐祸地窃喜"。都不合适。

Example 2

Submission is to obeisance as
(A) dilemma is to frustration
(B) fear is to foreboding
(C) boredom is to listlessness
(D) modesty is to blush
(E) affection is to embrace

Answer and Explanation

首先，判断题干中的 submission（恭顺服从）与 obeisance（鞠躬）的关系。鞠躬这种行为，体现的是恭顺服从这种内心情感，因此本题考查的是行为与内心关系。所以正确答案为 E 选项：喜爱；拥抱，拥抱这种行为，也是喜爱这种内心情感的体现。A 选项，"左右为难；沮丧"。B 选项，"恐惧；预感"。C 选项，"厌倦；无精打采"。D 选项，"谦虚；脸红"。都不合适。

Example 3

Castigation is to disapproval as
(A) grief is to indignation
(B) hostility is to intention
(C) hope is to insight

(D) innocence is to patience
(E) blasphemy is to irreverence

Answer and Explanation

首先，判断题干中的 castigation（严厉惩罚）与 disapproval（不认可）的关系。严厉惩罚这种行为，体现的是不认可这种内心情感，因此本题考查的是行为与内心关系。所以正确答案为 E 选项：亵渎；不敬，亵渎这种行为，可以表达出不敬这种内心情感。A 选项，"叹气；义愤"。B 选项，"敌对；意图"。C 选项，"希望；洞察"。D 选项，"无知；耐心"。都不合适。

Example 4

Embrace is to affection as
(A) jeer is to sullenness
(B) shrug is to ridicule
(C) frown is to displeasure
(D) cooperation is to respect
(E) flattery is to love

Answer and Explanation

首先，判断题干中的 embrace（拥抱）与 affection（爱）的关系。拥抱这种行为，体现的是爱这种内心情感，因此本题考查的是行为与内心关系。所以正确答案为 C 选项：皱眉；不高兴，皱眉这种行为，体现的是不高兴这种内心情感。A 选项，"嘲笑；阴郁"。B 选项，"耸肩；嘲笑"。D 选项，"合作；尊敬"。E 选项，"奉承；爱"。都不合适。

Example 5

Laughter is to amusement as
(A) smile is to grin
(B) snarl is to happiness
(C) silence is to jabbering
(D) frown is to displeasure
(E) pout is to enthusiasm

Answer and Explanation

首先，判断题干中的 laughter（笑）与 amusement（快乐）的关系。笑这种行为，体现的是"快乐"这种内心情感，因此本题考查的是行为与内心关系。所以正确答案为 D 选项：皱眉；不高兴，皱眉这种行为，体现的是不高兴这种内心情感。A 选项，"微笑；咧嘴笑"。B 选项，"吼叫；幸福"。C 选项，"沉默；急促含糊地说"。E 选项，"撒嘴；热情"。都不合适。

更多的"行为与内心关系"表达如下：

A（行为）	B（内心）	A（行为）	B（内心）
adulate	flatter	gripe	discontent
apology	regret	grin	delight
apologize	contrite	intimidate	coax

browbeat	entice		kiss	affection
blush	embarrassed		laugh	happiness
blush	embarrassment		pout	displeasure
blush	discomfit		praise	admiration
burlesque	mockery		rant	anger
compliment	impressed		scorn	reject
cower	fear		scowl	displeasure
demur	doubt		scutter	momentum
demur	qualms		smile	pleasure
diatribe	abuse		sneer	contempt
disparage	ignore		sneer	contemptuous
flinch	fear		vacillate	swing
frown	dismay		vacillate	uncertainty
frown	displeasure		waver	irresoluteness
gibe	derision		wince	pain
grimace	pain		yawn	sleepiness

Part 48 正常与强制关系

正常与强制关系，从实质上来说，体现的也是程度上的差别，也就是题干中的一个词语是正常的，另一个词语是强制的。

Example

Request is to command as
(A) propose is to stipulate
(B) enlist is to support
(C) relegate is to consign
(D) volunteer is to accept
(E) select is to reject

Answer and Explanation

首先，判断题干中的 request（要求）与 command（命令）的关系。要求是正常的，命令是强制的，因此本题考查的是正常与强制关系。所以正确答案为 A 选项：提议；强行规定，提议是正常的，强行规定是强制的，体现的也是正常与强制关系。B 选项，"自愿入伍；支持"。C 选项，"降级；委托"。D 选项，"自愿；接受"。E 选项，"选择；拒绝"。都不合适。

更多的"正常与强制"关系表达如下：

A（强制）	B（正常）	A（强制）	B（正常）
interrupt	speak	requirement	optional

intrude	enter		trespass	enter
must	may		usurp	take

Part 49 主动与被动关系

主动与被动关系，指的是题干中的两个词语，一个是主动的概念，一个是被动的概念。

Example

Emigrate is to exile as
(A) select is to organize
(B) appoint is to nominate
(C) capture is to imprison
(D) enlist is to conscript
(E) contribute is to deduct

Answer and Explanation

首先，判断题干中的 emigrate（移居出）与 exile（驱逐出）的关系。移居是主动的，驱逐是被动的，因此本题考查的是主动与被动关系。所以正确答案为 D 选项：自愿入伍；强制征兵，自愿入伍是主动的，强制征兵是被动的，体现的也是主动与被动的关系。A 选项，"选择；组织"。B 选项，"任命；提名"。C 选项，"逮捕；监禁"。E 选项，"捐献；扣除"。都不合适。

更多的"主动与被动关系"表达如下：

A（主动）	B（被动）		A（主动）	B（被动）
emigrate	exile		reverence	venerable
enlist	conscript		scorn	despicable
excuse	venial		understand	pellucid

Part 50 务实与务虚关系

务实与务虚关系，指的是题干中给出的两个词语，比如学科词汇或者科研词汇等，一个比较务实（相对比较科学），一个比较务虚（相对没那么科学）。

Example 1

Alchemy is to science as
(A) sideshow is to carnival
(B) forgery is to imitation
(C) burlesque is to comedy
(D) ploy is to tactic
(E) nostrum is to remedy

Answer and Explanation

首先，判断题干中的 alchemy（炼金术）与 science（科学）的关系。炼金术跟科学相比，没那么科学，因此本题考查的是务实与务虚关系。所以正确答案为 E 选项：家传秘方；治疗方法，家传秘方就没有治疗方法那么科学，体现的也是务实与务虚的关系。A 选项，"穿插表演；嘉年华"。B 选项，"伪造；模仿"。C 选项，"讽刺剧；喜剧"。D 选项，"花招；策略"。都不合适。

Example 2

 Astrology is to astronomy as
(A) alchemy is to chemistry
(B) homeopathy is to zoology
(C) mythology is to classic
(D) pedagogy is to philosophy
(E) phenomenology is to linguistics

Answer and Explanation

首先，判断题干中的 astrology（占星术）与 astronomy（天文学）的关系。占星术跟天文学这一学科相比，没那么科学，因此本题考查的是务实与务虚关系。所以正确答案为 A 选项：炼金术；化学，炼金术就没有化学那么科学，体现的也是务实与务虚的关系。B 选项，"顺势疗法；动物学"。C 选项，"神话；经典"。D 选项，"教育学；哲学"。E 选项，"现象学；语言学"。都不合适。

Part 51 真假关系

真假关系，指的是题干中的两个词语，一个为真，一个为假。

Example 1

 Mask is to face as
(A) pseudonym is to name
(B) caricature is to likeness
(C) forgery is to imitation
(D) disguise is to detective
(E) code is to agent

Answer and Explanation

首先，判断题干中的 mask（面具）与 face（脸）的关系。脸为真，面具为假，因此本题考查的是真假关系。所以正确答案为 A 选项：假名；名字，名字为真，假名为假，体现的也是真假关系。B 选项，"滑稽模仿的讽刺画；相似"。C 选项，"伪造品；模仿"。D 选项，"伪装；侦探"。E 选项，"密码；代理"。都不合适。

Example 2

Denture is to teeth as
(A) scarf is to head
(B) toupee is to hair
(C) fingernail is to hand
(D) eyebrow is to eye
(E) bandage is to wound

Answer and Explanation

首先，判断题干中的 denture（假牙）与 teeth（牙齿）的关系。假牙为假，牙齿为真，因此本题考查的是真假关系。所以正确答案为 B 选项：假发；头发，假发为假，头发为真，体现的也是真假关系。A 选项，"围巾；头"。C 选项，"指甲；手"。D 选项，"眉毛；眼睛"。E 选项，"绷带；伤口"。都不合适。

Example 3

Malinger is to ail as
(A) study is to learn
(B) qualify is to achieve
(C) sneer is to respect
(D) flatter is to appreciate
(E) clash is to resolve

Answer and Explanation

首先，判断题干中的 malinger（装病）与 ail（得病）的关系。装病为假，得病为真，因此本题考查的是真假关系。所以正确答案为 D 选项：恭维；赞赏，恭维为假，赞赏为真，体现的也是真假关系。A 选项，"学习；学会"。B 选项，"使有资格；完成"。C 选项，"嘲笑；尊敬"。E 选项，"冲突，抵触；下决心"。都不合适。

更多的"真假关系"表达如下：

A（真）	B（假）	A（真）	B（假）
counterfeit	money	name	pseudonym
devout	sanctimonious	scholarly	pedantic
face	mask	sophism	reasoning
flatter	appreciate	teeth	denture
malinger	ail		

在真假这个层面上，有时候只考查假这一个方面，表达如下：

A	B（作假）	A	B（作假）
politics	bribe	examination	cheat

Part 52 事物—功能或用途

> 事物（object）—功能（function）或用途（use）关系，指的是题干中的一个词语是事物本身，另一个词语揭示它的功能或者用途。

Example 1

Telephone is to communication as
(A) stove is to cooking
(B) travel is to vacation
(C) garage is to car
(D) multiplication is to division
(E) tyrant is to assimilation

Answer and Explanation

首先，判断题干中的 telephone（电话）与 communication（交流）的关系。电话是用来交流的，因此本题考查的是事物—功能或用途关系。所以正确答案为 A 选项：炉子；烹饪，炉子是用来烹饪的，体现的也是事物—功能或用途关系。B 选项，"旅游；度假"。C 选项，"车库；汽车"。D 选项，"乘；除"。E 选项，"暴君；同化"。都不合适。

Example 2

Panegyric is to eulogize as
(A) ballad is to stigmatize
(B) ode is to criticize
(C) lampoon is to satirize
(D) tirade is to entertain
(E) treatise is to dispute

Answer and Explanation

首先，判断题干中的 panegyric（夸奖）与 eulogize（赞美）的关系。夸奖自然是为了赞美，因此本题考查的是事物—功能或用途关系。所以正确答案为 C 选项：讽刺文章；讽刺，讽刺文章是为了讽刺，体现的也是事物—功能或用途关系。A 选项，"民歌；诽谤"。B 选项，"颂诗；批评"。D 选项，"攻击文章；娱乐"。E 选项，"专题论文；争论"。都不合适。

Example 3

Needle is to knit as
(A) loom is to weave
(B) soap is to wash
(C) bed is to sleep
(D) bait is to fish
(E) match is to fire

Answer and Explanation

首先，判断题干中的 needle（针）与 knit（编织）的关系。针的用途是编织，因此本题考查的是事物—功能或用途关系。所以正确答案为 A 选项：织布机；编织，织布机是用来编织的，体现的也是事物—功能或用途关系。B 选项，"肥皂；洗"。C 选项，"床；睡"。D 选项，"诱饵；鱼"。E 选项，"火柴；火"。都不合适。

更多的"事物—功能或用途关系"表达如下：

A（事物）	B（功能或用途）	A（事物）	B（功能或用途）
apostrophe	omission letter	harp	pluck
asterisk	omission	horn	blow
attic	storage	house	shelter
barometer	bellwether	hyphen	join
blender	batter	jar	contain
camera	photograph	lathe	molding
canvas	painting	magnet	cynosure
caret	insertion	music	calm
clock	time	noise	irritate
club	beat	paper	printing
colon	introduction	pen	write
comma	separate/pause	perfume	fragrance
drill	hole	period	stop
ellipsis	omission word	picture	representation
flattery	inveigle	pillar	support
fork	food	quotation mark	quotation
fortress	sanctuary	ruler	measure
glasses	vision	thermometer	temperature
hammer	pound	whip	lash

Part 53 人物—工具关系

人物（Individual）—工具（Tool Used）关系，指的是特定的人物会使用特定的工具。比如画家（painter）的特定工具是画笔（painting brush），作家（author/writer）的特定工具是笔（pen），屠夫（butcher）的特定工具自然就是肉刀（knife）了。

Example 1

Scalpel is to surgeon as
(A) laser is to agronomist
(B) plant is to ecologist
(C) syringe is to geologist

(D) telescope is to astronomer

(E) microscope is to geometrician

Answer and Explanation

　　首先，判断题干中 scalpel（手术刀）与 surgeon（外科医生）的关系。手术刀为外科医生的特定工具，因此二者是人物—工具关系。所以正确答案为 D 选项：望远镜；天文学家，望远镜是天文学家的特定工具，体现的也是人物—工具关系。A 选项，"激光；农学家"。B 选项，"植物；生态学家"。C 选项，"注射器；地质学家"。E 选项，"显微镜；几何学家"。都不合适。

Example 2

　Saw is to carpenter as plow is to

(A) banker

(B) surveyor

(C) farmer

(D) physician

(E) steelworker

Answer and Explanation

　　首先，判断题干中 saw（锯子）与 carpenter（木匠）的关系。锯子是木匠的特定工具，因此二者是人物—工具关系。所以正确答案为 C 选项：犁；农民，犁是农民的特定工具，也是人物—工具关系。A 选项，"银行家"。B 选项，"调查员"。D 选项，"内科医生"。E 选项，"钢铁工人"。都不合适。

Example 3

　Scissors is to tailor as

(A) brush is to painter

(B) typewriter is to author

(C) trowel is to bricklayer

(D) wagon is to farmer

(E) saw is to carpenter

Answer and Explanation

　　首先，判断题干中 scissors（剪刀）与 tailor（裁缝）的关系。剪刀是裁缝的特定工具，因此二者是人物—工具关系。所以正确答案为 E 选项：锯子；木匠，锯子是木匠的特定工具，也是人物—工具关系。A 选项，"画刷；画匠"。B 选项，"打字机；作家"。C 选项，"泥刀；砖瓦工"。D 选项，"马车；农夫"。都不合适。

Example 4

　Hammer is to carpenter as

(A) brick is to mason

(B) road is to driver

(C) kitchen is to cook

(D) letter is to secretary
(E) knife is to butcher

Answer and Explanation

首先，判断题干中 hammer（锤子）与 carpenter（木匠）的关系。锤子是木匠的特定工具，因此二者是人物—工具关系。所以正确答案为 E 选项：刀；屠夫，刀是屠夫的特定工具，也是人物—工具关系。A 选项，"砖头；泥瓦匠"。B 选项，"道路；司机"。C 选项，"厨房；厨师"。D 选项，"信件；秘书"。都不合适。

Example 5

Judge is to gavel as
(A) detective is to uniform
(B) doctor is to stethoscope
(C) referee is to whistle
(D) soldier is to insignia
(E) lecturer is to podium

Answer and Explanation

首先，判断题干中 judge（法官）与 gavel（小木槌）的关系。小木槌是法官的特定工具，因此二者是人物—工具关系，除此之外，小木槌之于法官，可以用以判断是非。所以正确答案为 C 选项：裁判；哨子，哨子是裁判的特定工具，也是人物—工具关系，哨子之于裁判，也是用以裁决比分。A 选项，"侦探；制服"。B 选项，"医生；听诊器"。D 选项，"士兵；徽章"。E 选项，"演讲人；讲坛"。都不合适。

更多的"人物—工具—方法—加工对象—产品关系"表达如下：

人物	工具	方法	加工对象	产品
painter	brush		canvas	painting
sculptor	chisel		marble	statue
tailor	scissors/pattern		cloth	clothing
knitter	needle/loom			
carpenter	saw/awl/hammer/axe		wood	furniture
mason	trowel		brick	
shoemaker/cobbler	awl		leather	shoe
farmer	plow/hoe			crop
chemist	beaker			
geologist	hammer			
archaeologist	shovel			antique/artifact
potter	kiln/spatula		clay	pottery
anesthesiologist	sedate			
hypnotist	spell			
barber	razor			

	hammer		nail	
	screwdriver		screw	
cartographer				map
chef	stove			meal/ banquet
baker	oven			cake/bread
composer				opera/score/music
musician/composer				symphony
author/writer				novel/book
artist				painting
dramatist				script
choreographer				dance
actor				play
pharmacist				drug
butcher	cleaver/ knife			meat
		mine	ore	
		drill	oil	
		purify	water	
		quarry		granite
		mine		ore
extortionist		blackmail		
kleptomaniac		steal		
			paper	novel
			canvas	portrait
	instrument			music
surgeon	scalpel			operation/surgery
physician	stethoscope			
dentist	drill			
boxer	gloves			
anesthesiologist	sedative			
hypnotist	spell			
builder/architect	blueprint			building
	itinerary			trip
	agenda			meeting
	program			concert
astronomer	binocular			

Part 54 工具—作用对象关系

工具—作用对象（Tool to object used upon）关系，指的是题干中的两个词语，其中一个词语的作用对象是另外一个词语。

Example 1

Car is to key as television is to
(A) outlet
(B) noise
(C) remote control
(D) cabinet
(E) sound

Answer and Explanation

首先，判断题干中 car（汽车）与 key（钥匙）的关系。钥匙是用来开车的，也就是说汽车是钥匙的作用对象，因此二者是工具—作用对象关系。所以正确答案为 C 选项：遥控器，遥控器是用来开电视的，也就是说电视是遥控器的作用对象，也是工具—作用对象关系。A 选项，"出口"。B 选项，"噪音"。D 选项，"橱柜"。E 选项，"声音"。都不合适。

Example 2

Hammer is to nail as
(A) axe is to wood
(B) lathe is to molding
(C) chisel is to marble
(D) nut is to bolt
(E) screwdriver is to screw

Answer and Explanation

首先，判断题干中 hammer（锤子）与 nail（钉子）的关系。钉子是锤子的作用对象，因此二者是工具—作用对象关系。所以正确答案为 E 选项：螺丝刀；螺丝钉，螺丝钉是螺丝刀的作用对象，也是工具—作用对象关系。A 选项，"斧子；木头"。B 选项，"机床；制模"。C 选项："凿子；大理石"。D 选项，"螺母；螺栓"。都不合适。

更多的"工具—作用对象关系"表达如下：

A（工具）	B（作用对象）	A（工具）	B（作用对象）
key	car	ignition	start
remote control	television	brake	stop

Part 55 人物—工作对象关系

人物—工作对象关系，指的是特定的人物都有其特定的工作对象。当然这个对象可以是人，也可以是物。比如教练的工作对象自然是学员或者选手，裁缝的工作对象自然是服装。

Example

Coach is to players as director is to
(A) playwrights
(B) dramatists
(C) carpenters
(D) astronomers
(E) actors

Answer and Explanation

首先，判断题干中 coach（教练）与 players（选手）的关系。选手为教练的工作对象，因此二者是人物—工作对象关系。所以正确答案为 E 选项：演员，演员自然是题干中导演（director）的工作对象，也是人物—工作对象关系。A 选项，"剧作家"。B 选项，"戏剧作家"。C 选项，"木匠"。D 选项，"天文学家"。都不合适。

更多的"人物—工作对象关系"表达如下：

A（人物）	B（工作对象）	A（人物）	B（工作对象）
choreographer	dancers	physician	patient
coach	players	dentist	teeth
director	actors	dentist	patient
director	film	lawyer	client
conductor	musicians	tonsorial	hair
conductor	symphony	sartorial	apparel

Part 56 人物—产品或作品关系

人物—产品或作品（individual to object created）关系，指的是特定的人物都有其特定的产品或者作品。

Example 1

Baker is to bread as
(A) shop is to goods
(B) butcher is to livestock
(C) politician is to votes
(D) sculptor is to statue
(E) family is to confidence

Answer and Explanation

　　首先，判断题干中 baker（面包师）与 bread（面包）的关系。面包是面包师的产品，因此二者是人物—产品关系。所以正确答案为 D 选项：雕塑家；雕像，雕像是雕塑家的产品，也是人物—产品关系。A 选项，"商店；货品"。B 选项，"屠夫；牲畜"。C 选项，"政治家；投票"。E 选项，"家庭；自信"。都不合适。有同学会选择 B 选项，牲畜是屠夫的工作对象，而不是产品或者作品。

Example 2

　　Tailor is to clothes as
　　(A) butcher is to meat
　　(B) farmer is to milk
　　(C) wrangler is to cows
　　(D) cobbler is to shoes
　　(E) teamster is to trucks

Answer and Explanation

　　首先，判断题干中 tailor（裁缝）与 clothes（衣服）的关系。衣服是裁缝的作品，因此二者是人物—作品关系。所以正确答案为 D 选项：修鞋匠；鞋，鞋是修鞋匠的作品，也是人物—作品关系。A 选项，"屠夫；肉"。B 选项，"农民；牛奶"。C 选项，"牧人；奶牛"。E 选项，"卡车驾驶员；卡车"。都不合适。

Example 3

　　Blacksmith is to metal as
　　(A) juggler is to audience
　　(B) farmer is to milk
　　(C) wrangler is to cows
　　(D) cobbler is to shoes
　　(E) teamster is to trucks

Answer and Explanation

　　首先，判断题干中 blacksmith（铁匠）与 metal（金属）的关系。金属是铁匠的作品，因此本题考查的是人物—作品关系。所以正确答案为 D 选项：修鞋匠；鞋，鞋是修鞋匠的作品，也是人物—作品关系。A 选项，"玩杂耍的人；观众"。B 选项，"农民；牛奶"。C 选项，"牧人，奶牛。"E 选项，"卡车驾驶员；卡车。"D 选项，"修鞋匠；鞋"。都不合适。

Part 57　学者或学科—研究对象关系

　　学者（scholar）或学科（subject）—研究对象（object of study）关系指的是题干中的两个词语，一个是学者（scholar）或者学科（subject），另一个是学者或者学科的研究对象。

Example 1

Sermon is to homiletics as
(A) argument is to logic
(B) baseball is to athletics
(C) word is to language
(D) student is to pedagogy
(E) album is to philately

Answer and Explanation

首先，判断题干中 sermon（布道）与 homiletics（布道学）的关系。布道学当然是研究布道，因此本题考查的是学科—研究对象关系。所以正确答案为 A 选项：论据；逻辑学，逻辑学自然也就是研究论据的，也是学科—研究对象关系。B 选项，"棒球；运动学"。C 选项，"单词；语言"。D 选项，"学生；教学法"。E 选项，"集邮本；集邮"。都不合适。

Example 2

Aesthetics is to beauty as
(A) ethics is to etiquette
(B) epistemology is to knowledge
(C) logistics is to truth
(D) rhetoric is to reasoning
(E) theology is to morals

Answer and Explanation

首先，判断题干中 aesthetics（美学）与 beauty（美）的关系。美学当然是研究美的，因此本题考查的是学科—研究对象关系。所以正确答案为 B 选项：认识论；知识，认识论自然也就是研究知识的，也是学科—研究对象关系。A 选项，"伦理学；礼节"。C 选项，"物流学；事实"。D 选项，"修辞学；推理"。E 选项，"神学；道德"。都不合适。

Example 3

Semantics is to meaning as phonetics is to
(A) child
(B) dress
(C) forest
(D) sound
(E) weather

Answer and Explanation

首先，判断题干中 semantics（语义学）与 meaning（意义）的关系，语义学是研究（语言）意义的，因此本题考查的其实是学科—研究对象关系。所以正确答案为 D 选项：声音，题干中的语音学（phonetics）是研究声音的，也是学科—研究对象关系。A 选项，"儿童"。B 选项，"裙子"。C 选项，"森林"。E 选项，"天气"。都不合适。

Example 4

Astronomer is to stars as biologist is to
(A) earth
(B) water
(C) stars
(D) rocks
(E) life

Answer and Explanation

首先，判断题干中 astronomer（天文学家）与 star（星体）的关系。天文学家是研究星体的，因此本题考查的是学者—研究对象关系。所以正确答案为 E 选项：生物学家；生命，生物学家自然也就是研究生命的，也是学者—研究对象关系。A 选项，"地球"。B 选项，"水"。C 选项，"星体"。D 选项，"岩石"。都不合适。

Example 5

Pediatrics is to children as
(A) dermatology is to skin
(B) pathology is to medicine
(C) meteorology is to forecasts
(D) neurology is to psychologists
(E) ecology is to environmentalist

Answer and Explanation

首先，判断题干中 pediatrics（儿童学）与 children（儿童）的关系。儿童学是研究儿童的，因此本题考查的是学科—研究对象关系。所以正确答案为 A 选项：皮肤学；皮肤，皮肤学自然也就是研究皮肤的，也是学科—研究对象关系。B 选项，"病理学；药品"。C 选项，"气象学；天气预报"。D 选项，"神经学；心理学家"。E 选项，"生态学；环保主义者"。都不合适。

更多的"学者或学科—研究对象关系"表达如下：

A（学者或学科）	B（研究对象）	A（学者或学科）	B（研究对象）
aesthetics	beauty	ichthyologist	salmon
aesthetic	art	meteorology/meteorologist	weather
astronomer	stars	pathology	disease
biologist	life	pediatrics	children
botany/botanist	plants/vegetation	phonetics	sound
dermatology	skin	psychology/psychologist	mind/individual
epistemology	knowledge	semantics	meaning
financial	money	sociology/sociologist	group/behavior
forestry	tree	taxonomist	classify
gourmet	food	pathology	disease
herpetologist	chameleon	psychology	mind
horticulture	flower		

Part 58 产品—原料关系

产品（end product）—原料（material used）关系，指的是题干中的两个词语，一个是产品，另一个是产品的原料。

Example 1

Candle is to wax as
(A) metal is to corrosion
(B) leather is to cloth
(C) curtain is to stage
(D) tire is to rubber
(E) wood is to ash

Answer and Explanation

首先，判断题干中的 candle（蜡烛）与 wax（蜡）的关系。蜡烛的原料是蜡，因此本题考查的是产品—原料关系。所以正确答案为 D 选项：轮胎；橡胶，轮胎的原料是橡胶，体现的也是产品—原料的关系。A 选项，"金属；腐蚀"。B 选项，"皮革；布"。C 选项，"幕布；舞台"。E 选项，"木头；灰"。都不合适。

Example 2

Parquet is to wood as
(A) potpourri is to medley
(B) collage is to tapestry
(C) color is to painting
(D) linoleum is to marble
(E) mosaic is to glass

Answer and Explanation

首先，判断题干中的 parquet（嵌木地板）与 wood（木头）的关系。嵌木地板的原料是木头，因此本题考查的是产品—原料关系。所以正确答案为 E 选项：马赛克；玻璃，马赛克这种产品的原料是玻璃，体现的也是产品—原料的关系。A 选项，"杂文集；混合曲，集成曲"。B 选项，"抽象拼贴画；挂毯"。C 选项，"颜色；画"。D 选项，"油布；大理石"。都不合适。

Example 3

Wood is to tree as
(A) bird is to wings
(B) copper is to lead
(C) sun is to planet
(D) mother is to family
(E) brick is to house

Answer and Explanation

首先，判断题干中的 wood（木头）与 tree（树）的关系。木头是树的原料，因此本题考查的是产品—原料关系。所以正确答案为 E 选项：砖块；房子，砖块是房子的原料，体现的也是产品—原料的关系。A 选项，"鸟；翅膀"。B 选项，"铜；导线"。C 选项，"太阳；行星"。D 选项，"母亲；家庭"。都不合适。

Example 4

Jam is to fruit as
(A) bread is to toast
(B) butter is to milk
(C) crayon is to color
(D) height is to stone
(E) write is to pencil

Answer and Explanation

首先，判断题干中的 jam（果酱）与 fruit（水果）的关系。水果是果酱的原料，因此本题考查的是产品—原料关系。所以正确答案为 B 选项：黄油；牛奶，牛奶是黄油的原料，体现的也是产品—原料关系。A 选项，"面包；烤面包"。C 选项，"彩色蜡笔；颜色"。D 选项，"高度；石头"。E 选项，"写作；铅笔"。都不合适。

Example 5

Wine is to grape as
(A) juice is to cherry
(B) berry is to stain
(C) glass is to ivory
(D) paper is to wood
(E) stone is to mud

Answer and Explanation

首先，判断题干中的 wine（葡萄酒）与 grape（葡萄）的关系。葡萄是葡萄酒的原料，因此本题考查的是产品—原料关系。所以正确答案为 A 选项：果汁；樱桃，樱桃可以作为果汁的原料，体现的也是产品—原料关系。B 选项，"浆果；着色剂"。C 选项，"玻璃；象牙"。D 选项，"纸张；木头"。E 选项，"石头；泥"。都不合适。

Part 59 物体—来源关系

物体（object）—来源（source）关系，指的是题干中的两个词语，一个是物体，另一个是物体的来源。

Example 1

Rock is to quarry as

(A) rust is to iron
(B) coal is to mine
(C) pan is to gold
(D) metal is to alloy
(E) water is to ice

Answer and Explanation

首先，判断题干中的 rock（岩石）与 quarry（采石场）的关系。采石场是岩石的来源地，因此本题考查的是物体—来源关系，所以正确答案为 B 选项：煤炭；矿井，矿井是煤炭的来源地，体现的也是物体—来源关系。A 选项，"铁锈；铁"。C 选项，"金盘；金"。D 选项，"金属；合金"。E 选项，"水；冰"。都不合适。

Example 2

Silk is to worm as
(A) honey is to bee
(B) corn is to pop
(C) bread is to wheat
(D) egg is to chicken
(E) frog is to croak

Answer and Explanation

首先，判断题干中的 silk（丝）与 worm（虫）的关系。丝来源于虫，因此本题考查的是物体—来源关系，所以正确答案为 A 选项：蜂蜜；蜜蜂，蜂蜜来源于蜜蜂，体现的也是物体—来源的关系。B 选项，"谷物；汽水"。C 选项，"面包；小麦"。D 选项，"蛋；鸡"。E 选项，"青蛙；呱呱叫声"。都不合适。

Part 60　阴阳关系

阴阳关系，指的是题干中的两个词语，一个为阴（female），一个为阳（male）。

Example 1

Ram is to ewe as
(A) sheep is to lamb
(B) fawn is to deer
(C) stallion is to mare
(D) cow is to moose
(E) hen is to rooster

Answer and Explanation

首先，判断题干中的 ram（公羊）与 ewe（母羊）的关系。一个公的，一个母的，显然是阴阳关系。所以正确答案为 C 选项：公马；母马，一个公，一个母，也是阴阳关系。A 选项，"羊；羊羔"。B 选项，"小鹿；鹿"。D 选项，"奶牛；麋鹿"。E 选项，"母鸡；公鸡"。

都不合适。有同学会选择 E 选项，觉得母鸡公鸡也是阴阳关系，的确，但是 E 选项词汇的顺序反了，题干是一个公一个母，E 选项是一个母一个公。逻辑关系弄反了，因此也不能选。

Example 2

Witch is to warlock as
(A) sow is to boar
(B) sheep is to shepherd
(C) horse is to breed
(D) egg is to goose
(E) calf is to cattle

Answer and Explanation

首先，判断题干中的 witch（女巫）与 warlock（男巫）的关系。一个女的，一个男的，显然是阴阳关系。所以正确答案为 A 选项：母猪；公猪，一个母，一个公，也是阴阳关系。B 选项，"绵羊；牧羊人"。C 选项，"马；品种"。D 选项，"蛋；鹅"。E 选项，"小牛；牛"。都不合适。

Part 61 年龄变化关系

年龄变化关系（age variation），指的是题干中的两个词语涉及年龄的变化，比如可以是一个年龄大，一个年龄小。

Example

Adult is to child as
(A) horse is to mare
(B) cat is to kitten
(C) swine is to sow
(D) human is to animal
(E) cow is to herd

Answer and Explanation

首先，判断题干中的 adult（成人）与 child（孩童）的关系。一个年纪大，一个年纪小，显然是年龄变化关系。所以正确答案为 B 选项：猫；小猫，一个年龄大，一个年龄小，也是年龄变化关系。A 选项，"马；母马"。C 选项，"猪；母猪"。D 选项，"人类；动物"。E 选项，"奶牛；牧群"。都不合适。

Part 62 定量关系

定量关系，或多少关系，有两种考查方式。第一，题干的两个词语中，第一个词语的定量决定第二个词语的有效性。第二，题干的两个词语，一个为多，一个为少，是多少的具体体现，比如 armada is to vehicles，舰队之于舰只，是多少关系。再比如，fusillade is to projectiles，火炮齐射之于炮弹，也是多与少的关系。

Example

Dose is to medicine as
(A) current is to river
(B) electricity is to shock
(C) tremor is to earthquake
(D) sentence is to punishment
(E) tempo is to music

Answer and Explanation

首先，判断题干中的 dose（剂量）与 medicine（药品）的关系。药品（有效性的关键）取决于剂量的多少，因此本题考查的是多少关系。所以正确答案为 D 选项：判刑；惩罚，惩罚（的大小）取决于判刑的多少，体现的也是多少关系。A 选项，"水流；河流"。B 选项，"电；休克，震惊"。C 选项，"震颤；地震"。E 选项，"拍子；音乐"。都不合适。

Part 63 度量关系

度量关系（measurement to object）的第一个考法为，一个词语是另一个词语的度量单位。第二个考法为，一个词语的功能是度量另一个词语。

Example 1

Pound is to weight as
(A) inch is to foot
(B) tall is to height
(C) money is to rich
(D) arithmetic is to school
(E) mile is to distance

Answer and Explanation

首先，判断题干中的 pound（磅）与 weight（重量）的关系。磅是重量的测量单位，因此本题考查的是度量关系。所以正确答案为 E 选项：英里；距离，英里是距离的测量单位，体现的也是度量关系。A 选项，"英寸；英尺"。B 选项，"高；高度"。C 选项，"钱；富有"。D 选项，"算数；学校"。都不合适。

Example 2

Decibel is to sound as
(A) volt is to electricity
(B) odometer is to distance
(C) radius is to circle
(D) color is to light
(E) wavelength is to spectrum

Answer and Explanation

首先，判断题干中的 decibel（分贝）与 sound（声音）的关系。分贝是声音的度量单位，因此本题考查的是度量关系。所以正确答案为 A 选项：伏特；电，伏特是电的度量单位，体现的也是度量关系。B 选项，"里程表；距离"。C 选项，"半径；圆"。D 选项，"颜色；光"。E 选项，"波长；光谱"。都不合适。

Example 3

Heat is to calories as
(A) liquid is to gallons
(B) exercise is to energy
(C) steam is to pressure
(D) lamp is to watts
(E) thermometer is to degrees

Answer and Explanation

首先，判断题干中的 heat（热量）与 calories（卡路里）的关系。卡路里是热量的度量单位，因此本题考查的是度量关系。所以正确答案为 A 选项：液体；加仑，加仑是液体的度量单位，体现的也是度量关系。B 选项，"练习；能源"。C 选项，"蒸汽；压力"。D 选项，"灯；瓦特"。E 选项，"温度计；度数"。都不合适。

更多的"度量关系"表达如下：

A	B	A	B
altimeter	altitude	odometer	distance
bacon	pound	scale	weight
banana	bunch	speedometer	speed
egg	dozens	thermometer	temperature
lettuce	head	compass	direction

Part 64 先后关系

先后关系，指的是题干中的两个词语，一个在先，一个在后。

Example

October is to December as
(A) May is to July
(B) sketch is to drawing
(C) movement is to symphony
(D) index is to book
(E) blueprint is to building

Answer and Explanation

首先，判断题干中的 October（十月）与 December（十二月）的关系。首先十月与十二月是同类关系，都是月份。但是两者的关系又比较特殊，十月在十二月之前，所以本题考查的是先后关系。所以正确答案为 A 选项：五月；七月，都是月份，五月在七月之前，体现的也是先后关系。B 选项，"草图；画画"。C 选项，"乐章；交响乐"。D 选项，"索引；书"。E 选项，"蓝图；建筑物"。都不合适。

更多的"先后顺序"表达如下：

A（先）	B（后）
study	test
October	December
rehearse	play
past	present
impeachment	dismissal
arraignment	indictment
employment	retirement

A（先）	B（后）
May	July
corporal	sergeant
joey	kangaroo
yesterday	today
aspirant	incumbent
candidate	official

Part 65 同类关系

同类关系，指的是题干中的两个词语同属一类，尽管意义有所不同。

Example 1

House is to tent as bed is to
(A) table
(B) stool
(C) floor
(D) blanket
(E) hammock

Answer and Explanation

首先，判断题干中的 house（房屋）与 tent（帐篷）的关系。房屋与帐篷都具有居住的功能，因此本题考查的是同类关系。所以正确答案为 E 选项：吊床，床（bed）与吊床都是床，体现的也是同类关系。A 选项，"桌子"。B 选项，"凳子"。C 选项，"地板"。D 选项，"毛毯"。都不合适。

Example 2

Mars is to Venus as
(A) Monday is to August
(B) the moon is to night
(C) winter is to cold
(D) mercury is to temperature

(E) January is to March

Answer and Explanation

　　首先，判断题干中的 Mars（火星）与 Venus（金星）的关系。火星与金星都是太阳系的行星，因此本题考查的是同类关系。所以正确答案为 E 选项：一月；三月，一月与三月都是月份，体现的也是同类关系。A 选项，"周一；八月"。B 选项，"月亮；夜晚"。C 选项，"冬天；冰冷"。D 选项，"水银；温度"。都不合适。

更多的"同类关系"表达如下：

A	B		A	B
frog	toad		oil	juice
turtle	tortoise		zebra	skunk
liter	quart		leopard	Dalmatian
meter	yard		horse	centaur
olive	orange		fish	mermaid

Part 66 部分与整体关系

　　部分（part）与整体（whole）关系，指的是题干中两个词语，一个为整体，另一个为整体的部分。

Example 1

　　Shard is to pottery as
(A) flint is to stone
(B) flange is to wheel
(C) cinder is to coal
(D) fragment is to bone
(E) tare is to grain

Answer and Explanation

　　首先，判断题干中的 shard（陶片）与 pottery（陶瓷）的关系。陶片是陶瓷的一部分，因此本题考查的是部分与整体关系。所以正确答案为 D 选项：骨片；骨，骨片是骨头的一部分，体现的也是部分与整体关系。A 选项，"打火石；石头"。B 选项，"轮的凸缘；轮"。C 选项，"煤渣；煤"。E 选项，"杂草；谷物"。都不合适。

Example 2

　　Peroration is to speech as
(A) tempo is to movement
(B) figure is to portrait
(C) light is to shadow
(D) verse is to stanza
(E) coda is to sonata

Answer and Explanation

首先，判断题干中的 peroration（演讲结尾）与 speech（演讲）的关系。演讲结尾是演讲的一部分，且是结尾部分，因此本题考查的是部分与整体关系。所以正确答案为 E 选项：结尾；奏鸣曲，结尾也是奏鸣曲的一部分，体现的也是部分与整体关系。A 选项，"节奏；乐章"。B 选项，"人物；肖像"。C 选项，"光；影"。D 选项，"诗；诗节"。都不合适。

Example 3

Prologue is to novel as
(A) overture is to symphony
(B) sketch is to drawing
(C) movement is to symphony
(D) index is to book
(E) blueprint is to building

Answer and Explanation

首先，判断题干中的 prologue（序言）与 novel（小说）的关系。序言是一本小说开头引入的部分，因此本题考查的是部分与整体关系。所以正确答案为 A 选项：序曲；交响乐，序曲也是交响乐开始引入的部分，体现的也是部分与整体关系。B 选项，"草图；画画"。C 选项，"乐章；交响乐"。D 选项，"索引；书"。E 选项，"蓝图；建筑物"。都不合适。

更多的"部分与整体关系"表达如下：

A（部分）	B（整体）	A（部分）	B（整体）
claw	panther	pint	quart
country	continent	sawdust	wood
crumb	bread	senator	congress
crumb	cake	skeleton	animal
dessert	meal	sketch	painting
epilogue	story	shard	ceramic
filings	metal	shard	pottery
finale	performance	sill	window
fragment	bone	stanza	poem
framing	building	state	country
issue	volume	subject/predict	sentence
knee	leg	talon	eagle
knuckle	finger	terminus	trip
line	stanza	threshold	door
milliliter	quart	veal	calf
millimeter	yard	venison	deer
movement	symphony	week	year
outline	essay		

Part 67 字母变化关系与押韵关系

字母变化（rearrangement of letters）关系，指的是题干中的两个词语内涵意义上没什么关系，只是外观上或者字母上的变化。

Example 1

Sign is to sing as
(A) hand is to heart
(B) song is to mouth
(C) applause is to shout
(D) stop is to pots
(E) rasp is to raps

Answer and Explanation

首先，判断题干中的 sign 与 sing 的关系，从词义内涵上看，两者并没有直接的联系，但是在形式上，两者的第三和第四个字母颠倒了一下，因此本题考查的是字母变化关系。所以正确答案为 D 选项，同样也是字母变化关系，其他选项都不合适。

Example 2

Rough is to cough as
(A) chapped is to sore
(B) flight is to fright
(C) sight is to fight
(D) seated is to sated
(E) lair is to liar

Answer and Explanation

首先，判断题干中的 rough 与 cough 的关系，从词义内涵上看，两者并没有直接的联系，但是在形式上，两个词汇的区别在于第一个字母不同，因此本题考查的是字母变化关系。所以正确答案为 C 选项，同样也是第一个字母不同，体现的也是字母变化关系，其他选项都不合适。

更多的"字母变化关系"表达如下：

A	B	A	B
sign	sing	tuck	truck
rasp	raps	rough	cough
fiend	friend	sight	fight

关于字母，还有一种考法，即"押韵关系"，考查的也是形式，并非内涵，具体如下：

A	B	A	B
helter	skelter	harem	scarem

Part 68 标点—功能关系

Example 1

Parenthesis is to explanation as
(A) synopsis is to affection
(B) apostrophe is to annotation
(C) synthesis is to interpolation
(D) ellipsis is to omission
(E) asterisk is to exaggeration

Answer and Explanation

首先，判断题干中的 parenthesis（括弧）与 explanation（解释）的关系。括弧这一标点符号的功能就是解释，因此本题考查的是标点—功能关系。所以正确答案为 D 选项：省略号；省略，省略号这一标点符号的功能就是省略，体现的也是标点—功能关系。A 选项，"提纲；情感"。B 选项，"撇号；注释"。C 选项，"综合；插入"。E 选项，"星号；夸张"。都不合适。

Example 2

Enclose is to parentheses as
(A) abbreviate is to brackets
(B) emphasize is to hyphen
(C) separate is to comma
(D) join is to period
(E) omit is to colon

Answer and Explanation

首先，判断题干中的 enclose（包括起来）与 parentheses（括号）的关系。括号这一标点符号的功能就是将信息包括起来，因此本题考查的是标点—功能关系，所以正确答案为 C 选项：分隔；逗号，逗号这一标点符号的功能就是分隔，体现的也是标点—功能关系。A 选项，"缩略；括号"。B 选项，"强调；连字符"。D 选项，"连接；句号"。E 选项，"省略；分号"。都不合适。

Part 69 语言及其使用范围关系

Example

Vernacular is to place as
(A) landmark is to tradition
(B) code is to solution
(C) fingerprint is to identity
(D) symptom is to disease
(E) jargon is to profession

Answer and Explanation

首先，判断题干中的 vernacular（方言）与 place（地方）的关系。方言之于地方，就是语言及其使用范围，因此本题考查的是语言及其使用范围关系。所以正确答案为 E 选项：行话；行业，行话之于行业，也是语言及其使用范围，体现的也是语言及其使用范围关系。A 选项，"里程碑；传统"。B 选项，"密码；解决办法"。C 选项，"指纹；身份"。D 选项，"症状；疾病"。都不合适。

Part 70 错误及其发生范围关系

Example

Anachronistic is to time as
(A) discordant is to sound
(B) dilapidated is to construction
(C) disreputable is to personality
(D) contagious is to illness
(E) nauseating is to odor

Answer and Explanation

首先，判断题干中的 anachronistic（年代错误的）与 time（时间）的关系。年代错误这种错误的发生范围就是在时间方面，因此本题考查的是错误及其发生范围关系。所以正确答案为 A 选项：不和谐的；声音，不和谐的这种错误的发生范围就是在声音方面，体现的也是错误及其发生范围关系。B 选项，"倒塌的，衰败的；建筑"。C 选项，"声名狼藉的；性格"。D 选项，"传染性的；疾病"。E 选项，"令人作呕的；气味、臭味"。都不合适。

更多的"错误及其发生范围关系"表达如下：

A（错误）	B（发生范围）	A（错误）	B（发生范围）
anachronistic	time	typo	text
discordant	sound	bug	software

其实，关于"错误"这一概念，完全可以衍生出另外一种考查方式，即"错误与正常"，或者"错误与正确"的关系。比如：

A（错误）	B（正常或正确）	A（错误）	B（正常或正确）
misrepresent	communicate	tamper	adjust

Part 71 指导或指引关系

指导关系，也叫指引关系，指的是题干中的一个词语对另一个词语起着指导或者指引的作用。

Example 1

Teacher is to student as

(A) surveyor is to landscape
(B) conductor is to orchestra
(C) guard is to stockade
(D) actor is to scene
(E) philosopher is to inspiration

Answer and Explanation

首先，判断题干中的 teacher（教师）与 student（学生）的关系。教师指导着学生的学习，因此本题考查的是指导关系。所以正确答案为 B 选项：乐队指挥；管弦乐队，乐队指挥指导着管弦乐队，体现的也是指导关系。A 选项，"勘测员；地形"。C 选项，"哨兵；俘虏营"。D 选项，"男演员；场景"。E 选项，"哲学家；灵感"。都不合适。

Example 2

Director is to actors as conductor is to
(A) writers
(B) dancers
(C) painters
(D) musicians
(E) playwrights

Answer and Explanation

首先，判断题干中的 director（导演）与 actors（演员）的关系。导演指导着演员的演出，因此本题考查的是指导关系。所以正确答案为 D 选项：音乐人，乐队指挥指导的是音乐人，体现的也是指导关系。A 选项，"作家"。B 选项，"舞者"。C 选项，"画家"。E 选项，"剧作家"。都不合适。

更多的"指导或指引关系"表达如下：

A（指导或指引者）	B	A（指导或指引者）	B
director	actor	conductor	musicians
coach	player	conductor	orchestra
tower	airport	teacher	students
lighthouse	shoreline		

Part 72 驾驶关系与动力关系

Example

Pilot is to ship as
(A) assistant is to executive
(B) driver is to car
(C) nurse is to doctor
(D) patient is to dentist
(E) theory is to technician

Answer and Explanation

首先，判断题干中的 pilot（领航员）与 ship（船）的关系。领航员驾驶船，因此本题考查的是驾驶关系。所以正确答案为 B 选项：司机；汽车，司机自然也就是驾驶汽车，体现的也是驾驶关系。A 选项，"助手；行政人员"。C 选项，"护士；医生"。D 选项，"病人；牙医"。E 选项，"理论；技工"。都不合适。

更多的"驾驶关系"表达如下：

A	（驾驶）B	A	（驾驶）B
pilot	ship	captain	ship
pilot	airplane	driver	car

当然，驾驶需要动力，未来也许会出"动力关系"的题目：

A	B（动力）	A	B（动力）
cart	horse	helicopter	rotor
wagon	horse	ship	propeller
boat	motor		

Part 73 管理关系

管理关系（administrative relationships），指的是题干中的一个词语管理着另一个词语。

Example

President is to country as
(A) receptionist is to secretary
(B) doctor is to hospital
(C) lawyer is to law
(D) principal is to school
(E) amateur is to occupation

Answer and Explanation

首先，判断题干中的 president（总统）与 country（国家）的关系。总统是管理国家的，因此本题考查的是管理关系。所以正确答案为 D 选项：校长；学校，校长是管理学校的，体现的也是管理关系。A 选项，"接待员；秘书"。B 选项，"医生；医院"。C 选项，"律师；法律"。E 选项，"业余爱好者；职业"。都不合适。

更多的"管理关系"表达如下：

A	（管理）B	A	（管理）B
governor	state	treasurer	funds
mayor	city	captain	team
principal	school	coach	team

secretary	records	captain	platoon
sovereign	monarchy		

Part 74 替补关系

替补关系，指的是题干中的一个词语是另一个词语的替补。

Example

Understudy is to star as
(A) patient is to surgeon
(B) deputy is to sheriff
(C) secretary is to executive
(D) clerk is to judge
(E) groom is to jockey

Answer and Explanation

首先，判断题干中的 understudy（替补演员）与 star（影星）的关系。替补演员自然就是影星的替补，因此本题考查的是替补关系。所以正确答案为 B 选项：副警长；警长，副警长也是警长的替补，体现的也是替补关系。A 选项，"病人；外科医生"。C 选项，"秘书；经理"。D 选项，"职员；法官"。E 选项，"马夫；骑马师"。都不合适。

Part 75 动植物—栖居场所或生长环境关系与事物—储藏地点关系

动植物—栖居场所或生长环境关系，指的是题干中的两个词语一个是动植物（plants or animals），另一个是动植物的栖居场所或生长环境（habitat or environment）。

Example 1

Fish is to water as
(A) bird is to egg
(B) roe is to pouch
(C) lion is to land
(D) flower is to pollen
(E) bee is to honey

Answer and Explanation

首先，判断题干中的 fish（鱼）与 water（水）的关系。鱼儿当然要生活在水里，因此本题考查的是动植物—栖居场所或生长环境关系。所以正确答案为 C 选项：狮子；陆地，狮子当然生存在陆地上，体现的也是动植物—栖居场所或生长环境的关系。A 选项，"鸟；鸟蛋"。B 选项，"獐鹿；育儿袋"。D 选项，"花朵；花粉"。E 选项，"蜜蜂；蜂蜜"。都不合适。

Example 2

Grape is to vine as plum is to
(A) fruit
(B) bush
(C) prune
(D) leaf
(E) tree

Answer and Explanation

首先，判断题干中的 grape（葡萄）与 vine（藤蔓）的关系。葡萄当然生长在藤蔓上，因此本题考查的是动植物—栖居场所或生长环境的关系。所以正确答案为 E 选项：李子；树，李子当然结在树上，体现的也是动植物—栖居场所或生长环境的关系。A 选项，"水果"。B 选项，"灌木"。C 选项，"梅脯，梅干"。D 选项，"树叶"。都不合适。

更多的"动植物—栖居场所或生长环境关系"表达如下：

A（动植物）	B（栖居场所或生长环境）	A（动植物）	B（栖居场所或生长环境）
swarm	hive	bird	aviary
herd	corral	fish	water
bee	apiary	lion	land

与之相似的是"事物—储藏地点关系"，具体表达如下：

A（事物）	B（储藏地点）	A（事物）	B（储藏地点）
food	larder	merchandise	warehouse

Part 76 动物与其行为关系

动物及其行为关系，指的是题干中的一个词语为动物，另外一个词语表示的是这个动物的行为。

Example

Molt is to bird as
(A) slough is to snake
(B) hibernate is to bear
(C) metamorphose is to spider
(D) shuck is to oyster
(E) hatch is to egg

Answer and Explanation

首先，判断题干中的 molt（换羽毛）与 bird（鸟）的关系。换羽毛是鸟这种动物的行为，因此本题考查的是动物与其行为关系。所以正确答案为 A 选项：蜕皮；蛇，蜕皮也是蛇的一种行为，体现的也是动物与其行为关系。B 选项，"冬眠；熊"。C 选项，"使变形；蜘蛛"。D 选项，"去壳；牡蛎"。E 选项，"孵化；卵"。都不合适。

Part 77 变态关系

Example

Tadpole is to frog as
(A) worm is to beetle
(B) caterpillar is to butterfly
(C) carrion is to vulture
(D) calf is to horse
(E) drone is to honeybee

Answer and Explanation

首先，判断题干中的 tadpole（蝌蚪）与 frog（青蛙）的关系。蝌蚪变完形态之后，就是青蛙，因此本题考查的是变态关系。所以正确答案为 B 选项：毛毛虫；蝴蝶，蝴蝶也是毛毛虫的蜕变，体现的也是变态关系。A 选项，"蠕虫；甲壳虫"。C 选项，"腐肉；秃鹫"。D 选项，"牛犊；马"。E 选项，"嗡嗡声；蜜蜂"。都不合适。

Part 78 液体—流动位置关系与气体—流动位置关系

Example

Water is to river as
(A) blood is to vein
(B) sand is to glass
(C) paper is to notebook
(D) shirt is to jacket
(E) apple is to orchard

Answer and Explanation

首先，判断题干中的 water（水）与 river（河流）的关系。河流是水的流动位置，因此本题考查的是液体—流动位置关系。所以正确答案为 A 选项：血液；血管，血管是血液的流动位置，体现的也是液体—流动位置关系。B 选项，"沙子；玻璃"。C 选项，"纸；笔记本"。D 选项，"衬衫；外套"。E 选项，"苹果；果园"。都不合适。

更多的"液体—流动位置"表达如下：

A（液体）	B（流动位置）	A（液体）	B（流动位置）
blood	vein	water	geyser
blood	vessel	water	river
lava	volcano		

同样的，真题中也会考查到"气体—流动位置"，所以做学问本身就该举一反三。

A（气体）	B（流动位置）
gas	pipeline

Part 79 特定场所—特征行为或功能关系

Example 1

School is to educate as
(A) bank is to audit
(B) library is to read
(C) court is to adjudicate
(D) legislature is to convene
(E) museum is to adorn

Answer and Explanation

首先，判断题干中的 school（学校）与 educate（教育）的关系。学校这个场所的主要功能是提供教育，因此本题考查的是特定场所—特征行为或功能关系。所以正确答案为 C 选项：法院；判决，法院的功能是判决，所以体现的也是特定场所—特征行为或功能的关系。A 选项，"银行；审计"。B 选项，"图书馆；阅读"。D 选项，"立法机关；召集"。E 选项，"博物馆；装饰"。都不合适。

Example 2

School is to learning as
(A) jazz is to music
(B) hospital is to healing
(C) roller coaster is to amusement park
(D) audience is to entertainment
(E) fabric is to clothing

Answer and Explanation

首先，判断题干中的 school（学校）与 learning（学习）的关系。学校这个场所的主要功能是供同学们学习，因此本题考查的是特定场所—特征行为或功能关系。所以正确答案为 B 选项：医院；治疗，医院的功能是治疗病人，所以体现的也是特定场所—特征行为或功能的关系。A 选项，"爵士乐；音乐"。C 选项，"过山车；游乐园"。D 选项，"观众；娱乐"。E 选项，"纤维；布"。都不合适。

更多的"特定场所—特征行为或功能关系"表达如下：

A（特定场所）	B（特征行为或功能关系）	A（特定场所）	B（特征行为或功能关系）
experiment	laboratory	school	learning
trial	courtroom	school	educate
hospital	therapeutic	court	adjudicate
hospital	healing	theater	performance
school	illuminating	market	commerce

Part 80 人造设施—圈围对象关系

Example 1

Fence is to livestock as
(A) dike is to water
(B) ridge is to canyon
(C) sidewalk is to street
(D) shore is to ocean
(E) wall is to house

Answer and Explanation

首先，判断题干中的 fence（篱笆、围栏）与 livestock（牲畜）的关系。"篱笆、围栏"是用来圈围牲畜的，因此本题考查的是人造设施—圈围对象关系。所以正确答案为 A 选项：堤坝；水，堤坝也是用来圈围水的，体现的也是人造设施—圈围对象关系。B 选项，"山脊；溪谷"。C 选项，"人行道；街道"。D 选项，"海滨；海洋"。E 选项，"墙壁；房子"。都不合适。

Example 2

Corral is to horses as
(A) den is to lions
(B) meadow is to sheep
(C) herd is to cattle
(D) nest is to birds
(E) coop is to chickens

Answer and Explanation

首先，判断题干中的 corral（马栏）与 horses（马）的关系。马栏是用来圈围马的，因此本题考查的是人造设施—圈围对象关系。所以正确答案为 E 选项：鸡笼；鸡，鸡笼也是用来圈围鸡的，体现的也是人造设施—圈围对象关系。A 选项，"兽穴；狮子"。B 选项，"草地；羊"。C 选项，"畜群；牛"。D 选项，"巢穴；鸟类"。都不合适。

Part 81 几何关系

几何关系（geometrical relationship），指的是题干中的一对词语在几何上存在某种关系，这种关系可以是平面与立体的关系，比如真题中考查过的 circle 与 sphere，还有 square 与 cube。也可以是内外关系，环绕关系，或者边缘关系等等。

Example

Circumference is to circle as
(A) mileage is to highway
(B) depth is to water
(C) outline is to object
(D) shore is to harbor
(E) volume is to cube

Answer and Explanation

首先，判断题干中的 circumference（周长）与 circle（圆）的关系。周长是圆的轮廓，因此本题考查的是一种几何关系。所以正确答案为 C 选项：轮廓；物体，轮廓也是物体最外的一层，体现的也是一种几何关系。A 选项，"米数；高速路"。B 选项，"深度；水"。D 选项，"海岸；港湾"。E 选项，"体积；立方"。都不合适。

更多的"几何关系"表达如下：

A	B	A	B
figure/polygon	perimeter	country	border
object	outline/perimeter	cube	square
circle	circumference	circle	ball

几何关系中，"均分关系"是较为特殊的一种，比如：

A（均分了）	B	A（均分了）	B
equator	world	waist	man

Part 82 环绕关系

Example

Corona is to sun as
(A) wheel is to axle
(B) spark is to flame
(C) kernel is to corn
(D) comet is to tail
(E) atmosphere is to planet

Answer and Explanation

首先，判断题干中的 corona（日冕）与 sun（太阳）的关系。日冕环绕着太阳，因此本题考查的是环绕关系。所以正确答案为 E 选项：大气；行星，大气环绕着行星，体现的也是环绕关系。A 选项，"车轮；轮轴"。B 选项，"火花；火焰"。C 选项，"核心；玉米"。D 选项，"彗星；尾巴"。都不合适。

更多的"环绕关系"表达如下：

A	B	A	B
nucleus	electron	sun	earth
Earth	satellite		

Part 83 边缘关系

Example

Outskirts is to town as

(A) rung is to ladder
(B) trunk is to tree
(C) water is to goblet
(D) margin is to page
(E) hangar is to airplane

Answer and Explanation

首先，判断题干中的 outskirts（郊区）与 town（城镇）的关系。郊区之于城镇就是其边缘，因此本题考查的是边缘关系。所以正确答案为 D 选项：（书的）空白边缘；页，空白边缘之于页，就是其边缘，体现的也是边缘关系。A 选项，"梯子的横撑；梯子"。B 选项，"树干；树"。C 选项，"水；高脚玻璃杯"。E 选项，"飞机库；飞机"。都不合适。

更多的"边缘关系"表达如下：

A	B（边缘）		A	B（边缘）
outskirts	town		river	bank
page	margin		roadway	shoulder

Part 84 事物—表皮关系与事物—芯关系

Example 1

Apple is to skin as
(A) potato is to tuber
(B) melon is to rind
(C) tomato is to fruit
(D) maize is to cob
(E) rhubarb is to leafstalk

Answer and Explanation

首先，判断题干中的 apple（苹果）与 skin（皮）的关系。本题的关系还是比较明显的，体现的是事物与其表皮关系。所以正确答案为 B 选项：瓜；瓜皮，体现的同样也是事物与其表皮关系。A 选项，"马铃薯；块茎"。C 选项，"番茄；水果"。D 选项，"玉米；玉米棒子"。E 选项，"大黄；叶柄"。都不合适。

Example 2

Chaff is to wheat as
(A) spore is to seed
(B) nucleus is to cell
(C) sod is to flower
(D) shell is to pecan
(E) root is to tooth

Answer and Explanation

首先，判断题干中的 chaff（糠皮）与 wheat（小麦）的关系。糠皮之于小麦就是事物与其表皮的关系，所以本题考查的是事物及其表皮关系。所以正确答案为 D 选项：壳；美洲山核桃，壳之于美洲山核桃，体现的同样也是事物与其表皮关系。A 选项，"孢子；种子"。B 选项，"细胞核；细胞"。C 选项，"草皮；花"。E 选项，"根；牙齿"。都不合适。

更多的"事物与表皮关系"表达如下：

A（事物）	B（表皮）	A（事物）	B（表皮）
banana	peel	tree	bark
apple	skin	melon	rind
pecan	shell	cell	membrane
corn	husk	seed	hull
earth	crust	furniture	veneer
orange	rind	wall	baseboard
seed	husk	wheat	chaff

与其相对的，是"事物及其芯关系"，表达如下：

A（事物）	B（芯）	A（事物）	B（芯）
pencil	lead	stem	pith

Part 85 更多的类比关系类型

当然，随着题库的解密，现有的关系类型，已经不能满足考查者的预期了。那么在未来的考试中，就会出现更多之前没有考查过的类比关系类型。

这种关系也许是：服装关系

A	B	A	B
Tutu	ballet	grass skirt	hula

也许是：凝块关系

A	B	A	B
clot	blood	curd	milk

也许是：变质关系

A	B	A	B
milk	sour	reputation	sullied
bread	stale	character	smeared

也许是：描绘关系

A（描绘了）	B	A（描绘了）	B
map	land	diagram	machine

等等。

同义类比选择中的名词

A	
abjure	发誓弃绝；发誓弃绝者，正式放弃者
abstinence	节制；禁食；戒酒
abyss	深渊；无底洞（2014）
acclaim	喝彩，欢呼；称赞（2014, 2013, 2012）
accusation	谴责；控诉（2014, 2012）
acme	最高点，顶点，极点；极盛时期（2014）
acrimony	严厉；辛辣
acquisition	获得，取得（2013）
acre	英亩（土地计量单位）（2012）
acumen	敏锐，聪明（2014, 2012）
adage	古话；格言，谚语（2014, 2013, 2012）
adamant	坚硬之物
address	地址
adjunct	附属物；附件；修饰语（2014）
adulation	奉承，谄媚（2012）
advance	发展，前进
affection	爱，情感（2012）
affectation	假装，虚饰，做作
affiliation	加入；附属；联系或关系；接纳（2014）
affinity	倾向；喜好；本性；吸引 /attraction（2015, 2009）
affliction	痛苦
affluence	富裕（2013）
agenda	议事议程（2012）
aggrandizement	增大，扩大（2014）
aggravation	恶化；愤怒（2012）
agility	敏捷（2015, 2014, 2013）
agnostic	不可知论者
agoraphobia	广场恐惧症
ailment	小病；不安 /sickness（2013, 2012, 2009）
alacrity	活泼，敏捷
alchemy	炼金术（2014, 2009）
alias	别名，假名，化名（2014, 2012）
allegiance	忠诚

alloy	合金（2013）
ally	同盟（2013）
altercation	争论，口角（2013）
ambiguity	模棱两可（的话）
ambition	雄心；野心（2014, 2013, 2012）
ambivalence	矛盾心理（2013）
amble	缓步，慢行
amicability	友善，亲善（2012）
ammunition	军火，弹药（2012）
amount	总计（2014）
amulet	护身符
anachronism	时代错误，不合时代的人或物
analysis	分析；分解（2015, 2014, 2009）
anecdote	轶事；奇闻（2013）
anguish	苦闷，痛苦（2012）
animosity	憎恨，仇恨，敌意（2014, 2012）
annex	附属（物）
annotation	注解，评注（2013, 2012）
annulment	废除，取消（2014, 2012）
annoyance	烦恼（2014）
anonymity	匿名（2014）
antagonism	敌对（2013）
antagonist	敌手，对手
anthem	赞歌（2013）
authorization	授权，认可；批准，委任
antique	古物，古董（2012）
antiquity	古老；古迹，古物；高龄
antithesis	对立，对照（2014）
apathy	冷漠（2014, 2012, 2009）
apex	顶点，最高点
aphorism	格言，警语
aplomb	沉着冷静，泰然自若（2014）
apocalypse	天启，大灾变
apparatus	装置，设备；器官；仪器（2014, 2012）
apparition	幽灵，幻影（2012）
appliance	家用电器（2012, 2009）
applause	喝彩，鼓掌（2012）
appeal	上诉；呼吁；恳请（2012）

appendix	阑尾；附加物；附录
appreciation	欣赏（2012）
approbation	称赞；认可（2013）
approach	接近，临近；方式，方法；入门，途径（2012）
approval	批准；赞成（2014）
aquamarine	海蓝色；海蓝宝石（2014）
aqueduct	导水管；高架渠（2012）
archetype	原型（2013）
archive	档案；档案馆（2013）
ardor	激情；热忱（2014, 2012）
aroma	香气（2013, 2012）
arrow	箭（2014）
artifice	技巧，巧妙；诡计
aspersion	诽谤，中伤；（天主教）洒圣水
asphyxiation	窒息（2013）
assassination	暗杀，行刺
assault	攻击；袭击（2014, 2012）
assessment	评估，评价（2014, 2012）
association	协会，社团；交往
assortment	分类；混合物（2015, 2009）
asymmetry	不对称（2013）
atonement	补偿；赎罪（2014, 2009）
audit	审计，稽核，查账（2012）
augury	预言；征兆（2012）
auspice	赞助；保护；预兆
authenticity	真实性（2014）
automobile	汽车（2012）
auxiliary	帮助者；辅助物；助动词
avarice	贪婪，贪财（2014, 2013, 2012）
aversion	憎恶（2014）
axe	斧头（2014, 2013, 2012）
axiom	公理；格言；自明之理
axis	坐标轴
awl	尖钻（2013）

B

bacterium	细菌（2014, 2012）
bait	饵（2014）
bale	包，捆；不幸，灾祸

ban	禁止；禁令（2012）
bandage	绷带（2014, 2013, 2012）
banquet	宴会（2012）
barge	驳船；游艇
barometer	气压计；晴雨表；显示变化的事物
barrage	弹幕；掩护炮火；障碍物
barter	物物交换，实物交换（2012）
bassinet	摇篮；摇篮车
beam	横梁；（阳光）光线；微笑（2012）
belch	喷出物
belligerence	交战；好战
bench	长凳（2014）
benevolence	善意，善行；慈悲（2014）
beret	贝雷帽（2012）
bias	偏见（2014）
bile	胆汁；坏脾气；愤怒
bilk	骗子；诈骗；赖账
billboard	广告牌（2014, 2012）
billfold	皮夹子
biography	传记（2013）
bit	钻头（2013）
blade	刀锋，刀口；草叶，叶片（2014, 2013, 2012）
blanket	毛毯，毯子（2014）
blemish	瑕疵（2009）
blender	搅拌器，混合器（2012）
bliss	极乐，幸福（2013, 2012）
blizzard	暴风雪（2012）
blockage	封锁；妨碍；堵塞（2014, 2012）
blossom	花；开花；全盛时期，兴旺时期（2012）
blotch	斑点；污点
blueprint	蓝图（2012）
blunder	大错（2014）
boast	夸耀（2012）
bolster	支持；垫子（2012）
bombard	射石炮
bombardment	轰击（2013）
boon	恩惠（2014, 2012）
bottleneck	瓶颈（2013）

bound	界限
boundary	分界线；范围；（球场）边线（2014）
bounty	慷慨（2014, 2012）
bravado	作威，虚张
breach	侵犯（2014, 2013, 2012）
breed	品种（2012）
brevity	简洁（2014, 2012）
bribe	贿赂
bridle	约束；缰绳；系带；系船索（2013, 2012）
brig	双桅横帆船；（船上的）监狱
briefcase	公文包（2012）
brittleness	易脆性（2013）
buckle	带扣（2012）
budget	预算（2014, 2012）
buffer	缓冲器（2014, 2013, 2012）
bulb	球茎；块茎植物；电灯泡（2012）
bulge	膨胀
bulletin	公告，告示；新闻简报（2013, 2012）
bulk	大块；体积，容量
bulwark	防御；防波堤（2015, 2013, 2009）
bun	圆形的小面包或点心；女子的圆发髻
bur	芒刺（2012）
burden	负担（2012）
burial	葬礼；埋葬（2012）
burlesque	做戏；滑稽戏
burp	打嗝

C

cache	隐藏所；隐藏的粮食或物资，贮藏物
cacophony	刺耳的声音（2012）
calamity	灾祸，灾难；不幸之事（2012, 2009）
calendar	日历；日程表（2014）
calumny	毁谤；中伤
camaraderie	同志之情；友情
camouflage	伪装，掩饰（2014, 2012）
campaign	竞选（2014）
can	罐（2012）
canal	运河（2014, 2013）
candor	坦白（2014, 2012）

cant	伪善之言；黑话；斜面；角落
canter	慢跑（2012）
caprice	反复无常，善变，任性（2014, 2013, 2012）
capture	战利品，俘虏；捕获（2012）
carnival	嘉年华，狂欢节（2012）
carouse	反抗，反叛
carousel	旋转木马；行李传送带
carpet	地毯
cart	手推车（2014）
cashier	出纳（2012）
cask	（木）桶
casket	匣子；首饰盒
cassette	盒式录音磁带（2012）
catastrophe	大灾祸（2014, 2013, 2012）
caucus	干部会议
censor	审查（2012）
ceramic	陶瓷制品（2012）
certification	证书（2013）
chaff	谷壳；逗弄；切碎的干草或稻草；无价值的东西（2012）
chagrin	懊恼
chaos	混乱（2013, 2012）
character sketch	人物素描（2012）
chisel	凿子（2014, 2013, 2012）
chord	（和）弦（2013）
chore	家庭杂务；零星杂事
chronicle	年代记录，编年史
chunk	大块；厚片；相当大的部分
circumlocution	迂回累赘的陈述
circumstance	环境，情况；境遇；事件
circus	马戏团（2014, 2012）
civility	礼貌；端庄（2012）
clamor	吵闹声，喧闹声（2015, 2014, 2013, 2012）
clank	当啷声（2012）
clap	轰隆声（2012）
clarification	澄清；净化（2013, 2009）
clatter	哗啦声；喊喊喳喳的谈笑声；咔嗒声
clause	从句；条款（2012）
claustrophobia	幽闭恐惧症

clay	黏土（2012）
clip	夹子；回形针（2012）
clipboard	剪贴板（2012）
clique	派系；小集团（2013）
clobber	衣服；软膏；除草剂
clod	呆子；乡下佬；泥块
clog	阻塞
clone	克隆，无性繁殖
clot	凝结，凝块（2012）
clue	线索，提示（2012）
clunk	沉闷的金属声
coalition	同盟（2013）
coercion	强迫，威压，高压（2013）
coherency	一致性（2013）
coil	线圈（2013）
collaboration	合作（2013）
collar	衣领；项圈（2012）
collateral	担保物；旁系亲属（2011）
collision	碰撞（2013）
column	圆柱，柱形物；纵队，列；专栏
combustion	燃烧，烧毁；氧化；骚动（2014, 2013, 2012）
comfort	舒适；安慰，慰藉（2013）
comma	逗号（2012）
commotion	暴乱，暴动（2014, 2012）
commune	公社
companion	同伴（2012）
compass	指南针（2013）
compassion	同情（2014）
compensation	补偿，赔偿；修正；补救办法（2014）
complacency	自满（2013）
complement	补充物；补语（2012）
compliance	服从（2013）
complicit	串通，共谋
compliment	恭维；敬意；道贺，贺词；致意（2014, 2012）
composure	镇静；沉着（2013）
comprehension	理解（力）（2012）
conciliation	安慰（2014, 2013）
concrete	混凝土（2014）

condolence	吊唁；慰问
condone	宽恕（2014）
conductor	指挥（2014）
conduit	水管，沟渠；导管
configuration	结构；布局；形态
confinement	拘禁（2013, 2012）
confirmation	确认，证实（2012）
conflagration	大火（2014, 2012）
conflict	冲突（2014）
confluence	合流（点），集合
congregation	聚集（2012）
congruity	一致，调和
conjecture	推断，臆测（2009）
conjunction	联合；连接词
connotation	含义
conquest	征服
consensus	一致（2013）
consequence	结果，后果（2014, 2012）
conservation	保护，保存（2012）
consistency	一致性（2014, 2012）
consolation	安慰，慰藉（2013, 2009）
consternation	惊惶失措（2013）
consumption	消耗（2014, 2012）
contagion	传染（2013）
container	容器（2014）
contemplation	沉思，思考（2013）
contempt	轻蔑（2014, 2013, 2012）
contention	竞争，争论（2009）
contingent	偶然的事情
contour	外形，轮廓；（地图上表示相同海拔各点的）等高线；概要；电路（2014, 2012）
contract	契约，合同（2012）
contradiction	反驳；矛盾，对立（2014, 2012）
contrition	后悔（2013）
contrivance	发明（物）；想出的办法；计谋（2014）
controversy	争议（2013）
contusion	打伤，撞伤
convalescence	渐愈，恢复期
convict	罪犯（2012）

coral	珊瑚（2014）
cornfield	玉米地（2012）
corpse	死尸，尸体（2012）
corroboration	进一步的证实，进一步的证据（2014, 2012）
corsair	海盗船
counterattack	反攻
couplet	对句；对联
courier	急差
court	法院；宫廷（2012）
cowardice	懦弱
crack	裂缝（2012）
cramp	痛性痉挛，抽筋（2014）
crash	突然发出的巨响；失败，瓦解（2012）
crawl	爬行，蠕动，缓行（2012）
criticism	批评；评论（2012）
crystal	晶体（2013）
cub	幼兽；愣头青；新手（2013, 2012）
cuff	袖口；手铐（2012）
cultivation	培养（2012）
cunning	诡计
curd	凝乳
curiosity	好奇（2012）
curl	卷发（2013）
curse	诅咒（2012）
curve	曲线（2012）
cushion	垫子，软垫（2012）
custom	习俗；海关（2012）
cylinder	气缸；圆筒（2012）
D	
dagger	短剑（2014）
daring	胆量（2014）
daydream	白日梦；幻想，空想（2009）
deadbeat	赖账者；游手好闲者（2013）
deadlock	僵局；停顿
dearth	缺乏（2014, 2012）
deceit	欺骗（2014, 2012）
deceleration	减速（2012）
deception	欺骗，诈欺（2012）

decibel	分贝 [声强单位]（2012）
decimal	小数
declivity	斜面，斜坡（2013）
decomposition	分解；腐烂（2014, 2012）
decoy	引诱
decree	法令；命令；判决（2014）
deference	尊重；服从（2009）
defiance	挑衅；蔑视
definition	定义（2014, 2012）
delay	拖延，耽搁（2012）
delegate	代表（2013）
delegation	代表团（2012）
delight	高兴（2014）
deluge	大洪水；泛滥（2014, 2013）
demeanor	行为，举止（2012）
demise	消亡（2013）
demolition	毁坏（2013）
demonstration	示范；证明（2014, 2013）
denominator	（数学）分母
departure	离开；出发（2012）
derelict	遗弃物；玩忽职守的人
derivative	衍生；引出物
detective	侦探（2013）
descent	下降，降落；血统，世系（2012）
desiccation	脱水（2013）
despair	绝望（2012）
destitution	穷困（2013, 2011）
detergent	清洁剂
determination	决心（2014）
deterrent	制止物；威慑力量（2015, 2009）
detriment	损害（物），伤害
deviation	偏离，出轨（2012）
dexterity	技巧；灵巧，机敏（2014, 2012）
dialect	方言（2013）
dialogue	对话（2012）
diameter	直径
dice	骰子（2012）
dichotomy	分裂；二分法

diet	饮食（2012）
diligence	勤勉（2014）
din	喧嚣（2014, 2012）
dingy	小船
disapproval	不赞成，不同意（2012）
discrepancy	差异（2013）
discord	不一致
discourse	论文；演说；论述（2012）
discourtesy	无礼；粗鲁的言行
discrimination	歧视；辨别（2013）
disguise	伪装；掩饰（2014）
disintegration	瓦解；崩溃（2014, 2012）
dismay	沮丧，绝望（2014, 2012）
dismissal	解散（2014, 2012）
disparity	不一致
dispersion	散布，分散（2012）
disposition	性情；倾向；脾气（2013）
dispute	争论
disrepute	坏声誉，坏批评，不名誉
dissertation	论文（2013）
dissonance	不和谐；不一致（2012）
distress	苦难；不幸；贫困
ditch	沟渠（2012）
diversion	转移；娱乐活动（2009）
diversity	差异；多样性（2012）
dizziness	眩晕（2013）
dock	码头（2014, 2012）
doctrine	主义；教义；学说
dodge	托词；躲避
doppelganger	幽灵；副本
dossier	档案材料（2014, 2012）
dot	圆点（2012）
dowry	嫁妆；天赋；亡夫遗产
driftwood	流木，浮木（2012）
drill	钻头（2014, 2013, 2012）
drop	水滴；减少（2012）
dross	浮渣；碎屑；渣滓
drove	被驱赶着一起前进的畜群

drudgery	单调乏味的工作（2013）
duplicate	复制品（2012）
duration	持续（2014）
dye	染料；染色（2012）
dynamite	炸药（2012）
E	
earmark	耳上记号；特殊记号
eccentricity	古怪（2013）
ecology	生态（土地、海洋、大气、植物）
ecstasy	狂喜（2012）
eddy	逆流；旋涡
efficiency	效力，效能；效率（2012）
elastic	橡皮圈
elation	得意；振奋（2014, 2012, 2009）
elbow	手肘（2013）
electron	电子
element	要素（2014）
elevator	电梯（2012）
eloquence	雄辩
embargo	禁运（2013）
empathy	移情作用（2012）
emergency	紧急情况（2014, 2012）
enclosure	包围；附件（2012）
encounter	意外相见；遭遇；遇到（2012）
endangerment	危害，受到危害
endowment	禀赋（2013）
engrossment	吸引；专注（2013）
enmity	敌意；憎恨
enrollment	登记，注册
ensign	船上挂的表明国籍的舰旗；海军少尉（2014, 2012）
enterprise	事业；企业
enthusiasm	热情（2013）
entry	条目；登录；入口；进入（2012）
envelope	信封（2012）
envy	嫉妒；羡慕
epoxy	环氧树脂（2014）
equality	平等（2014, 2012）
equalization	均衡；均等（2012）

equipment	设备，装备；器材
era	纪元；年代 /epoch（2014）
erosion	腐蚀，侵蚀（2012）
eruption	喷发，突发（2012）
estimate	估计（2014）
eternity	永远；来世；漫长的时间（2012）
ethos	民族精神；社会思潮；风气
etiquette	礼仪，礼节；成规（2014）
euphoria	幸福愉快感
evanescence	逐渐消失，容易消失
evasion	逃避，规避（2014）
exaggeration	夸张，夸大（2012）
excess	过剩（2014）
exclamation	呼喊，惊叫；感叹词，感叹句（2012）
excursion	远足；短途旅行
exemplar	榜样，典型（2013）
exhaustion	精疲力竭（2014）
exile	放逐（者），流放
expedition	远征；探险（2012）
expense	花销（2014）
explanation	解释，说明
explosion	爆炸；爆发
explosive	炸药
exponent	指数；典型
extension	扩展；延期（2013, 2012）
external	外部（2012）
extolment	赞美（2013）
extradition	引渡逃犯，将亡命者送还本国
extravagance	奢侈，铺张（2012）
extremity	极端；极度；尽头（2012）
extrovert	性格外向者（2012）
exultation	高兴（2013）

F

fabrication	制造；捏造（2012）
facet	方面；小平面（2014, 2013）
facsimile	复制；摹本（2013）
faction	派别，小集团；内讧；纪实小说
fake	假货，赝品（2012）

fallacy	谬误，谬论（2014, 2012）
falsehood	说谎，谎言（2012）
falsification	弄虚作假，歪曲；畸变；证明为假（2014, 2012）
fame	名声（2012）
famine	饥荒（2012）
fan	扇子（2014）
fanatic	狂热（者）（2013）
fancy	设想，空想，幻想（2012）
fantasy	幻觉（2014）
farce	闹剧；胡闹
fast	禁食（期），斋戒（期）
fathom	英寻（测量水深单位）（2012）
fatigue	疲劳，疲乏（2014, 2012, 2011）
faucet	旋塞；水龙头（2014, 2012）
favor	恩惠；偏袒，偏爱（2012）
feature	特征；容貌；（报刊）特别报道；热映电影
feint	佯攻；声东击西（2009）
felicity	快乐；幸福；幸运
felon	重罪犯（2014）
fence	栅栏（2014, 2012）
ferment	动乱（2012）
ferocity	凶残（2012）
fervor	狂热（2013）
fete	庆祝 /celebration（2013）
fetter	脚镣；束缚
fiasco	惨败（2013, 2009）
fib	小谎（2012）
fiction	虚构，编造；科幻小说（2012）
fidelity	忠实，忠诚（2014, 2013, 2012）
fiend	魔鬼（2012）
fierceness	凶恶，残忍（2012）
filament	细丝，丝状体；灯丝；长丝，单纤维（2012）
filthiness	肮脏（2013）
finale	结局；终曲；最后乐章（2014, 2013）
finesse	手腕，权术（2009）
fireplace	壁炉（2012）
firmament	苍穹，天空
fission	分裂，裂开；分体

flattery	阿谀，巴结，谄媚
florist	花商（2012）
flotilla	小舰队，小型船队（2015）
flounder	挣扎 [n./v.]（2012）
flourish	华饰；繁茂
flout	嘲笑；愚弄；轻视
flue	烟道（2014）
flunk	失败；不及格
flurry	疾风；飓风；慌张
flux	流出；涨潮；变迁；熔化
foe	敌人（2014, 2012）
foible	弱点（2014, 2012）
font	字体；源泉；圣水盆
forage	粮草
foreboding	预感；预兆
foreman	领班（2013）
forerunner	先驱；前身（2013）
forethought	事先的考虑 [筹划]；远见卓识（2014, 2012）
forewarning	警告（2014）
forge	锻造炉，锻工车间（2012）
fork	叉子（2014, 2012）
formality	礼节；拘谨；正式手续（2014, 2013）
formula	套话；配方；公式；准则；原理（2012）
fortification	加强（2013）
fortitude	刚毅，坚毅；不屈不挠
forum	论坛（2013）
fossil	化石（2014, 2012）
fraction	一部分，片段（2014, 2012）
fragment	碎片（2013, 2012）
fragrance	芬芳，香气（2013）
fraud	欺骗，欺诈；骗子（2014）
freezer	冷冻室，冰箱（2012）
frenetic	发狂者
fret	不安，焦躁；腐蚀（2012）
friendliness	友好（2012）
fringe	边缘，端（2012）
frivolity	轻浮
frontier	前沿；国境

frosting	糖霜；无光泽面
frown	皱眉（2014）
furnace	火炉（2013）
fury	狂怒，暴怒
fuse	保险丝
fusion	融合（物），结合
fuss	大惊小怪，小题大作（2012）
G	
gaiety	愉快，快活，高兴
gala	节日；祝贺
gallop	疾驰，飞奔（2014，2012）
gangster	歹徒，流氓，恶棍
gape	裂口；张嘴
garland	花杯
garnish	装饰，装饰品（2014）
gauge	计量器（2014，2012）
gauntness	憔悴；荒凉（2014）
gem	宝石（2012）
genealogy	家系，宗谱
generosity	慷慨，大方（2012）
genesis	起源（2013）
genre	类型；种类；体裁
geography	地理
geometry	几何学
germ	病菌；胚胎，萌芽（2012）
gibberish	乱语
gimmick	骗人的玩意儿；花招（2009）
glance	一瞥；掠过（2012）
glare	强光；怒视；瞪眼
gleam	闪光，微光
glee	欢乐，高兴
glimpse	一瞥
glitter	闪光，耀眼；辉煌
glorification	赞颂（2014，2013，2012）
glove	手套（2014，2012）
goad	刺激物；刺棒
goof	愚蠢的人；错误
gorge	胃；咽喉；暴食；障碍物；峡谷（2013）

gossip	流言蜚语（2014）
grassland	草地（2012）
gratitude	感激（的心情）
gravity	重力；万有引力（2012）
greed	贪心，贪婪（2012）
grid	网格；烤肉架（2013）
grief	悲伤；悲痛；悲伤之事（2014）
grimace	鬼脸；痛苦的表情
grime	垢污（2012）
grotesque	怪异（图案）
grouch	抱怨；心怀不满；不高兴的人
grudge	怨恨；恶意
groan	呻吟；叹息（2012）
growl	低沉的怒吼，咆哮；愤愤不平（2012）
guile	狡猾，奸诈（2014, 2012）
guilt	罪行；内疚（2012）
gurgle	咯咯声（2012）
gusher	喷油井（2013）
gymnastics	体操（2012）
gyroscope	陀螺仪；回转仪（2012）
H	
hallmark	标记（2013）
hammer	锤子（2014, 2013, 2012）
hamper	（待洗衣物的）有盖提篮（2013）
handwriting	手稿（2014）
hangar	飞机库（2013）
harbinger	预兆；先驱（2014, 2012）
hatred	敌意；憎恨（2014, 2012）
haul	拖运
havoc	大破坏，大毁坏（2013）
heading	标题（2014）
heal	治愈（2014）
height	高度（2014）
heist	抢劫
helicopter	直升机（2009）
helix	螺旋（结构）（2015, 2014, 2013）
helmet	头盔（2014, 2012）
hem	（裙子的）下摆；（裤子的）裤边（2012）

hemorrhage	出血，溢血
heredity	遗传
hesitation	犹豫（2014）
hexagon	六角形，六边形（2012）
hiatus	空隙，裂缝
hibernation	冬眠（2014）
hindrance	妨碍（2013）
hinge	铰链（2013）
hint	暗示；细微的迹象（2014, 2009）
hoax	骗局；恶作剧（2014, 2012）
hockey	曲棍球；冰球（2014, 2012）
hogwash	猪食；废话
holler	叫喊
holocaust	大屠杀
homage	尊敬（2012）
hood	风帽，兜帽（2012）
hoove	家畜的鼓胀症；胃气胀（2015）
horseshoe	马蹄铁（2015, 2009）
hostility	敌意（2013）
hovel	小屋；杂物间（2009）
hub	轮轴（2013）
hue	色彩，颜色（2013, 2009）
humidifier	加湿器（2013）
humility	谦逊，谦恭（2012）
hybrid	混合（物）；混血儿；杂种
hypocrisy	伪善，虚伪（2014）
hypothermia	降低体温
hypothesis	假设

I

identification	辨认；证明身份
ideology	意识形态；观念学；空论
idiosyncrasy	特质
idolatry	偶像崇拜；盲目崇拜
ignorance	无知，愚昧（2012, 2011）
illiterate	文盲
illumination	照明；阐明，启发（2014, 2012）
illusion	幻想；错觉（2014, 2013, 2012）
image	图像

imagination	想象力（2012）
impact	冲击力（2014）
impasse	僵局；死路（2014）
imperative	命令，训诫；需要
impediment	障碍，阻碍（2013，2012）
imperfection	不完全，不完美（2014）
implication	暗示；含意
impoverishment	贫穷（2013）
impulse	刺激；脉冲
incantation	咒语，口诀
incarceration	下狱；监禁；幽闭（2012）
incentive	刺激；激励；动机（2009）
incident	（小）事件
incision	切开；切口（2014）
inclination	倾斜（度）；倾向，意愿
incredulity	怀疑（2013）
increment	增长；增量；增额；定期的加薪（2014）
incompatible	互不相容的人或事
inconsistency	不一致，不调和；易变
incubator	婴儿保育箱（2013）
incumbent	领圣俸者；在职者
indecision	犹豫，踌躇（2012）
independence	独立，自主，自立
index	索引
indication	指示（2014，2012）
indifference	漠不关心，冷漠（2012）
indigence	贫穷（2013）
indignation	愤怒（2014，2012）
industry	勤劳（2014）
inertia	惯性（2014，2012）
infancy	婴儿期，幼年时代；初期，摇篮时代（2014）
infection	传染，感染（2014，2012，2009）
infiltration	渗透（2014，2012）
influx	汇集，流入（2013）
information index	信息索引（2012）
ingenuity	创造力；精巧的设计；精巧（2014）
ingredient	原料；要素（2014）
inheritance	继承；遗传（2013）

injury	损害，伤害（2014）	
injustice	不公平；非正义（2014）	
inkling	暗示；略知	
innovation	创新，革新（2013）	
innuendo	含沙射影，暗讽（2013）	
inoculation	预防接种（2013）	
inquiry	调查，审查；询问，质问（2014）	
inquisitor	询问者，审问者；检察官	
insignificance	无意义（2014，2012）	
insincerity	不诚实；伪善（2014）	
insinuation	谄媚求宠；曲意奉承；含沙射影（2014，2013）	
inspiration	灵感（2014）	
insult	侮辱（2012）	
insurgency	起义；暴动	
integer	完整的事物；整体；整数	
integrity	诚实；正直；完善（2012）	
intelligence	智力（2014）	
intension	强度（2013）	
interlude	间歇；幕间（或穿插的）表演	
interim	间歇，过渡时期；临时协定（2009）	
interpretation	解释，阐明（2012）	
interruption	打岔，中断（2012）	
intersection	交叉路口（2013）	
intimacy	亲密	
intrigue	阴谋；复杂之事	
introspective	内省	
introvert	个性内向者	
invariable	常数；不变的东西	
invective	臭骂	
inventory	存货清单（2013）	
iota	些微	
ire	愤怒（2014，2012）	
itinerary	旅行计划（2013，2009）	
ivory	象牙（2014）	

J

jade	玉（2012）	
jail	监狱（2012）	
jargon	行话；隐语（2013，2012）	

jaunt	远足（2013）
jeer	讥笑的话语（2012）
jeopardy	危险（2012）
jet	喷气式飞机（2014, 2009）
jewelry	珠宝（2014, 2012）
jog	慢跑（2012）
jubilee	周年（2012）
jumble	杂乱（之物）（2012）
juncture	接合，连接
juvenilia	少年读物（2014, 2012）

K

kaleidoscope	万花筒（2014, 2012）
kernel	核（2014）
kindling	点火；发火；兴奋
knob	门把手（2013, 2012）
knot	结（2013）
knuckle	指关节（2013, 2012）
kudos	名声；光荣，荣誉

L

label	标签（2012）
labyrinth	迷宫；错综复杂之事（2014）
laceration	撕裂；裂口
lack	缺乏（2014）
ladder	梯子，阶梯（2012）
lament	悲叹；悔恨；恸哭（2012）
lapel	翻领
lapse	过失；失效；流逝（2009）
largesse	慷慨（2013）
lash	鞭子（2014）
lathe	车床（2014, 2012）
laud	称赞；颂歌（2012）
laundry	待洗的衣物（2013）
lease	租约（2012）
leather	皮，皮革（2014, 2009）
legality	合法（2012）
legend	传奇（2013, 2012）
legibility	字迹清晰，易读（2014, 2012）
length	长度（2014）

leniency	宽大，仁慈（2014, 2012）
lens	镜头；透镜；晶状体（2009）
lethargy	昏睡；无精打采（2013, 2012）
levee	堤（2014, 2012）
lexicon	辞典（2014, 2012）
liability	责任；债务；倾向；可能性；不利因素（2012）
libel	诽谤；中伤
libretto	歌词（集）
life span	寿命（2013）
lightheartedness	自由自在；无忧无虑（2013）
lightning	闪电，雷电（2015）
limb	肢体（2014, 2012）
limerick	五行打油诗
limitation	限制（2009）
limousine	高级轿车（2009）
linchpin	关键；制轮楔；轮辖
liquid	液体（2012）
liter	升（公制容量单位）（2012）
litigation	诉讼；起诉
locomotion	运动，移动；转位（2013）
locomotive	机动车；火车头（2009）
log	圆木；日志（2013）
lore	知识，学问（2009）
loyalty	忠诚（2014）
lullaby	摇篮曲
lumber	废旧杂物；木材
luminescence	冷光，无热光
lump	小方块；肿块
lung	肺（2012）
lunge	刺进；跃进（2012）
luxury	享受；奢侈品

M

magnitude	大小；重要；光度；级数
majesty	威严（2014, 2012）
malfunction	故障；失灵（2014, 2013, 2012）
malice	恶意；怨恨（2014）
mall	购物中心（2012）
mallet	木槌；球棍（2014, 2012）

mandate	命令，指令，要求（2009）
maneuver	演习；调遣；策略（2014）
mania	狂热，痴迷（2013）
manifest	运货单；旅客名单
manifold	多种；复印本
marathon	马拉松（2014）
marrow	骨髓；脊髓；滋养品（2013, 2012）
marvel	奇迹（2013, 2012）
mascot	吉祥物（2014, 2012）
masquerade	化装舞会
masterpiece	杰作（2014, 2012）
matrimony	结婚
matrix	矩阵；基质；模型；脉石；母体；子宫
maxim	格言，箴言
maximum	最大限度；顶点
median	中间之物（2014）
mediocrity	平庸，平常
meditation	沉思；冥想（2013）
medley	混杂
meeting	相遇（2012）
melancholy	悲哀；阴郁；愁思
memento	纪念品（2009）
menace	威胁，胁迫
merchandise	商品；货物（2013）
mercurial	水银剂
mercury	水银
mercy	宽恕；仁慈；怜悯（2012）
metal	金属
metamorphosis	变形（2012）
methodology	方法论（2012）
meticulousness	谨小慎微
mettle	气质；性格；勇气
mill	磨粉机；工场（2012）
mine	矿（2012）
minuscule	小写字
minutia	细节（2012）
minutiae	细节；小事（2014）
mirth	欢乐，欢笑

misconduct	不端行为
mishap	厄运；灾祸；不幸之事
moan	呻吟；抱怨（2012）
moccasin	（原为北美印第安人穿的无后跟）软皮平底鞋，莫卡辛鞋（2014）
mockery	嘲笑，愚弄；拙劣的模仿（2014）
modicum	少量
modification	修改；修饰
molding	塑造（2012）
molecule	分子；颗粒
momentum	动力；动量；势头
molding	模子（2014）
monarch	君主（2012）
mongrel	杂种；混血
monogamy	一夫一妻制
monologue	独白，独角戏（2012）
monopoly	垄断（2013）
monster	妖怪，怪物（2012）
moot	辩论会
moral	品行，行为标准（2012）
morale	士气，斗志（2013）
mores	风俗，习惯；民德，道德观念
morn	黎明；东方（2012）
morph	形态；变体；语素形式
morphology	形态学，形态论，语形论
morsel	少量，一口（2012）
mortal	凡人（2012）
mortality	死亡（率）（2014, 2012）
motive	动机 /reason（2012, 2009）
muck	垃圾；肥料
muffle	低沉的声音；消音器；包裹物
muffler	消音器（2012）
muse	冥想（2013）
mutability	易变性；性情不定（2012）
myriad	极大数量
myth	神话；奇事（2014, 2012）
N	
nail	钉子；指甲（2014, 2013, 2012）
namelessness	不知名，无名（2014）

nap	打盹（2014）
napkin	餐巾纸（2014, 2012）
nausea	恶心（2013）
navy	海军（2014）
needle	针（2012）
nemesis	报应；天罚（2014, 2009）
neologism	新词；新义
news item	新闻（2012）
nibble	一小口（2012）
nick	刻痕；缺口（2012）
nickel	镍；（美国）五分硬币（2012）
nimbleness	敏捷（2014, 2013）
nocturnal	夜间时刻测定器
nomination	提名，任命（2012）
nonchalance	漠不关心，无动于衷，冷淡（2014）
nostalgia	怀旧（2013）
notoriety	恶名，丑名；臭名昭著，声名狼藉（2014）
nuance	配色，色调；细微差别（2013, 2009）
nugget	天然金块，矿块；珍闻，珍品
nuisance	讨厌的人或事
null	零

O

oath	誓言，誓约（2012）
obedience	服从，顺从（2013）
obesity	肥胖（2012）
objective	目标
obsequiousness	奉承（2013）
obsolete	废弃物
obstacle	障碍（2015, 2014, 2012）
obstinacy	固执（2014, 2012）
octagon	八边形（2012）
odor	气味（2014, 2012）
offense	冒犯（2013）
onslaught	猛攻，猛袭（2013）
opacity	不透明性
opulence	富裕（2013）
ordain	任命；命令
originality	独创性（2013）

ornament	装饰（物）
outfit	全套装备（2014, 2012）
outcome	结果，后果（2012）
outlet	出口，出路；（强烈感情等）发泄方法；销售点（2012）
outlook	前景（2014, 2012）
oval	椭圆形（2012）
oven	烤炉，烤箱（2012）
overcharge	超载；要价过高（2013）

P

pail	桶，提桶；一桶的量
palpitation	跳动；心跳；悸动
pamphlet	小册子
panacea	万能药（2013）
pane	窗玻璃；窗格；嵌板；方框（2015, 2014, 2013）
panegyric	赞辞；夸大的颂词
parade	游行；检阅（2012）
paradox	矛盾；似是而非的观点（2014, 2012）
paragon	模范，优秀之人；完美之物
paranoid	妄想症患者（2012）
parenthesis	附带；圆括号；插入语
parity	相等（2013）
parody	打油诗文
parsimony	吝啬（2014, 2012）
pathos	感伤，悲情
pause	中止（2012）
peak	顶点（2014, 2012）
pearl	珍珠（2012）
pedal	踏板；脚蹬子；垂足线（2012）
penchant	喜好；倾向
pendulum	钟摆；摆锤；摇摆不定的事态（2013）
penguin	五角形（2012）
pennant	细长三角旗；信号旗；奖旗
perception	看法；感觉；察觉（2012）
peregrination	旅程；游历（2014）
perihelion	近日点
peril	危险（2013, 2012）
periphery	外围；不重要的部分
permission	许可，允许（2014）

persecution	迫害（2013）
perpendicular	垂线；垂直的位置
persistence	坚持（2009）
perspiration	流汗；汗水（2014, 2012）
perturbation	忧虑；不安；烦恼（2014, 2012）
perusal	细读（2013）
perversion	误用，歪曲（2012）
pesticide	杀虫剂（2012）
petulance	易怒；暴躁
phobia	恐惧（2014, 2012）
phony	赝品；假冒者
philanthropy	慈善（2012）
physiognomy	相貌；人相学
piety	虔诚（2012）
pinnacle	顶点；鼎盛时期
pique	生气，愤怒
pith	要点，精髓（2012）
pittance	少量；配给的食物；小额施舍
placidity	安静（2014）
plagiarism	剽窃；剽窃物
pleat	（衣服上）装饰褶皱（2013）
pledge	保证，许诺；誓言
plethora	多余；过剩（2014, 2012）
plight	境况；困境；誓约（2014）
plod	沉重的步伐；辛勤劳作
plow	犁；耕地（2014, 2012）
plummet	铅锤
plunder	抢夺（品）
plunge	投入；跳进（2012）
podium	讲台（2013, 2012）
pollution	污染
polygamy	一夫多妻制；多配偶制
polygon	多边形（2012）
pond	池塘（2012）
port	港口；（事情的）意义；（计算机与其他设备的）接口；（船、飞机等的）左舷
portrait	肖像画（2014, 2012, 2009）
poster	海报（2014）
postscript	附言；补充说明（2014, 2012）

postulate	假定；基本条件
potency	效力；潜能；权势（2013, 2011）
pouch	小袋，小包，烟袋（2014, 2012）
pounce	猛扑；爪子（2014, 2012）
pour	流出，倾泻
powder	粉末（2013）
practicality	实际性（2012）
prank	恶作剧
prairie	大草原（2012）
prayer	祈求，祈祷（2012）
precedent	先例（2013）
precipitation	仓促，急躁；降水量（2012）
precursor	先驱，先导
predicament	困境；可断定之事（2013）
prediction	预测（2014, 2012）
preface	序文，前言（2012）
prejudice	偏见；伤害（2012）
perjury	伪证；伪誓
preliminary	准备；初步行动；初步措施
prelude	序言（2009）
premeditation	预谋，预先策划（2014）
premise	前提
premonition	预告；征兆（2009）
preponderance	优势；多数
prerequisite	先决条件
presage	预感；预兆；预知
pressure	压力（2012）
prestige	名誉，威望
presumption	推测；假定（2012）
pretense	借口；（无事实根据的）要求；自称；假装（2013, 2012）
prevention	预防；阻止（2014）
prime	最初
primer	初级读本（2014）
priority	优先（权）（2012）
proclivity	倾向；癖性（2014, 2012）
prod	刺针；刺棒；签子
profusion	慷慨；丰富；大量；充沛（2013, 2009）
prognosis	预知，预测（2013）

project	工程，项目，计划；弹道轨迹（2014）
projector	投影仪（2013）
prologue	序言；开场白（2013, 2012）
promenade	散布（2013）
promise	诺言；希望
promotion	提高；晋升（2009）
prompt	提示
propensity	倾向，习性（2012）
propriety	礼节；适当
prospect	前景
protocol	草案；协议；礼仪
prototype	原型
protraction	延长（2013）
protractor	量角器（2012）
proverb	谚语，格言（2014, 2012）
provision	提供，供应商；规定，条款（2014）
prowess	英勇，勇敢；超凡技术（2012）
prowl	潜行，徘徊，踱步（2012）
proximity	接近，邻近（2013, 2012）
prudence	审慎
pry	杠杆
publicity	关注（2012）
puck	冰球；小淘气（2012）
puddle	水坑（2014）
pulchritude	美丽，标致
punctuality	准时（2013）
pupil	瞳孔；小学生
purity	纯正；纯净；纯洁（2012）
purport	意义，要旨
Q	
qualm	疑虑；不安（2009）
quandary	困惑，迷惑；为难
quantity	数量；大量
quarantine	隔离；检疫（2013）
quarrel	吵架；争论
quart	夸脱（液体度量单位）（2012）
query	质问，疑问（2013, 2012）
quibble	遁词；谬论；双关

同义类比选择中的动词

A	
abase	使卑下（2013）
abash	使脸红（2012, 2009）
abate	减轻，降低（2012）
abbreviate	缩短；缩写（2014）
abduct	诱拐；绑走
abet	教唆，煽动（2013）
abhor	憎恶；（厌恶地）回避；拒绝；淘汰（2013, 2012）
abjure	发誓放弃（2014, 2012）
abolish	废除，废止
abridge	删节；缩短；限制（2014, 2012）
abrogate	废除，废止
abscond	潜逃，逃匿（2014, 2013）
absolve	宣告无罪；免除责任（2014）
absorb	吸收
accede	加入，增加；答应；开始任职（2014）
acclaim	欢呼；称赞（2012）
accolade	赞扬，赞誉（2013）
accost	招呼，搭讪
accompany	伴随，陪伴（2012）
account	做出解释，做出说明；提出理由（2012）
accumulate	积累
acknowledge	承认（2014）
acquiesce	勉强同意；默许
address	从事，处理；演讲，致辞（2015, 2014）
adhere	黏附（2014, 2012）
adjourn	延期；休会；换地方
admonish	责骂，训斥（2014, 2012）
adorn	装饰；使生色（2012）
advance	前进；增加
advertise	登广告
affiliate	使隶属于；合并
aggrandize	增大（2013, 2012）
agitate	激起（2013）

ail	使苦恼；生病
alert	使警觉，使做好准备（2012）
alienate	疏远
align	匹配；使成一行；排列（2012）
alloy	混合（成合金）（2013）
allude	暗指；拐弯抹角地说到；略微提及（2013）
alter	改变（2014, 2012）
alternate	交替；轮流（2014）
amalgamate	合并；混合
amass	积累，积聚；收集（2012）
ameliorate	改善；改良
amend	改善（2014, 2012）
amplify	扩大（2014）
amuse	逗趣（2012）
analyze	分析，分解
anchor	固定（2013）
anguish	使极痛苦
annex	附加；兼并
annihilate	消减；废止
annoy	打扰；恼怒（2012, 2009）
annul	废除，取消
antagonize	对立（2013）
appall	使胆寒；使惊骇
appeal	上诉；请求；呼吁；感染（2012）
appease	抚平；安慰（2009）
append	附加；添加；悬挂
applaud	称赞；赞成（2013）
approach	接近（2012）
appropriate	挪用，窃用（2013）
approve	批准；赞同（2014）
arbitrate	仲裁
arouse	引起，唤起（2013, 2012）
arraign	传讯，控告；责难
ascend	上升（2014, 2012）
ascertain	弄清，查明；确定（2014）
askew	歪斜，弯曲
assail	攻击（2013）
assault	袭击；攻击

assemble	集合，收集；装配，组合（2014, 2012）
assert	断言；主张（2014, 2012）
assimilate	吸收，消化；同化（2014）
assist	帮助，援助（2014, 2012）
assuage	缓和，减轻；镇定
assume	假装（2014）
astound	使震惊（2012）
augment	增加；增大
audit	稽核（2012）
autonomy	独立；自治（2013）
avert	转开；避免，防止（2013, 2012）
avow	承认；声明；公开宣称
axe	用斧头砍
B	
babble	作潺潺声；牙牙学语；含糊不清地说；泄露（2012）
badger	纠缠（2013）
beguile	诱骗（2013）
bake	烘烤（2012）
bait	折磨，逗弄；装饵于，引诱（2012）
ban	禁止，取缔；诅咒（2012）
bandage	用绷带包扎（2012）
banish	流放；驱逐（2013, 2012）
barge	蹒跚；闯入
bark	犬吠；咆哮（2012）
barrage	以屏障隔开；以密集火力攻击（或阻击）（2014）
barter	物物交换，实物交易（2012）
bat	挥打，敲击（2012）
batter	猛击（2014）
beam	播送；发射（2014, 2012）
befriend	与人为善（2012）
beget	产生，引起（2014, 2012）
beguile	诱骗
belch	打嗝；喷出
belie	掩饰；证明为假（2014, 2012）
belittle	贬低（2013）
bellow	大叫，咆哮（2014）
berate	严责，痛斥
besiege	围攻，围困，围住

bestow	赠给，授予；放置（2012）
betray	背叛；辜负（2012）
bewilder	迷惑（2013）
bewitch	蛊惑；使着迷
bilk	欺骗，诈骗（2013）
biodegrade	生物降解（2012）
bisect	平分；二等分
blab	泄密；瞎说
blackmail	勒索（2013）
blandish	奉承
blaze	熊熊燃烧
blazon	装饰（2013）
blend	混合（2009）
blossom	开花（2012）
blubber	哭诉
bluff	吓唬，虚张声势，欺骗（2012）
blur	使模糊（2013）
boast	炫耀（2014, 2013, 2012）
bolster	支持（2014, 2012）
bombard	轰炸；炮击
boost	提高（2013）
booze	豪饮，痛饮
bore	钻孔；厌倦（2012）
boycott	联合抵制（2013）
brag	炫耀（2013）
brandish	挥舞；炫耀（2009）
breach	打破；突破（2012）
breed	饲养（2012）
breeze	轻易取得进展（2012）
bribe	贿赂
bridle	抑制，约束；套笼头；仰头，昂首（2012, 2009）
broach	钻孔开启（桶等），开饮用口；开始提及，引入；提出，开始讨论（2009）
broil	烤
brook	容忍
browbeat	威吓；严词厉色地斥责
buckle	扣住；变弯曲（2012）
budge	服从；挪动
budget	编制预算（2012）

buffalo	恐吓；欺骗
buffer	缓冲（2012）
buffet	（风雨）猛烈袭击，（海浪）猛烈冲击（2012）
bulge	凸出；膨胀
bulk	使形成大量
bur	去除芒刺（2012）
burgeon	发芽，萌芽
burlesque	模仿；取笑
burp	打嗝
buttress	支持（2012）

C

cache	隐藏
cajole	哄骗
calm	镇定，镇静（2014）
camouflage	伪装，掩饰（2014, 2012）
cant	倾斜；讲黑话
canter	慢跑
capitulate	有条件投降
capsize	翻覆，倾覆
capture	夺得；俘获（2012）
caricature	（漫画）讽刺
carouse	痛饮，畅饮
cascade	瀑布似地落下
cask	装入桶内
cast out	驱逐（2014）
castigate	严厉斥责；惩罚（2012）
cataract	倾注（2013）
caucus	开干部会议
cavern	挖空（2012）
cavort	腾跃
censor	审查（2012）
censure	责难，谴责（2012）
centralize	使集中（2012）
chaff	开玩笑，打趣（2012）
chart	制定图表；以图表表示（2012）
chase	追赶（2012）
chastise	惩罚
chat	聊天，闲谈（2014）

chatter	唠叨；吱吱叫
cherish	珍惜
chew	咀嚼；考虑，思量（2012）
chide	斥责，责骂（2014, 2012, 2009）
choke	窒息；阻塞（2012）
chorus	齐声唱，齐声说（2012）
chug	发出（持续而单调的）短声，发出突突声（2013, 2012）
circumscribe	在……周围画线；限制（2013）
circumvent	围绕，包围（2013）
clamor	叫嚣，喧嚷（2012）
clank	发出当啷声（2012）
clap	鼓掌，拍手（2012）
clarify	澄清（2014, 2012）
clash	撞击；抵触（2014, 2012, 2009）
clatter	发出哗啦声；喧闹地谈笑
cleave	劈开（2013）
cling	附着；紧贴（2014）
clip	修剪（2012）
clobber	击倒；痛打
clue	暗示，提示（2012）
clunk	发出沉闷声
clutter	弄乱，混乱
coddle	宠溺（2014）
coax	哄骗（2013）
coddle	悉心照料；娇养，溺爱（2012）
coerce	强迫，强制（2014）
coil	盘绕；卷圈（2014, 2012）
coincide	同时发生；相符（2013）
collaborate	合作；通敌（2013, 2012）
collapse	倒塌（2013）
collar	抓住（2012）
collate	对照；校对，校勘
collide	碰撞；冲突（2012）
command	命令，指挥（2014）
commence	开始，着手（2012）
commiserate	同情（2013）
commune	亲密交谈
compact	压缩；压紧（2012）

companion	陪伴（2012）
compel	强迫，迫使（2014, 2009）
compensate	补偿，赔偿（2012）
compile	编译，编辑，编纂
complain	抱怨（2012）
complement	补全，补充（2012）
compliment	恭维；称赞（2013, 2012）
compose	组成；使思想平静（2012）
comprise	包含；由……组成（2013, 2009）
compromise	妥协；让步（2013）
conceal	隐藏；隐瞒；掩盖（2012）
concede	承认；让步（2015, 2013）
conciliate	安抚，劝慰；意见一致，调节（2014, 2012）
conclude	结束（2012）
concoct	调和；捏造
concrete	凝结，结合（2012）
concur	同意；一致；互助（2014, 2013, 2012, 2009）
condemn	谴责（2014, 2012）
condense	压缩，浓缩；凝结（2014）
condescend	屈尊，俯就（2012）
condone	宽恕；赦免（2012）
confer	赠予；协议（2013, 2009）
confide	吐露（秘密、心事等）；委托，托付（2014, 2012）
confiscate	没收；充公；查抄
conflict	冲突，抵触（2012）
conform	使一致；遵守；服从（2012）
confound	使混淆；使狼狈
confuse	使混乱；混淆（2012, 2011）
congeal	凝结，凝固
congregate	聚集（2013）
conjecture	推断，臆测
connive	共谋
construe	分析；解释；翻译
consult	商议；咨询（2009）
contaminate	弄脏，污染（2014, 2012）
contemplate	沉思（2014, 2012）
contend	争论，辩论；主张；奋斗；斗争，竞争（2014）
contort	扭弯；扭曲（2014, 2012）

contract	收缩；用合约限制；感染（2012）
contribute	捐献；有助于（2012）
convene	召集（2014, 2012）
converge	聚合，集中于一点
convict	宣判有罪；定罪（2012）
cooperate	合作，协作（2012）
copy	复制；复写；仿造
corroborate	证实，确认（2014, 2013）
counsel	劝告，建议；提供专业咨询（2014）
counterfeit	伪造，仿造（2012, 2009）
court	追求，求爱（2012）
covet	垂涎；觊觎
cower	畏缩，抖缩（2014）
crack	破裂（2014, 2012）
crash	撞坏，碰撞；崩溃；破产（2012）
crawl	爬行，匍匐（2012）
creep	爬；慢移（2009）
cringe	畏缩（2012）
crow	欢呼（2013）
crumble	破碎，破裂；瓦解（2014, 2012）
crumple	弄皱；使一蹶不振
cull	挑出
curse	诅咒（2012）
curtail	缩减

D

dawdle	混时间（2014, 2012）
debilitate	使衰弱；使无力
debunk	揭露真相（2012）
decay	腐朽，腐烂；衰败，衰落（2012）
deceive	欺诈；误导 /mislead（2014, 2012）
decimate	十中抽一；大批杀害（2009）
decipher	破解，解密（2013, 2012）
decongest	解除充血（2014, 2012）
decorate	装饰（2012）
decoy	引诱
decry	谴责（2013）
defeat	击败（2013）
defer	延期（2013）

defile	弄脏；亵渎（2012）
deflect	（使）弯曲；（使）转向
defoliate	落叶（2014, 2012）
deform	变形（2014, 2012）
deject	使沮丧；使灰心
delay	延期（2012）
delete	删除（2014, 2012）
delineate	描绘，描画
deluge	淹没，泛滥（2012）
demean	贬低（2014, 2012）
denigrate	诋毁，诽谤（2013, 2012, 2011）
denote	象征；表示
denounce	公开谴责；揭发（2012）
deny	否认，否定（2014）
deodorize	除臭，防臭（2014, 2012）
depart	离开（2013）
depict	描述
deplete	使减少；使虚弱（2014, 2013, 2012, 2009）
deplore	悲悼，哀叹；谴责，强烈反对（2014, 2013, 2012）
deport	流放，驱逐（2012）
depress	压下，压低；使沮丧；使萧条；使跌价（2014, 2012）
deprive	剥夺（2014）
derogate	贬低（2013）
desecrate	亵渎；侮辱（2012）
desert	舍弃，遗弃（2012）
deserve	应受，应得（2012）
desiccate	干燥，使脱水，使干涸（2012）
despise	轻视，鄙视，看不起（2012）
deter	阻止；震慑（2014, 2013, 2012）
deteriorate	（使）恶化（2013, 2012）
detest	憎恶，厌恶
detour	绕路而行（2012）
devastate	毁坏
deviate	偏离
devise	发明；策划（2012）
devour	吞食（2014, 2013）
dice	用骰子赌博；把食物切成丁（2012）
differentiate	区别，使有差别

diffuse	散开，散布（2012）
dig	浸（2013）
dignify	授予荣誉（2014，2012）
dilate	扩大；详述（2014）
diminish	减少，缩小（2012）
din	喧闹（2013，2012）
dine	用正餐，进食（2012）
disarm	解除武装；缓和，消除敌意（2012）
disapprove	不赞成（2014）
disassemble	解开，分解（2014，2012）
disbar	取消律师资格
disburse	支付
discard	丢弃，抛弃；解雇；出牌（2014，2012）
discern	识别；领悟；认识
discomfit	挫败；扰乱，破坏
discourage	使气馁；使沮丧；阻碍，劝阻（2014，2012）
discredit	羞辱；损害信用（2012）
disdain	蔑视（2014，2012）
disguise	伪装；掩饰（2014，2012，2011）
dismantle	拆开，拆卸；废除，取消（2013，2012，2009）
dismay	沮丧，气馁（2012）
dismiss	开除；解散（2014，2012）
disorder	混乱无秩序（2014）
disparage	蔑视，贬损
dispose	处置；使倾向于
dispute	争论
disregard	忽视；不顾
dissemble	掩饰；假装不知（2015，2012）
disseminate	传播（2014，2013，2012）
dissipate	浪费；消散
dissolve	溶解；解散（2013，2012）
distress	使痛苦；使忧伤；使贫困
distribute	分发；分类
divert	转移（2014，2012）
divulge	泄露；暴露（2013，2012，2011）
dodge	躲避，避开（2013）
doff	脱；丢弃；废除
dominate	支配（2014，2013，2012）

donate	捐赠（2012）
douse	插入水中；弄湿；把……弄熄
doze	打瞌睡（2014, 2012）
drape	用布帘覆盖；使呈褶皱状
drench	使湿透；使充满，使洋溢（2014）
drain	排走，排水（2013）
drill	钻（2014, 2012）
drove	驾驶；驱赶
duplicate	复制（2013, 2012）
dwindle	缩小（2013, 2012）
dye	给……上色（2012）
dynamite	炸毁（2012）
E	
earmark	弄上记号
economize	节约
eddy	起漩涡
edify	启迪，熏陶
elaborate	详尽说明；变得复杂（2014, 2012）
elect	选举（2014, 2012）
elevate	举起；提升（职位等）；振奋情绪（2014, 2013, 2012, 2011, 2009）
elicit	引出，探出；诱出（回答等）（2009）
eliminate	消除（2012）
elongate	伸长
elucidate	阐明；解释（2014）
emancipate	解放；释放
embellish	装饰；修饰；润色 /decorate, adorn（2012, 2009）
embezzle	盗用；挪用
embrace	拥抱；包含（2013）
embroider	刺绣；镶边；装饰
emphasize	强调（2012）
employ	雇用；使用，利用（2014）
emulate	效法；尽力赶上（2013, 2012）
enact	制定法律；扮演
encircle	环绕；包围
enclose	围绕；放入封套
encompass	围绕；包围（2014, 2013, 2012）
encore	要求再演
encounter	意外相见；遭遇；遇到（2012）

encourage	鼓励，激励；支持
encumber	妨害；阻塞（2009）
endanger	使陷入困境（2012）
endeavor	努力；尽力（2014, 2013, 2009）
endorse	支持，赞同；背书（2013）
endow	捐赠；赋予（2015, 2012, 2009）
endure	忍耐，忍受；容忍（2012）
enervate	使衰弱；使无力（2013）
enfold	包围（2012）
engage	订婚；从事；保证（2012）
engender	产生；引起
enlarge	扩大（2012）
enlighten	启发（2014, 2013, 2012）
enliven	使有生机（2013）
ennoble	使成为贵族；使高贵；赋予爵位
enrage	激怒（2013）
ensnare	诱入陷阱，进入罗网
entail	使必需；使蒙受
entice	诱骗，引诱
entreat	恳求（2013）
entrust	委托，托付（2014, 2012）
enumerate	列举；枚举；计算
envision	预想；想象
envy	嫉妒；羡慕
epitomize	作……的摘要；成为……的缩影；概括；集中体现（2014）
equate	使相等；[数学]列等式
eradicate	根除，根绝；扑灭（2013, 2012）
erode	腐蚀，侵蚀
err	犯错；犯罪
escalate	逐步增强（2013）
escort	陪同，护送（2013）
espouse	支持，赞成；婚嫁
espy	从远处突然看到；窥见
evacuate	排空；撤离；腾出（2014）
evade	逃避，躲避（2014, 2012）
evict	逐出，赶出，驱逐
evoke	引起，唤起；博得（2013）
evolve	进化；发展，进展

exacerbate	加重；恶化；激怒
exalt	提高，提升；赞扬；使得意；加强（2014, 2013, 2012）
exasperate	使恼怒；激怒；恶化
excavate	挖掘，凿通（2012）
exceed	超过，超越（2012）
exclude	排除（2012）
exculpate	开脱，免罪（2013）
execute	执行；充实；完成
exemplify	例证；例示（2013）
exempt	免除（2012）
exert	充分利用（权力，影响力等）
exhaust	耗尽；使筋疲力尽（2012, 2011）
exhilarate	使人兴奋（2013）
exhume	掘出
exile	放逐，流放
expedite	加快，促进（2013）
expel	驱逐；排气（2014, 2013, 2012）
explode	爆炸；发怒；激增
exploit	充分利用
explore	探索；探险
expose	暴露（2012）
expunge	擦掉，删掉；除去（2014, 2012）
extol	颂扬，称赞（2014）
extort	敲诈；曲解（2009）
extricate	使解脱；救出（2014, 2013, 2012）
F	
fabricate	制造，建造，装配；捏造（2014）
facilitate	促进；帮助；使容易（2012）
facsimile	复写；传真；高仿 /copy（2015, 2009）
falsify	篡改，伪造（2014）
fancy	想象；喜欢（2012）
fast	禁食，斋戒
fathom	测量深度；彻底了解（2012）
fatigue	（使）疲劳；（使）心智衰弱（2014, 2009）
fawn	巴结，奉承
feast	设宴
feign	假装（2013, 2012）
feint	佯攻，声东击西

ferment	发酵（2014，2012）	
fetter	加脚镣；束缚	
fiddle	虚度时光；拉小提琴	
finalize	使结束，使完结（2012）	
flabbergast	使大吃一惊（2012）	
flatter	恭维，奉承（2014，2012）	
flaunt	飘扬；炫耀	
fling	掷，抛（2013，1012）	
flip	用指轻弹；掷	
flock	聚集（2012）	
flood	湮没；涌出（2014）	
flounder	挣扎；折腾	
flourish	夸耀；繁荣	
flout	嘲弄，愚弄	
fluctuate	波动；动摇	
flunk	失败；不及格	
flurry	使恐慌，使狼狈	
flute	用长笛吹奏	
flux	流出；潮涨；变迁；熔化	
foment	激起（2013，2012）	
forage	收集粮草	
forbid	禁止	
forestall	垄断；占先一步	
forewarn	预警（2012）	
forge	锻造；编造；伪造（2012）	
forgo	放弃；作罢；停止（2013）	
formulate	用公式表示；清楚明确地计划或阐述	
forsake	放弃，抛弃；断念	
fortify	加强；设要塞（2013，2012）	
foster	养育，抚育；培养	
founder	失败，倒塌；摔倒，跌倒（2014，2012）	
fret	磨损，腐蚀；发愁，烦恼（2014，2012）	
frown	皱眉（2014，2012）	
frustrate	阻挠，挫败（2014）	
furnish	供应，提供（2013）	
G		
gallop	飞奔，奔驰（2012）	
garland	戴花环	

germinate	发芽，萌芽；开始发育
gauge	计量；估计（2012）
glance	瞥视；掠过（2012）
glare	发强光；怒目而视（2009）
gleam	闪烁；（隐约地）闪现
glimpse	一瞥
glisten	闪光，闪亮（2013）
glitter	闪光，耀眼；辉煌
glower	怒目而视（2013）
goad	用刺棒驱赶；激励
gobble	贪婪地吃
goof	犯错；闲混
gorge	使吃饱
graft	移植；嫁接（2013）
grate	装格栅于；摩擦
graze	放牧（2014, 2012）
grieve	悲痛，哀悼（2012）
grimace	扮鬼脸（2014, 2012）
grin	露齿笑（2014, 2012）
groan	呻吟（2014, 2012）
grouch	发牢骚
grovel	趴；匍匐；卑躬屈膝；五体投地
growl	怒吼（2014, 2012）
grudge	怀恨；嫉妒；吝惜
grumble	抱怨（2013）
gurgle	汩汩地流（2014, 2012）
gyrate	旋转（2013）

H

hallow	使……神圣，视为神圣（2012）
halt	暂停，停住（2012）
hamper	妨碍；束缚（2013）
handle	操作；处理（2013, 2012）
harass	使烦恼；使困扰（2013, 2009）
harden	使变硬；使坚强；冷酷（2012）
harmonize	使协调，使一致（2012）
harp	反复诉说；唠叨（2012）
hasten	促进；赶紧（2012）
haul	用力拖，拉；拖远

heal	治愈（2014）
heighten	提高；加强（2012）
heist	抢劫，拦劫；抢夺
hem	给……缝边（2012）
hew	砍，劈；固守
hinder	阻碍；打扰（2013，2012）
hint	暗示，提示（2009）
hobble	跛行（2013）
holler	叫喊；抱怨，发牢骚
homogenize	使均匀；使同质化（2012）
hook	钩住（2013）
hop	跳跃（2012）
horrify	使恐惧，使惊骇（2012）
humble	降低地位；打掉傲气；使卑贱（2012）
humiliate	羞辱（2013）
hurl	投掷（2013，2012）
hymn	唱赞歌，赞美（2013）
hyperventilate	强力呼吸；换气过度

I

ignite	点燃；使燃烧（2013）
illuminate	照亮；阐明（2014，2013）
illustrate	阐明；举例说明（2012）
imbibe	吸取；吸入；饮
imbue	灌输；使感染；浸染（2014，2012）
imitate	模仿（2014，2012）
impair	损害；削弱（2014，2013）
impart	给予；告知；传授（2015，2009）
impeach	存疑；归咎；怀疑
impede	妨碍，阻碍，阻止（2014，2013，2012）
implement	实现；执行
implicate	牵连，卷入（2013，2012）
imply	暗示；意味；隐含；说明，表明（2014，2013，2012，2009）
impose	强迫；征收（税款）
impoverish	使贫穷；使枯竭
impugn	责难；抨击（2013）
impulse	推动
inaugurate	就职；开始（2012）
incapacitate	使无能；使不适于

incinerate	焚烧（2014, 2012）
incite	刺激；激励；引诱（2014, 2012）
incorporate	包含；合并；吸收（2014）
incriminate	连累，牵连；控告
indicate	指出；表明，象征（2012）
indict	起诉，控告，指控（2012）
induce	引诱；招致；感应
infect	感染（2012）
inflate	充气，膨胀（2013）
infringe	破坏，违反
infuriate	激怒（2013）
infuse	注入；鼓舞
inhabit	居住；填满（2014）
inhibit	阻止，妨碍
initiate	开始，发起；传授；创始，开辟；接纳新成员（2014, 2012）
inject	注射，注入；插入（2012）
inscribe	登记；题献（2014）
insinuate	暗示；含沙射影地说（2014, 2012）
instigate	教唆；煽动；怂恿；鼓动（2013, 2009）
insult	侮辱，冒犯（2012）
integrate	整合（2013）
intend	打算（2014）
intersect	横穿；横切（2014）
intervene	干涉，干预（2012）
intimidate	恐吓，威胁；胁迫（2013）
intoxicate	使喝醉；使陶醉；使欣喜若狂
intrigue	密谋；激起……的兴趣（2013）
introvert	使……内向
inundate	浸水；淹没；泛滥（2012）
inveigh	猛烈抨击；谩骂（2014）
invert	反转；颠倒；转化（2015）
invigorate	鼓舞；激励（2013）
invoke	调用；祈求，恳求；引起
irk	使烦恼（2014, 2012）
irrigate	冲洗（伤口）；灌溉（2014, 2012）
irritate	刺激；激怒（2013, 2012）

J

jab	戳；猛击；用拔火棒等捅

jade	使疲惫（2012）
jam	塞紧；挤满；堵塞（2012）
jar	发出刺耳声；不和谐（2012）
jeer	嘲笑，讥笑（2014, 2013, 2012, 2009）
jeopardize	危害（2013）
jet	喷射，喷出（2012）
jiggle	轻摇；微动
juggler	玩杂耍，耍把戏；做手脚，耍花招（2012）
jumble	混杂；掺杂（2012）
justify	辩护；证明（2012）
juxtapose	并列，并置（2012）
K	
kennel	置于狗舍
kidnap	绑架；诱拐；拐骗
kindle	点燃；引起
L	
label	贴标签于（2014, 2012）
lament	哀悼；悔恨（2014, 2012）
lampoon	嘲讽（2012）
languish	憔悴；凋萎；失去活力；苦思
lapse	陷入；背离；流逝；使失效
lash	抽打；捆紧（2014, 2012）
laud	称赞（2013, 2012）
launch	发射；使……下水
lavish	浪费；慷慨给予（2012）
leap	跳跃（2014, 2012）
lease	租（2012）
legislate	立法（2012）
lens	给……摄影（2009）
lengthen	加长；延长（2012）
libel	诽谤；中伤
liberate	解放；释放（2012）
limber	使柔软
limp	蹒跚，跛行（2013）
linger	逗留（2012）
liquefy	液化（2014, 2012）
litigate	诉讼；对簿公堂
loiter	闲荡；虚度；徘徊

lubricate	润滑（2013）
lull	使安静；使静下入睡（2014）
lullaby	使安静
lumber	拖累
lump	结块
lunge	突进；刺进（2014, 2012）
lure	引诱；吸引（2013）
lurk	潜伏（2013）
M	
magnify	扩大，放大（2013）
malign	诽谤；说坏话
mandate	命令；委任统治
maneuver	调遣；演习；用计策
mangle	碾压；损坏（2012）
manifest	证明
manifold	复写；繁殖；增多
manipulate	熟练操作（2013, 2012）
mar	毁损；玷污（2014, 2013）
martyr	杀害；折磨；牺牲
marvel	感到惊异（2014, 2012）
masquerade	化装
mature	使成熟（2013）
mediate	斡旋；调停
menace	威吓，胁迫（2013）
merchandise	买卖；推销
merge	合并；消失；吞没
mesmerize	使入迷（2012）
mill	碾碎，磨细（2012）
mimic	模仿；抄袭（2015, 2013, 2009）
mine	采矿；布雷（2012）
mingle	混合（2009）
mint	铸造硬币（2012）
mire	使……陷入泥泞
misbehave	行为不礼貌；行为不端；作弊
misconstrue	曲解，误解
misinterpret	误解（2014）
misplace	把……放错地方（2012）
miter	给主教加冠（2012）

mitigate	减缓（2012）
moan	以呻吟声说出；悲叹；抱怨（2014，2012）
mock	模仿；嘲笑（2013）
moisten	弄湿（2014，2013）
mollify	使平息
moot	提出……供讨论
morph	改变
mortify	抑制；苦修；悔恨（2012）
mosaic	镶嵌；用马赛克装饰（2012）
mourn	哀悼（2014，2012）
muck	弄脏；施肥
muddle	弄糟，弄乱（2012）
muffle	包裹；抑制；消音（2015，2013）
mumble	含糊地说；抿着嘴嚼
muster	集合，召集，集结（2013，2012）
mutilate	使残废；毁坏（2012）

N

nag	唠叨，烦扰（2013）
nail	钉（2012）
nibble	一点一点地咬（2012）
niche	放在适当的位置
nick	匆匆记录；刻痕；赶上（2012）
nonplus	使困惑（2012）
nullify	使无效，废弃；取消

O

obfuscate	弄暗；使模糊；使迷乱
oblique	倾斜
obliterate	涂去，擦去；删除
obscure	使阴暗；隐藏（2012）
obsolete	淘汰；废弃
obstruct	阻碍，妨碍；阻塞（2013）
offend	冒犯，触怒（2012）
ooze	渗透，渗出（2014，2012）
opine	认为（2014）
oppress	压迫（2013）
ordain	任命；命令
oscillate	振荡；摆动；犹豫
ostracize	流放，放逐；排斥（2014，2013）

outfit	装备（2012）
outline	概述，略述（2012）
outwit	智力上超过（2012）
overturn	推翻（2014）
overweight	在重量、价值或重要性上超过（2012）
overwhelm	淹没；受打击；压倒

P

pacify	使平静；安慰（2012）
parade	游行；夸耀（2012）
parallel	比较，比得上（2012）
parody	拙劣模仿；作模仿诗文
parry	挡开；回避
patronize	保护；资助；惠顾；故作屈尊
pause	中止，暂停（2012）
peak	达到高峰（2012）
peddle	兜售（2012）
peel	剥皮，削皮（2012）
permeate	弥漫，渗透；普及（2013）
perpetrate	作恶；犯罪
perpetuate	使永存；使不朽，使不灭；保持（2014, 2012）
perplex	使困惑；使难住（2012）
persecute	迫害
persevere	坚忍（2014）
perspire	渗出；分泌；流汗（2012）
pertain	关于，有关；适合；附属，从属（2012, 2009）
peruse	研读，（尤指）细阅（2014, 2012）
pervade	弥漫；遍及
pester	纠缠，烦扰；使烦恼
petrify	硬化；使惊呆（2012）
pigment	着色；变色
pilfer	偷盗（2013）
pique	伤害自尊心；激怒
placate	抚慰；使和解；怀柔
plagiarize	剽窃，抄袭（2013）
plead	恳求（2014, 2012）
pledge	保证；许诺
plight	宣誓；保证；约定
plod	沉重缓慢地走

plow	犁地，耕地（2014）
plumb	测量（2013）
plummet	垂直落下；突然下降（2013）
plump	使丰满；掉下；强烈支持（2012）
plunder	抢夺，掠夺
plunge	跳进，陷入（2012）
poach	偷猎，窃取；水煮（2014）
polish	擦亮，抛光（2014, 2013, 2012）
poll	轮询
ponder	沉思，考虑（2014, 2013, 2012）
poise	冷静（2013）
portray	描写，描绘（2012）
postpone	延期；延迟，延缓
postulate	假定；要求
pouch	把……装入袋中；成袋状
pounce	突袭，猛扑（2012）
pound	重击；苦干（2013, 2012）
pour	流出；倾泻
prance	腾跃；昂首阔步（2014, 2012）
prank	打扮；装点
preach	传道；讲道；说教（2013）
precede	先于（2014, 2013, 2012）
precipitate	促成；使沉淀
preclude	预先排除，预先阻止（2012）
predicate	断言，断定
predict	预示；预言；预告（2012）
preface	作开场白（2012）
prejudice	有偏见，有成见（2012）
premise	提论，预述
presage	成为……的前兆；预示；预言
presume	想当然的认为；擅自做
pretend	假装（2015）
prevail	获胜；流行，盛行（2014, 2013, 2012, 2011）
prevaricate	支吾其词；搪塞；推诿
prey	捕食；（疾病等）使人慢慢衰弱；折磨；（人）靠欺诈为生（2014）
prim	弄整齐
prime	灌注；装填；使起劲
proclaim	正式宣布；声明（2014, 2012）

procrastinate	延迟，拖延，耽搁
procure	取得，获得（2014，2013）
prod	戳，刺；刺激
profane	亵渎；玷污
profess	坦白（2012）
prohibit	阻止，禁止（2014，2012，2009）
project	发射（2014）
prolong	延长；拖延（2012）
promenade	散步；骑马；开车兜风（2009）
promise	答应；预示
prompt	促进（2012）
pronounce	发音；宣告，断言
proofread	校对（2013）
propagate	繁殖；传播；传送
propel	推进，驱使（2014，2012）
prophesy	预言；预报（2014）
propose	提议，建议；打算，计划；推荐，提名；求婚（2014）
proscribe	禁止（2013）
prosecute	进行，实行；起诉
prospect	勘探；寻找
prosper	兴隆；成功（2014）
protocol	拟定
provision	提供所需物品
provoke	激怒；煽动；驱使；惹起（2014，2013，2012，2009）
prowl	潜行（以觅食）；窥伺（2014，2012）
pry	打听；窥探；用杠杆撬开 /approach with caution（2015，2014，2012）
pull	拉、扯（2012）
pulsate	搏动；悸动；有规律的鼓动
pulverize	粉碎；磨成粉（2013，2009）
punish	惩罚
purify	净化（2014，2012）
purloin	偷窃（2013）
pursue	追赶（2014）
purport	意味着；作为……要旨
push apart	推开
Q	
quarrel	争论，争吵
quell	压制，平息，镇定（2014，2012）

quench	熄灭；结束；冷浸（2014, 2013, 2012）
query	质问（2012）
quibble	推托；说俏皮话（2013）
quiver	颤抖；振动
quiz	考查；盘问
R	
raft	以筏运送（2012）
rally	集合；重新振作
ramble	漫步；闲谈；漫游（2014, 2012）
rankle	惹怒；使生厌（2013）
ransack	彻底查找；洗劫（2014, 2012）
rasp	发出粗糙之声（2014, 2012）
ratify	批准；认可（2014, 2013）
ratiocinate	推理，推论
rattle	喋喋不休；使发出咯咯声（2012）
ravage	破坏；蹂躏；掠夺
ray	放射（光线）；显出
raze	消除，抹去；破坏；彻底摧毁（2014, 2012, 2009）
rebel	反叛；反抗
rebuke	斥责，指责，非难（2013）
rebuff	拒绝；冷落 [n./v.]（2014, 2013）
recapitulate	重述要点；概括；摘要
recede	退却；减弱（2012）
receipt	出具收据；承认收到
reciprocate	答谢；回报（2013）
recline	斜倚；躺
recollect	回忆（2014, 2012）
recruit	恢复；招募
rectify	矫正（2014, 2013）
redact	编辑；编造
redress	纠正；革除
reek	有……气味；放出恶臭
reel	卷；绕；蹒跚；旋转
refrain	忍住；节制；避免（2009）
refresh	恢复精神（2014）
refrigerate	冷冻，冷藏；使清凉
refute	反驳，驳斥；驳倒（2013）
rehabilitate	恢复原状

rehash	重复（2013）
rehearse	排练（2014, 2012）
reign	统治，执政（2013）
reimburse	偿还（2013, 2012）
reiterate	反复地说；反复地做（2013）
reject	拒绝；抛弃，扔掉；排斥；吐出（2014, 2012, 2011）
rejoice	感到高兴（2013）
rejuvenate	恢复活力；再次年轻（2013）
relate	与……相关
release	释放，放开（2013, 2012）
relent	发慈悲（2013）
relieve	减轻，缓解
relinquish	放弃；让出（权利，财产等）；放开，松手；撤离（2013, 2009）
relish	品味；有……味道；喜欢（2014, 2013）
remedy	治疗；补救（2012）
reminisce	追忆，缅怀（2012）
remove	移动；搬家；调动；开除
render	提供；补偿
renounce	弃绝，放弃；否认（2014, 2012）
renovate	翻新（2014, 2012）
repeal	撤销；废除；否定；放弃
repel	击退（2014, 2013, 2012）
repent	后悔，悔悟
replenish	补充（2013）
replicate	折叠；复制
reply	回答，答复
repose	休息；依靠，依赖
represent	表现；描绘；代表；提出异议
repress	约束；抑制；镇压
reprimand	训诫；谴责（2014, 2013, 2012）
reproduce	复制；繁殖；再生
reproach	责备，指责（2014, 2013）
repudiate	拒绝（履行）；否定（2014, 2012）
repulse	逐退，击退；拒绝
request	要求，请求
rescind	废除；撤销（2014）
rescue	挽救，解救
reserve	保留；预定

resign	辞职（2012）
resound	回响；鸣响
restore	修复（2014, 2012）
restrain	抑制，制止（2012）
restrict	限制在指定范围内（2013）
resuscitate	使复活，使苏醒
retain	保持；保留（2013）
retard	妨碍；延迟；延缓（2014, 2012）
retire	退休；退职
retort	反驳，回嘴；反击
retract	缩进
retreat	撤退；退避（2014, 2012）
retrieve	重新得到（2013, 2012）
retrospect	回顾，回想，追溯
reveal	展现；揭露，泄露
revel	狂欢作乐；深爱
revere	尊敬；敬畏（2012）
reverse	颠倒；倒转
revile	辱骂；斥责（2013）
revitalize	使复活；使重新充满活力
revoke	废除；宣告无效（2013）
revolt	叛乱；反抗
revolve	旋转；周转（2012）
riddle	说谜语（2014, 2012）
ridicule	嘲弄（2013, 2012）
rift	裂开；割开
rind	削皮；剥壳
rinse	漂洗；冲洗（2012）
rip	扯破，撕坏
ripple	使起波浪，激起涟漪（2012）
rise	升起，上升
rivet	铆接；固定（2012）
roam	漫游；流浪（2014, 2012）
roar	咆哮
roast	烤肉
robe	穿长袍
rook	欺骗
roost	栖息；安歇

rope	捆绑
rot	腐烂；腐败（2012）
rotate	旋转；轮流（2013, 2012）
rouse	激起，唤起（2012）
rout	击溃；打垮
ruddy	变红
rue	后悔（2014）
ruminate	反刍；深思，沉思
rumple	弄皱
rust	生锈（2012）

S

sack	解雇；洗劫
saddle	装以马鞍
sag	下垂；下降；颓靡
salute	敬礼，致意（2012）
salve	涂油膏；涂药膏
sample	抽取样品
sanction	批准；鼓励；容忍（2014, 2012）
sate	使心满意足；过分给予
satiate	饱足；生腻（2015, 2012, 2009）
saturate	饱和；浸透（2014, 2012）
saunter	闲逛，漫步（2014, 2012）
scald	烫（伤）
scale	攀登；测量（2012）
scathe	损害，损伤
scatter	分散；散播（2012）
schedule	安排，预订（2012）
scheme	谋划
scold	责骂，斥责（2014, 2013, 2012）
scorn	轻蔑；不屑做
scour	擦拭，擦亮（2012）
scourge	鞭打；折磨
scrawl	乱涂，乱写，涂鸦
scream	尖叫（2014, 2012）
screen	屏蔽
screw	用螺丝拧紧；旋，拧（2012）
scribble	乱写（2014, 2012）
scrub	擦洗（2014, 2012）

scrutinize	审视（2014, 2012）
scull	摇桨（2014）
sculpture	雕刻
seal	盖印；封闭（2012）
seclude	隔离（2014）
secrete	藏匿；私下侵吞；（生物）分泌
sedate	使安静；给镇静剂
seek	寻找，探寻
seep	渗出（2014, 2012）
seesaw	使上下摇动
seethe	沸腾，煮沸，起泡
seething	浸透；（液体）沸腾；激动
segregate	分离；隔离（2013）
seize	抓住；夺取；理解；逮捕
sensitize	敏感化（2013）
sequester	隔离（2015）
sever	切断（2012）
sew	缝纫（2012）
shade	渐变；遮蔽
shave	刮脸；掠过（2012）
sheer	躲开，躲避
shield	保护，防护（2013, 2012）
shiver	颤抖（2012）
shout	呼喊
shove	撞；推；挤 /push（2014）
shovel	铲（2012）
shriek	尖叫
shrivel	枯萎（2013）
shrink	收缩；畏缩
shrug	耸肩（2014, 2012）
shuffle	拖着脚走；洗纸牌
shun	避开，规避，避免（2013）
sidestep	躲避，让开（2014, 2012）
sieve	筛选；过滤
sift	筛选（2014, 2012）
simulate	模仿；假装（2009）
sink	下沉（2013）
skelter	急匆匆地跑；往前冲（2012）

sketch	写生（2012）
slack	使松弛
slander	诽谤；中伤
slap	拍击；掴；侮辱
slash	砍；鞭打；严厉批评
slaughter	屠杀（2013）
sleet	下冰雹；下雨雪
slice	切成薄片，用刀切开（2012）
slim	减轻体重
slip	滑倒；失足；塞入
slobber	流口水
slog	猛击；步履艰难
smack	拍，打，掴
smite	打；重击（2014, 2012）
smolder	闷烧；压抑（2012）
smooth	使平滑；排除障碍（2012）
snack	吃小吃，吃点心（2012）
snap	啪地折断；发出啪啪声；猛咬（2012）
snarl	咆哮（2013）
sneak	偷偷摸摸做（2014, 2012）
sneer	讥笑，冷笑（2014, 2012）
sneeze	打喷嚏（2012）
snip	剪（2014, 2012）
snub	冷落；斥责（2013, 2009）
snug	使变得温暖舒适；依偎
soak	浸透（2014, 2012）
soar	翱翔，高飞；激增（2014, 2012）
sob	哭诉
soften	使柔软（2014）
solace	安慰；缓和
solicit	请求，乞求；诱惑
solidify	使凝固，使坚固（2012）
soothe	抚慰；减缓（2012）
sour	变酸（2012）
sow	播种（2013）
span	持续；跨越（2012）
sparkle	闪烁，发光
spear	用矛刺

specify	明确说明（2012）
speckle	点缀
speculate	深思；推测
spice	加香料于
spill	溢出，流
spin	旋转；眩晕；纺织；甩干
spiral	盘旋上升（2013）
spire	加塔尖
splice	结合；衔接（2013）
split	分开，分离（2013）
spoil	溺爱；破坏
sprint	冲刺（2014, 2012）
spurn	踢，驱赶；摒弃，拒绝；蔑视（2014, 2012）
spurt	喷射，喷出；冲刺
spy	找出；侦查（2012）
squander	挥霍，浪费；散开（2013）
squiggle	乱涂乱画；蠕动
squirm	蠕动，扭动
squirrel	贮藏（2012）
stabilize	使稳定（2013）
stack	堆积，堆叠
stagger	摇晃（2013, 2012）
stain	沾染，染污；着色（2012）
stare	凝视（2012）
startle	吓一跳（2014, 2012）
starve	使饥饿（2012）
stash	隐藏，藏匿；贮藏（2014, 2012）
staunch	止住，止血
stealth	偷偷摸摸（2013）
steer	驾驶；引导；航行
stem	堵住，阻止（2012）
stench	发出恶臭
sterilize	杀菌；绝育；使贫瘠（2012）
stick	粘贴；插入（2014, 2012）
stifle	使不能呼吸，窒息；抑制（2014, 2012）
sting	刺痛；刺激（2014, 2012）
stink	使发臭
stipulate	规定（2013）

stir	搅拌（2014, 2013, 2012）
stitch	缝（2014）
stock	供给
stoke	添加燃料；烧火；做司炉工
stomp	跺脚，重踩
stoop	俯身，弯腰；降格，卑屈（2012）
straighten	使变直（2012）
strain	拉紧（2014）
streak	在……上加条纹（2012）
stream	流动
stress	强调，着重
strike	打击；罢工（2014）
string	串起
strive	努力（2009）
struggle	挣扎；努力，奋斗
strut	趾高气扬地走（2014, 2012）
stuff	填满
stumble	蹒跚；犯错，困惑；绊倒（2014, 2013, 2012）
stun	使晕倒；使惊吓（2012）
stunt	阻碍成长（2013）
stupefy	使茫然，吓呆
stymie	妨碍；阻挠（2014, 2012）
subdivide	细分，再分
subdue	征服；抑制；减轻（2009）
sublime	提高，变高尚
submerge	使浸水，潜入水中，使陷入（2014, 2013）
submit	提交；服从（2014, 2012）
subordinate	服从
subpoena	传审，唤审
subside	平息；减弱；沉淀（2014, 2012）
subsidize	资助；行贿
subsist	供给食物；维持生活
substantiate	证明，证实；实体化（2014）
substitute	代替（2012）
subtract	减去，扣掉（2013）
subvert	颠覆，推翻；破坏（2014, 2013）
succumb	屈服
suffice	足够

suffocate	窒息 [*n.* suffocation]（2014, 2012）
suffuse	弥漫于，布满（2012）
suit	适合
sully	玷污，弄脏
superimpose	重叠；安装；添加（2014）
supplant	取代（2013）
suppress	镇压；禁止
surfeit	使厌腻；使沉溺于；饮食过度
surmise	推测，臆测
surmount	克服；超越
surrogate	代理
surround	围绕，围住（2012）
survey	调查；勘测；俯瞰（2012）
suspend	悬挂；暂停（2012）
sustain	支持，维持；承受（2009）
swallow	咽下；忍受（2012）
swamp	使陷于沼泽；使沉没
swap	交换
sweep	扫除；拂去，掠过；席卷
swell	膨胀
swerve	急转弯
swindle	骗取，诈取（2014, 2012）
swing	摇摆（2014）
swirl	旋转（2013）
switch	转换；抽打
swivel	旋转（2013）
symbolize	象征；用符号表示（2014）
T	
taint	污染；腐坏（2014, 2012）
tame	驯养；制服（2012）
tamper	损害；影响；篡改；贿赂
tantalize	逗弄；使干着急（2012）
tarnish	使失去光泽，使晦暗（2012）
taunt	嘲弄，奚落（2012）
tease	戏弄（2014, 2012）
teeter	摇晃；玩跷跷板；步履蹒跚
tempt	诱惑（2013）
tender	正式提出（2012）

terminate	结束，终止，期满（2012）
terrify	使恐怖，吓唬（2012）
tether	用链拴；拘束
thaw	解冻；融化（2013）
thread	蜿蜒前行（2012）
thrill	（使）非常兴奋；颤抖
thrive	兴旺；繁荣
thrust	用力刺（2014, 2012）
thumb	迅速翻阅
thump	重打，猛击；发出重击声
thwart	反对；阻碍（2013）
tiptoe	踮脚走（2014, 2012）
toast	烘烤（2012）
toddle	蹒跚行走；跟跄地走
toil	辛苦，苦干；跋涉
tolerate	忍受；容许；宽恕
topple	推翻（2013）
torment	苦痛；拷问（2012）
torture	折磨；拷问；歪曲（2012）
toss	（尤指比赛或游戏中）投掷（硬币）；抬头（表示恼怒或不耐烦）（2012）
toss about	翻来覆去（2014）
tot	合计
totter	蹒跚，跟跄
tout	兜售；招徕顾客；拉选票
transact	办理；交易；谈判
transcend	超越
transcribe	抄写；译写
transform	改变，转变（2012）
transgress	违反；侵犯；越界（2012）
transmit	传输；发射；遗传
transpire	蒸发；排出；泄露
transplant	移居；移植（2009）
transport	运输；流放；狂喜
trap	使陷入陷阱；诱骗（2012）
travail	发生阵痛；辛劳（2012）
tread	踩踏（2012）
trek	艰苦跋涉
tremble	颤抖；哆嗦；摇晃；担心，焦虑

trend	倾向，趋向
trespass	非法侵入；冒犯（2013）
trickle	滴流，细流
trifle	浪费；闲聊
trip	绊倒（2013）
triple	使成三倍
triumph	获胜（2014, 2013）
trot	快步走；慢跑
truncate	截短（2014, 2013, 2012）
tryst	约会
tuck	塞进；卷起，叠起（2012）
tug	用力拉（2014, 2012）
tumble	倒下（2014, 2012）
twinkle	闪烁，发亮
twirl	旋转，急转（2014, 2012）
twist	扭转（2012）

U

unarm	解除武装（2013）
undergo	经历；忍受，遭受
underlie	位于……之下
undermine	逐渐削弱；暗中损害（2014, 2012）
underscore	强调；画线
undertake	承担；保证；从事；同意；试图
undulate	波动
unearth	挖掘（2014, 2012）
unleash	解开……的皮带；解除……的束缚；解放（2013）
unmask	脱去假面具；暴露出真相
unravel	解开（2013）
unwind	展开，松开（2013）
update	更新（2012）
uproot	根除（2014, 2012）
upset	颠覆；扰乱（2014）
urge	催促，力劝（2012）
usurp	篡夺；做霸占行为（2014）
utilize	利用（2012）
utter	发出，表达；发射

V

vaccinate	接种疫苗（2013）

vacillate	游移不定；踌躇，犹豫
vacuum	用吸尘器清扫
validate	使有效；确认
value	珍惜
vanish	消失，突然不见
variegate	使……多样化；使成杂色
vaunt	吹牛（2013）
veil	戴面纱；隐藏（2009）
vein	使成脉络；像脉络般分布于
vend	叫卖，出售（2014）
veneer	镶盖（胶合，砌面）
venerate	尊敬；崇拜
venom	放毒；使有毒
venture	冒险（2012）
verdict	判断；判决（2009）
verify	核实；查证（2012）
vex	恼怒（2014，2012）
vibrate	振动；摇摆（2012）
vie	竞争（2015，2009）
vilify	诽谤；中伤（2012）
vindicate	澄清；证明无辜（2012）
violate	违反（2012）
vitalize	赋予生命；激发；使有生气（2013）
vivify	使生机勃勃
vow	发誓（2012）

W

waddle	摇摆地走（2014，2012）
wag	摇摆（2012）
wager	打赌；担保，保证（2012）
wail	悲叹
waive	免除；放弃（2014，2012）
wander	游荡，闲逛（2013）
wane	变小；亏缺；呈下弦（2013，2012）
waver	摆动；犹豫
wax	月盈，月满（2012）
weary	厌烦；不耐烦
weave	编织；编排 [past participle: woven]（2012）
wed	结婚；嫁娶

weep	哭泣，流泪；渗出
wheel	滚动，转动（2012）
whet	刺激；磨快；促进
whine	哭诉；哀鸣（2014, 2012）
whip	鞭打（2012）
whisper	耳语；密谈（2014, 2012）
whop	猛打；痛击；征服；突然摔倒
wile	欺骗；消遣
wince	（表示痛苦的）轻微动作表现（2012）
withdraw	撤销；收回（2014, 2012）
wither	枯萎，凋谢（2013, 2012）
withhold	保留；扣留（2012）
worm	蠕行，缓慢地走（2012）
wound	伤害；上发条
wrap	覆盖；包裹
wreck	毁坏；遇难
wrestle	摔跤，格斗
wriggle	摆动，扭动
wrinkle	起皱（2012）
writhe	扭动，翻腾；受苦，苦恼（2014）
Y	
yawn	打呵欠；裂开
yearn	渴望；想念（2012）
yield	生产，带来；屈从，放弃（2012）

6 Chapter 同义类比选择中的形容词

A

abhorrent	可恶的 /distasteful
abject	不幸的，悲惨的；卑鄙的（2014, 2013, 2012）
abominable	令人讨厌的，令人不愉快的（2012）
abrasive	磨损的（2013）
abrupt	突然的 /sudden
abstemious	节制的
absurd	荒唐的，可笑的（2014, 2012）
abundant	丰富的；充裕的（2012）
abysmal	极深的（2013）
accidental	偶然的（2014, 2012）
accommodating	乐于助人的
accountable	负责任的（2012）
acid	酸的；讽刺的，刻薄的
acrid	苦味的；辛辣的；尖刻的（2012）
acrimonious	刻薄的；激烈的（2013）
acute	严重的，严峻的
adamant	坚硬的；坚定的（2012, 2009）
adaptable	适合的；能适应的（2012）
addled	（头脑）糊涂的；愚蠢的（2014, 2012）
adept	擅长的；巧妙的（2014, 2013）
adjacent	邻近的，毗邻的（2013）
admiring	赞赏的，羡慕的（2012）
adolescent	青少年的；青春期的
adroit	熟练的，机敏的；机巧的（2013, 2012）
aesthetic	美学的；审美的，有美感的
affable	友善的，和蔼的，平易近人的；（天气）宜人的（2014, 2012）
affluent	富裕的（2014, 2012）
aforementioned	上述的，前述的
aggressive	侵略的；有进取心的（2012）
aghast	惊骇的，吓呆的（2014, 2012）
agile	敏捷的，灵活的，轻快的（2012）
agitated	激动的；焦虑的（2014, 2012）
agrarian	有关土地的；耕地的

aimless	漫无目的的（2013, 2012）
airy	空气的；空中的；轻快的；通风的（2014, 2012）
akimbo	两手叉腰的
akin	血族的，同族的；性质相同的，类似的（2014, 2009）
alert	警觉的，警惕的，注意的；思维敏捷的；活泼的（2014, 2013, 2012）
alien	外国的；相异的；异己的；不相容的（2014, 2012）
algid	发冷的；寒冷的
alienated	疏远的；被隔开的
allergic	过敏的（2014, 2012）
aloof	冷淡的；疏远的；远离的（2014, 2012）
alternate	交替的；轮流的；间隔的（2012）
altruistic	利他主义的，无私的（2013）
ambiguous	含糊不清的；模棱两可的（2012）
ambitious	野心勃勃的（2013, 2012）
ambulatory	走动的；流动的（2014, 2012）
amenable	应服从的；会接纳的（2014, 2012）
amiable	和蔼可亲的（2012）
amicable	和蔼的，友好的（2009）
amoral	不道德的（2012）
amorous	多情的
amorphous	无定形的；非晶形的（2014, 2013, 2012）
ample	充足的（2013, 2012, 2009）
amusing	逗趣的（2014）
analogous	相似的，可比拟的（2009）
ancient	古老的，古代的（2012）
androgynous	雌雄同体的（2014）
anesthetic	麻醉的，无知觉的（2012）
angelic	天使的，天使般的（2012）
annoying	使人气愤的（2013）
anomalous	反常的（2013）
antagonistic	对抗性的，对立的（2013, 2012）
antediluvian	大洪水前的；上古的，古风的（2012）
anterior	前面的，在前的
anthropomorphic	人形的
antiseptic	杀菌的，防腐的（2012）
anxious	忧虑的（2014）
apathetic	冷漠的（2013）
apocryphal	伪的，不足为信的

apparitional	幽灵般的
apprehensive	忧虑的；有理解力的（2012）
apt	有……倾向的，易于……的（2012, 2009）
aquatic	水生的；水中的（2012）
arable	可耕的，适合种植的
archaic	古老的（2012, 2009）
ardent	热心的，热情的（2013）
arduous	费劲的；辛勤的（2013）
arid	干旱的；贫瘠的（2013, 2012, 2009）
arranged	安排好的（2014）
arrogant	傲慢的，自大的（2014, 2013, 2012）
articulate	发音清晰的（2014）
artificial	人造的，人工的，虚假的（2014, 2012）
ashen	灰色的；苍白的
assailable	可攻击的，有弱点的（2014, 2012）
assiduous	勤勉的（2013）
astute	机敏的；狡猾的（2014, 2013）
athletic	运动的（2014, 2012）
atrocious	残暴的；邪恶的
attentive	留意的（2013）
attractive	有吸引力的（2014, 2012）
audacious	大胆的，无礼的
audible	可听见的，听得见的（2012）
auditory	听觉的（2014, 2013, 2012）
auspicious	有前途的；有希望的；吉利的（2012, 2009）
austere	严峻的；简朴的（2014, 2012）
authentic	可靠的，可信的；真正的，正宗的（2012）
authoritarian	独裁的，独裁主义的
authoritative	权威性的（2014, 2013, 2012）
avaricious	贪婪的（2013）
averse	厌恶的；反对的
avid	渴望的（2013）
avuncular	伯父的，伯父似的
awkward	笨拙的；令人尴尬的（2012）

B

baffling	让人迷惑的（2013）
baked	烘焙的（2014）
baleful	有害的；恶意的（2013）

balmy	温和的（2013）
banal	陈腐的（2013）
barren	贫瘠的（2013）
bashful	害羞的（2013）
bellicose	好战的（2013, 2012）
believable	可信的（2012）
belligerent	好战的（2014, 2013, 2012）
beneficial	有益的，有利的（2015, 2009）
benevolent	慈善的（2013, 2012）
benighted	赶路到天黑的，陷入黑夜的；愚昧的
benign	良性的；有利的
bent	弯曲的（2014）
bewildered	困惑的
biased	有偏见的（2012）
bizarre	怪诞的，异乎寻常的（2012）
bland	苍白的；平淡无奇的（2014, 2013）
blasphemous	不敬神的，亵渎神明的
blatant	公然的；明目张胆的；露骨的（2014, 2013, 2012）
bleak	阴郁的；荒凉的（2014）
blithe	快乐的；无忧无虑的（2012）
bloated	发胀的，浮肿的；傲慢的（2014, 2012）
blooming	盛开的；妙龄的（2012）
blubber	肿大的
boisterous	喧闹的（2014, 2012）
bold	明显的，醒目的；勇敢的，无畏的；莽撞的；陡峭的 [n. 黑体字，粗体字]（2014）
boon	愉快的
bound	受约束的；有义务的
boundless	无限的（2013）
bounteous	慷慨的，大方的；宽裕的
bountiful	充足的，丰富的；慷慨的，大方的
bovine	牛的；迟钝的
brash	傲慢的；轻率的；易碎的（2014）
brazen	无耻的；黄铜制的（2012）
brief	简短的，简明的
brittle	易碎的（2013）
brumal	冬天的；荒凉的
brusque	鲁莽的，唐突的
brutal	残忍的（2014, 2012）

buoyant	浮起的，有浮力的（2013）

C

callous	起老茧的；硬结的；麻木的，无情的
candid	公正的；坦白的；率直的（2012, 2009）
cantankerous	脾气坏的，好争吵的（2014, 2012）
capable	有能力的，能干的（2012）
cardinal	主要的；深红色的（2012）
casual	偶然的；满不在乎的（2012）
cataclysmic	灾难的（2013）
catastrophic	灾难的；惨重的（2014）
caustic	腐蚀性的；刻薄的（2012）
cautious	小心谨慎的（2014, 2012）
chapped	裂开的，有裂痕的（2012）
charming	有魅力的（2012）
cheerless	惨淡的，无精打采的（2014, 2012）
childish	孩子气的（2014, 2012）
chilly	可爱的（2013）
choleric	易怒的
chronic	慢性的；长期的（2014, 2012）
circumspect	小心谨慎的
clandestine	秘密的（2014）
clumsy	手脚笨拙的（2013）
coarse	粗糙的（2014, 2013）
cogent	有说服力的（2013, 2012）
coherent	（思想、言辞）前后连贯的（2013）
collateral	担保的（2013）
collegial	大学的；大学生的；大学组织的（2014, 2012）
colloquial	白话的；口语的
colorful	富有色彩的；有趣的（2012）
colossal	巨大的（2014, 2013, 2012）
comatose	昏睡（状态）的
combustible	可燃的（2013）
comic	滑稽的；喜剧的（2013）
comical	滑稽的，好笑的（2012）
commodious	宽敞的；方便的
compact	紧凑的，紧密的（2012）
comparable	可比较的；比得上的（2009）
compatible	兼容的（2013）

competent	有能力的，能胜任的（2014, 2012）
complacent	自满的，沾沾自喜的（2009）
complaisant	恭敬的；恳切的；殷勤的；默认的（2013）
compliant	顺从的（2013）
complimentary	赞美的，恭维的（2014）
compound	混合的
concerned	有关的；担心的；关心的（2014）
conceited	自大的，自负的（2012）
conciliatory	安抚的；调和的（2013）
concise	简短的，简明的（2014, 2013, 2012, 2009）
condescending	高傲的，傲慢的；故作屈尊的，要人领情的（2013, 2012）
confident	自信的（2014, 2012）
confidential	秘密的，机密的（2014）
conformist	因循守旧的（2013）
confused	混乱的；迷惑的（2014）
congenial	同性质的；趣味相投的；适意的（2014, 2013, 2012）
congenital	先天的，天生的
congested	拥挤的，堵塞的，不畅通的（2012）
congruent	一致的，适合的（2009）
consistent	一致的（2009）
conspicuous	显著的，显而易见的（2014, 2013, 2012）
contagious	有传染性的，传染病的；有感染力的；会蔓延的（2013, 2012）
contemporary	当代的，现代的；同时代的，同属一个时期的（2014, 2012）
contemptuous	蔑视的（2013）
contentious	好争吵的，有争议的（2013）
contiguous	邻近的，接近的
contingent	偶然的；可能的
continuous	连续的（2012）
contrite	悔悟的，悔罪的（2013）
controversial	有争论的（2014）
conventional	传统的；习用的，平常的；依照惯例的；约定的（2014）
converse	相反的，逆向的（2012）
convivial	酒宴的，欢宴的；欢乐的
convoluted	旋绕的；复杂的，费解的（2012）
cooperative	合作的，协作的，共同的（2013, 2012）
copious	丰富的（2013, 2012）
cordial	热忱的，诚恳的；兴奋的（2013）
correlated	相关的（2009）

corresponding	相关的（2009）
corrosive	腐蚀的（2013）
corporate	共同的；社团的；法人的
corporal	人体的（2012）
corporeal	肉体的；有形的；物质的（2013）
corpulent	肥胖的（2014）
costly	昂贵的（2013）
counterfeit	伪造的，假冒的（2012）
courageous	有胆量的，勇敢的
covert	隐蔽的；偷偷摸摸的，隐秘的
covetous	贪婪的；贪求的，渴望的
coward	胆小的（2013）
crafty	狡猾的，诡计多端的（2013, 2012）
craggy	多峭壁的，棱角分明的（2014, 2012）
cramped	行动受限的，拥挤的（2012）
crass	粗鲁的，愚钝的；温厚的（2014, 2012）
credible	可信的（2014, 2012, 2009）
credulous	轻信的；易受骗的（2014, 2013, 2012）
critical	关键的；批判性的（2012）
crude	粗糙的；粗鲁的；天然的，未加工的；简陋的（2014, 2012）
crummy	肮脏的；破旧的；很差的，低劣的
culinary	厨房的，烹饪的；烹调用的（2012）
culpable	应受谴责的，应受处罚的；有罪的（2014, 2012）
cunning	狡猾的（2012）
curious	好奇的（2013）
cosmopolitan	全世界的（2013）
cumbersome	笨重的（2013）
customary	习惯的，惯例的

D

damp	潮湿的；沉闷的（2012）
daring	胆大的，勇敢的（2014）
dazzling	吸引人的；耀眼的（2012）
deadly	致命的（2012）
deafening	震耳欲聋的（2013）
debilitated	操劳过度的，疲惫不堪的（2009）
decimal	小数的；十进位的
decrepit	破旧的；衰老的（2012）
defiant	反抗的（2013, 2012）

deficient	不足的，缺乏的 /lacking（2014）
defunct	死的；非现存的；无效的
dehydrated	脱水的（2013）
dejected	沮丧的，灰心的（2012）
delectable	美味的，好闻的（2012）
deleterious	有毒的，有害的（2013）
deliberate	故意的；深思熟虑的（2013）
delicate	纤细的；精致的（2014, 2012）
delinquent	失职的；违法的（2012）
democratic	民主的（2012）
demolishing	毁坏的（2013）
dense	密集的（2014）
depleted	竭尽的（2013）
depressed	沮丧的（2014）
derelict	玩忽职守的
derogatory	贬义的；诽谤的（2012）
desirable	想要的（2014）
desolate	荒芜的（2012）
desperate	绝望的；孤注一掷的（2014, 2013, 2012）
despondent	丧气的，沮丧的（2014, 2012）
destitute	穷困的；缺乏的（2013, 2012）
detailed	详细的（2012）
detrimental	有害的，不利的（2012）
devastating	破坏性的（2013）
devious	迂回的（2013）
devout	虔诚的（2014, 2012）
dexter	右侧的；幸运的
dexterous	灵巧的，敏捷的（2013）
diaphanous	透明的
didactic	教诲的；说教的（2013）
diffuse	啰唆的；四散的，散开的（2012）
digestive	消化的（2013）
dilapidated	毁坏的；荒废的（2013, 2009）
dilatory	缓慢的，拖拉的
diligent	勤勉的，勤奋的（2012）
dim	昏暗的；看不清的；（性质和特征上）不显著的（2015, 2012）
diminutive	极小的（2013）
dingy	昏暗的；肮脏的

diplomatic	外交的；老练的，圆滑的（2009）
directed	有指导的；有管理的；定向的；被控制的（2013, 2012）
disadvantaged	劣势的（2012）
disastrous	灾难性的，造成灾难的（2012）
discerning	有辨别力的，有识别力的（2013）
discordant	不一致的，不和谐的（2013）
discreet	谨慎的，慎重的；考虑周到的（2014）
discursive	散漫的；无层次的（2014, 2012）
disingenuous	不诚实的；狡猾的（2013）
dismal	阴沉的；凄凉的（2013, 2012）
disobedient	不遵守的，不服从的（2012）
disparaging	毁谤的（2013）
disposed	愿意的，有倾向性的
disruptive	分裂的；捣乱的；破坏性的（2012）
dissimilar	不同的
dissolved	溶解的（2014）
distasteful	使人不愉快的；讨厌的；不合口味的；表示厌恶的（2014）
distinct	独特的（2014, 2012）
distinguished	卓越的；尊敬的（2012）
distrustful	可疑的，怀疑的，不信任的
diverse	不同的，相异的；多种多样的
docile	温驯的，听话的（2013, 2012）
dogged	顽强的；固执的（2014, 2012）
doleful	令人沮丧的；悲哀的；沉闷的，阴郁的（2015, 2013）
domesticated	驯养的（2013）
doomed	命中注定的（2013）
dormant	静止的；睡眠状态的（2014, 2013, 2012）
doubtful	可疑的，怀疑的（2012）
downtrodden	受压迫的；被践踏的（2012）
drab	单调的，乏味的（2012）
drastic	激烈的；猛烈的
dreary	沉闷的，阴郁的（2012）
drooping	无力的；下垂的（2012）
drowsy	昏睡的；催眠的（2012）
dubious	怀疑的，可疑的（2014, 2013, 2012, 2009）
dull	迟钝的，呆滞的；阴暗的（2012）
durable	耐用的（2009）
dutiful	忠实的；顺从的；守本分的

dyed	染色的（2012）
E	
earnest	认真的，郑重其事的（2012）
ebullient	沸腾的；热情洋溢的
eccentric	古怪的，反常的（2013）
ecstatic	狂喜的（2014）
ecumenical	全世界的（2013）
edible	可食用的（2014, 2013, 2012, 2009）
egotistical	自我主义的；傲慢自尊的
elaborate	详细的；精心制作的（2014, 2012）
elastic	有弹性的
eligible	有权利的；合格的（2013）
elongated	延长的（2014, 2012）
eloquent	雄辩的（2013）
elusive	难懂的；易忘的；难以捉摸的（2012）
emaciated	瘦弱的，衰弱的（2013）
embarrassed	尴尬的（2013）
embryonic	胚胎的，像胚胎的
eminent	著名的，卓越的
empirical	经验主义的
energetic	精力充沛的（2012）
enigmatic	谜一般的；莫名其妙的（2014, 2012）
enraged	暴怒的（2014）
equable	平静的；稳定的
equanimous	安静的，镇定的
equitable	公平的，公正的
equivalent	相等的，相当的（2009）
erratic	不稳定的；奇怪的；反复无常的（2014, 2013, 2012）
erroneous	错误的，不正确的（2012）
erudite	博学的
essential	必要的；精华的（2014, 2012）
esteemed	受尊敬的
ethereal	轻的；像空气的；天上的（2012）
evasive	逃避的；托词的
exacting	严格的；费劲的（2015）
exalted	高贵的；夸张的；得意的（2013, 2009）
exasperating	令人恼怒的（2013）
excessive	过度的；过分的（2012）

excruciating	极度痛苦的（2009）
exemplary	可效仿的，可做模范的
exhausted	精疲力竭的（2014）
exhilarated	兴奋的（2013）
exhilarating	令人喜欢的，叫人愉快的
exhaustive	无遗漏的，彻底的，详尽的
exigent	紧急的，迫切的
exorbitant	过高的
exotic	异国的；外来的
explicit	明确的，详述的，明晰的；外在的（2014, 2012）
explosive	爆炸的
exquisite	精美的；剧烈的（2014, 2013）
external	外部的（2012）
extraneous	外来的；无关的（2012）
extravagant	过度的，过分的；奢侈的，浪费的（2014）
extrinsic	外在的，外表的
extroverted	（性格）外向的（2014）
exuberant	繁茂的；丰富的（2014, 2012）
F	
fabulous	极好的（2012）
facile	容易的；灵巧的（2012）
factious	好捣乱的；好搞派系的
fake	伪造的（2014）
faint	模糊的；微弱的（2013）
faithful	忠实的（2012）
fallacious	使人误解的；谬误的；不合理的（2013）
fallible	易犯错误的（2013）
fallow	犁过而未播种的，休闲的，（指耕地）未经耕作的（2012）
famished	挨饿的（2012）
fanatic	狂热的；盲信的（2013）
fancy	构思奇特的；高档的；别致的（2014）
fantastic	极好的（2012）
fastidious	挑剔的；苛求的；（微生物等）需要复杂营养的（2015, 2014）
fatal	致命的（2014, 2012）
fatuous	愚昧的；发呆的；自满的
favorable	有利的，顺利的（2012）
feasible	可行的；可能的 /possible（2013, 2009）
fecund	多产的；丰饶的；肥沃的

federal	联邦的
feeble	虚弱的，无力的（2014, 2013, 2012）
feisty	易怒的；活跃的
felicitous	巧妙的；极为适当的；幸福的
feral	野生的；凶猛的
ferocious	残忍的；惊人的（2013）
fertile	肥沃的；可以繁殖的
fervent	炎热的；热心的（2013）
fetid	（恶）臭的（2012）
fey	决定要死的；发疯的；能预知未来的
fickle	变幻无常的；浮躁的（2014, 2012）
fictitious	假想的；编造的；虚伪的
fiery	炽热的；热烈的（2012）
figurative	比喻的；形容多的，修饰丰富的
filthy	肮脏的，下流的
finicky	苛求的（2012）
flaccid	软弱的；没气力的
flagrant	不能容忍的；臭名昭著的
flamboyant	艳丽的；浮华的；炫耀的（2013）
flammable	易燃的（2013）
flashy	华而不实的（2014, 2012）
flattering	奉承的（2013）
fleet	敏捷的（2013）
flexible	柔韧的；灵活的（2012）
flip	无礼的；轻率的
flippant	无礼的；轻率的
floating	漂浮的（2012）
foamy	泡沫的；起泡沫的；全是泡沫的
folded	折叠的（2014）
foolhardy	鲁莽的，有勇无谋的（2013）
forceful	强有力的（2012）
forensic	法院的
forgiving	宽大的（2014）
forlorn	孤独的；悲惨的；凄凉的
formidable	强大的；可怕的；艰难的（2014, 2012）
forthcoming	即将到来的（2014, 2012）
fortuitous	偶然的，意外的（2013）
fortunate	幸运的（2014, 2012）

fractious	易怒的，脾气不好的（2012）
fragile	易碎的；脆弱的；虚弱的（2014, 2013, 2012）
fragrant	芳香的；愉快的（2014, 2012）
frail	脆弱的；虚弱的（2014, 2013）
frantic	疯狂的，狂乱的（2014）
fraternal	兄弟般的；友好的
fraudulent	欺诈的，不公的，不诚实的
fraught	充满的
freaky	畸形的；捉摸不定的
frenetic	发狂的，狂热的
frenzied	疯狂的；激怒的
frisky	欢快的，活泼的（2012）
frivolous	不严肃的（2012）
frothy	泡沫的；空洞的
frozen	冷酷的（2014）
frugal	节俭的，节约的（2013, 2012）
fruitful	果实结的多的；多产的；富有成效的（2013, 2012）
furious	狂怒的，暴怒的；激烈的；热烈兴奋的；喧闹的（2014, 2012）
furtive	偷偷的，秘密的（2013）
futile	无效的，无用的；琐碎的（2014, 2012, 2009）
G	
gallant	殷勤的（2013, 2012）
garrulous	饶舌的，多嘴的（2013, 2009）
gaseous	气体的（2013）
gaunt	憔悴的；荒凉的（2014）
gawky	笨拙的，鲁钝的
generous	慷慨的，大方的（2014, 2012）
genteel	文雅的，有教养的（2014, 2012）
genuine	真正的；坦率的，真诚的（2014, 2012）
geometric	几何学的（2013）
ghastly	可怕的；惊人的；惨白的（2012）
gigantic	巨大的，庞大的（2012）
gleeful	欣喜的，高兴的，令人愉快的（2014）
glaring	耀眼的（2013）
glib	能说会道的（2013, 2012）
glittering	闪闪发光的（2013）
gloomy	悲观的；阴暗的；愁闷的（2014, 2013, 2012, 2009）
glorious	荣誉的，光荣的；辉煌的，壮丽的；愉快的，令人愉快的（2012）

gnarled	粗糙的；饱经风霜的（2012）
gracious	有礼貌的；和蔼亲切的（2012）
grandiose	宏伟的，宏大的，堂皇的
grasping	贪心的，贪婪的（2012）
grateful	感恩的（2014，2012）
gratis	免费的
gratuitous	免费的；无缘无故的
grave	严重的，重大的；严厉的，严肃的（2012）
greedy	渴望的；贪婪的（2013，2012）
gregarious	群居的 /sociable（2014，2013，2012）
grim	冷酷的，残忍的；严厉的；阴冷的；可怕的，讨厌的（2014，2012）
grimy	肮脏的，污秽的
grizzly	灰白的（2012）
grotesque	奇怪的；可笑的
grouchy	不高兴的，不满的；不平的
gruesome	可怕的；阴森的
grumpy	性情乖戾的；脾气暴躁的（2012）
guileless	不狡诈的（2013）
gullible	易受骗的 /easily deceived（2014，2012）
gusty	刮着阵风的（2012）
gutless	无胆量的；没勇气的；毫无生气的
gymnastic	体育的，体操的（2015）

H

habitual	日常的；习惯的（2014，2012）
hackneyed	陈腐的；平庸的
haggard	憔悴的
haphazard	随意的（2013）
hapless	倒霉的，不幸的（2012）
harassed	令人烦恼的（2013）
harrowing	悲痛的，难受的
harsh	严酷的；粗糙的（2014，2013，2012）
haughty	傲慢的，专横的（2014，2012，2009）
hazardous	冒险的；有危险的（2013）
hazy	雾蒙蒙的；不明确的（2012）
headstrong	倔强的（2014，2012）
heat-torrid	炙热的（2009）
heinous	可憎的；十恶不赦的（2012）
herbivorous	食草的（2012）

heterogeneous	异质的（2012）
hilarious	滑稽的；欢闹的（2012）
histrionic	演员的；戏剧的
hoarse	嘶哑的（2014）
hoary	灰白的；古老的
homicidal	杀人的，行凶的；有杀人嗜好的
homogeneous	同质的；均衡的
horrid	可怕的，极可厌的，毛骨悚然的
hostile	敌对的，怀有敌意的（2013）
humane	仁慈的，人道的（2013）
humble	谦恭的（2014, 2013, 2012）
humid	潮湿的，湿润的（2012）
humongous	极大的（2012）
humorous	幽默的（2014）
hygienic	卫生的；卫生学的（2012）
hyperactive	极度活跃的，多动的（2012）
hypochondriac	忧郁症的
hysterical	歇斯底里的（2014, 2012）

I

ideal	理想的（2013）
identical	相同的，同等的（2012, 2009）
idle	无目的的，无聊的（2013, 2012）
idolatrous	偶像崇拜的（2014, 2013）
igneous	火的；[地质]火成的（2012）
ignoble	卑贱的；卑鄙的；没有名誉的
ill-tempered	脾气坏的（2014）
illegal	非法的（2014）
illegible	难以辨认的（2014, 2012）
illicit	非法的，不正当的，禁止的（2013）
illiterate	文盲的（2013）
illusionary	错觉的；幻影的（2009）
illusory	虚幻的（2009）
illustrious	著名的
imaginary	想象中的；假想的，虚构的（2012）
immaculate	洁白的；无瑕疵的（2013, 2012）
immature	不成熟的，未完全发展的（2014, 2012）
immense	巨大的
imminent	逼近的，即将发生的（2014, 2012, 2009）

immoral	不道德的（2013）
immortal	名垂千古的，不朽的（2014, 2012）
immune	免疫的（2012）
immutable	不变的
impartial	公平的，不偏不倚的（2013）
impassioned	感激的；狂热的；热烈的
impeccable	没缺点的，无瑕疵的（2012）
impecunious	没有钱的，身无分文的，贫穷的
impending	即将发生的，迫在眉睫的；悬挂的（2014, 2013, 2012, 2009）
impenetrable	无法进入的；费解的（2014, 2012）
imperative	命令式的，强制的（2013）
imperceptible	不能感知的，不知不觉的；细微的
imperial	帝国的
imperious	傲慢的，专横的（2012）
impermanent	暂时的，非永久的
impervious	不能渗透的；不为所动的
impious	不敬的；不孝的（2013）
implicated	纠缠的（2014）
implicit	暗示的；盲从的（2013）
imposing	壮丽的（2012）
impoverished	贫穷的（2013）
impressive	印象深刻的（2014）
imprudent	轻率的，鲁莽的；不小心的（2013, 2012, 2009）
impudent	鲁莽的；卑鄙的
impulsive	冲动的（2012）
impure	不纯的；肮脏的（2013）
inadvertent	不注意的；疏忽的
inalienable	不能转让的；不可分割的（2012）
inane	空虚的；愚蠢的；空洞的（2014, 2012）
inanimate	无生命的；没有活力的（2013, 2012）
inarticulate	不能说话的；含糊其辞的（2012）
inaudible	听不见的（2013）
inauspicious	不祥的（2014, 2012）
incendiary	引火的，纵火的；煽动的（2009）
incentive	刺激的；鼓励的
incessant	不断的，无尽的（2013, 2012）
incident	难免的
incidental	附带的；偶然的；容易发生的

incipient	初期的（2013）
incisive	敏锐的，机敏的
inclement	（天气）严酷的
incoherent	不连贯的；语无伦次的
incompatible	矛盾的；不相容的
incompetent	无能（力）的；不适当的
incomprehensive	无法理解的；范围不广的（2012）
inconclusive	非决定性的；不确定的（2012）
inconsistent	不一致的；前后矛盾的（2012）
incorrigible	无法矫正的；无可救药的（2014）
incredible	难以置信的；极好的，极大的（2012）
incredulous	怀疑的，不轻信的（2014, 2012）
incremental	增量的，增加的（2012）
incumbent	依靠的；负有义务的
indecent	不合适的（2012）
indefatigable	不倦的，不屈不挠的；不眠不休的（2014, 2012）
indefinable	难以定义的；不确定的（2014）
indelible	不能消除的，不能拭除的；难以忘怀的
indigenous	本土的；国产的；固有的；土著的
indignant	愤慨的，愤愤不平的
indigenous	土生土长的；生来的（2014, 2013）
indisposed	不愿意的；身体不适的
indistinct	不清楚的，模糊的
indistinguishable	难以区分的（2012）
indolent	懒惰的
indulgent	纵容的；任性的
inedible	不能吃的，不适于食用的（2012）
inept	不称职的（2013）
inert	惰性的；迟钝的
inevitable	不可避免的（2012）
inexhaustible	取之不尽的，用之不竭的（2013, 2012）
inexpensive	便宜的
inextricable	无法摆脱的，纠缠的
infamous	臭名昭著的，声名狼藉的（2012）
infatuated	昏头昏脑的；入迷的
infectious	传染的；有感染力的（2013, 2012）
inferior	次的，较差的；低等的，下级的（2012）
infinitesimal	极小的（2013）

inflammable	易燃的（2013, 2009）
inflated	膨胀的；夸张的（2012）
informative	提供信息的；增进知识的，有益的；见闻广博的（2013, 2012）
informed	见多识广的（2013, 2012）
infuriate	狂怒的
ingenious	机灵的；有独创性的（2013, 2012）
ingenuous	坦白的；正直的；天真的
inherent	内在的；固有的；与生俱来的
inhumane	无人情味的；残忍的（2012）
inimical	敌意的，不友善的
innate	先天的，固有的（2012）
innocent	无罪的；无知的；无辜的（2012）
innocuous	无害的；平淡无味的（2014, 2012）
innovative	革新的，创新的
inopportune	不合时宜的，不适当的（2012）
insane	疯狂的；精神失常的
insatiable	不知足的，贪心的（2013）
inscrutable	难以理解的（2012）
insipid	乏味的，无聊的（2013, 2012）
insolent	粗野的；无礼的（2013）
insoluble	不可溶解的（2013）
insufficient	不足的（2013）
insulting	侮辱的（2013）
insurgent	叛乱的；起义的（2014）
intangible	难以明了的；无形的（2012）
integral	完整的
integrate	真诚的
intelligent	理解力强的；聪颖的（2014, 2012, 2011）
intense	强烈的（2014, 2012）
intentional	故意的（2013）
interim	暂时的，临时的；期中的
internal	内部的（2012）
intimate	亲密的（2013）
intolerant	不能容忍的
intrepid	无畏的；刚毅的
intrinsic	固有的；内在的
intrusive	打搅的；侵扰的
intuitive	直觉的，凭直觉的，基于直觉的

invalid	无效的（2014）
invaluable	无价的（2009）
invective	非难的，恶言的
inverse	相反的，颠倒的；（数学）倒数的
invert	转化的
invigorated	有活力的（2013）
invincible	不可征服的，难以制服的
invisible	看不见的
involuntary	非自愿的，非出于本意的（2012）
invulnerable	无懈可击的（2012）
irascible	易怒的，暴躁的（2013）
irate	发怒的，生气的（2014, 2013）
iridescent	彩虹色的（2013）
irksome	令人烦恼的（2013）
ironic	讽刺的（2012）
irreparable	不能修补的（2014）
irreproachable	无缺点的，无过失的
irreverent	无礼的，不敬的
irrevocable	不能取消的；不能变更的
irritable	易怒的；急躁的（2013）
irritated	恼怒的（2014）
irritating	刺激的，兴奋的；发怒的（2014, 2013）
isolated	与世隔离的；偏僻的（2013）
J	
jaded	疲倦的
jocular	好笑的，滑稽的
jovial	快乐的；好交际的；善良快活的（2014, 2012）
jubilant	扬声欢呼的；喜洋洋的
judicious	机智的；精明的；判断正确的（2014, 2012）
judicial	法庭的；公正的
juicy	多汁的（2013）
juvenile	青少年的
K	
keen	锋利的（2014, 2012）
kindred	同族的；同类的；血缘的
kinetic	运动的；活跃的；能动的；有力的（2014）
knotty	（尤指木材）多结节的；多节瘤的；困难的；棘手的（2014, 2012）

L

labyrinthine	复杂的；如迷宫般的
lachrymose	好流泪的
laden	充满的；负载的
languid	疲倦的；无力的（2013, 2009）
latent	潜伏的；潜在的
laudable	值得称赞的
laudatory	赞美的，赞赏的（2013）
lavish	大方的；丰富的；奢侈浪费的（2014, 2012, 2009）
lax	松弛的；松懈的（2013, 2012）
leery	机敏的；狡猾的
legal	法律（上）的；合法的；法定的（2014, 2013, 2012）
legitimate	合法的；合理的（2013）
lenient	仁慈的；宽大的（2014, 2013, 2012）
lethal	致命的，致死的（2014, 2012）
lethargic	迟钝的；无精打采的，昏睡的（2013, 2012, 2009）
lewd	粗俗的；淫荡的
liberal	开明的；自由的；慷慨的；不拘泥的（2014, 2013）
licentious	放肆的
limber	柔软的；敏捷的（2014, 2012）
limpid	清澈的；静止的
linear	线的（2013）
literal	照字面意思的；真实的（2013）
literary	文学的（2014, 2012）
lithe	柔软的；易弯的
livid	铅色的；生气的（2013）
loath	不愿意的；不喜欢的（2013, 2012）
loathsome	讨厌的，可恶的；令人呕吐的
locomotive	运动的（2014）
lucid	清楚的，明晰易懂的（2012）
lucrative	获利的（2013）
ludicrous	荒谬的（2013）
lugubrious	悲哀的（尤指装出来的）（2012）
lustful	好色的（2012）
lustrous	有光泽的（2013）
lopsided	不平衡的，倾向一方的
loquacious	多嘴的，饶舌的（2013）
lucent	透明的，光亮的

lucid	清晰的；明白易懂的
lugubrious	悲哀的；阴郁的；令人伤心的；令人灰心的（2014）
luminous	发光的，发亮的（2013）
lump	成团的
lunar	月的；阴历的（2014, 2012）
lurid	可怕的，骇人听闻的（2012）
luscious	甘美的，芬芳的；性感的（2012）
lyrical	欢欣的；充满愉悦的（2012）

M

magnanimous	宽宏大量的
magnetic	有磁性的；有吸引力的（2013）
magnificent	壮丽的，宏伟的；华丽的；极好的
maladroit	笨拙的（2012）
malcontent	不满的，抱不平的（2014）
malevolent	恶毒的，有恶意的
malicious	恶意的；蓄意的；存心不良的（2014, 2013, 2012）
malign	有害的；恶性的，有恶意的
malignant	恶意的（2012）
malleable	可塑的，易改变的（2013, 2012）
malodorous	臭味的（2013, 2012）
mammalian	哺乳动物的
mammoth	巨大的（2013）
mandatory	命令的，强制性的
marine	海的；航海的（2012）
marvelous	奇迹般的，惊人的（2013）
massive	巨大的（2012）
maternal	母亲的；母系的；母方的
maudlin	容易流泪的；感伤的
meager	贫乏的，不足的；瘦的（2014, 2013, 2012）
meddlesome	好干预的；爱管闲事的（2014, 2012）
median	中央的，当中的（2012）
mediate	居间的；间接的
mediocre	平庸的，普通的（2013）
meek	温顺的；谦恭的（2014, 2013, 2012, 2009）
melancholy	阴郁的；愁思的（2013）
melodious	悦耳的（2013, 2012）
melodramatic	戏剧似的；夸张的
mendacious	不真实的；撒谎的

mendicant	行乞的
mercurial	善变的
metric	公制的；米制的（2012）
meritorious	有功绩的；有价值的；可称赞的
mesmerizing	有吸引力的，有魅力的（2014，2013）
messy	混乱的（2012）
meticulous	一丝不苟的，精细的（2015，2012，2009）
mindful	留心的（2014）
miniscule	小字体的；草写小字的
minuscule	非常小的（2013）
minute	微小的，极小的；片刻的
miscellaneous	鱼龙混杂的；各种各样的；多才多艺的
miserable	悲惨的；痛苦的
miserly	吝啬的（2014，2012）
misshapen	畸形的；丑恶的，怪异的
mnemonic	助记的；记忆的（2012）
monotonous	单调的（2012）
morbid	病态的，不正常的
morose	阴郁的；孤僻的（2014，2012）
mortal	致命的（2013，2012）
mournful	悲哀的（2013）
muddled	混乱的；糊涂的（2013）
multifaceted	多层面的
mundane	现世的，世俗的；宇宙的（2012）
munificent	慷慨的，大方的
murky	黑暗的；朦胧的（2014，2012）
musty	发霉的（2014，2012）
mutable	不定的，可变化的
myopic	近视的
myriad	无数的
mysterious	神秘的；可疑的（2014，2012，2011）
mythical	神秘的；神话的（2012）
N	
naive	天真的（2013，2012）
narcissistic	自恋的（2013）
nasty	肮脏的（2014，2012）
natal	出生的；出生时具有的，先天的（2015，2013，2012）
nauseous	令人作呕的

nebulous	星云的；朦胧的，模糊的（2013）
needy	贫穷的；贫困的（2012）
nefarious	违法的；邪恶的
negligent	疏忽的；粗心大意的（2013, 2012）
neutral	中立的（2013, 2012）
nimble	敏捷的，伶俐的；精明的（2013, 2012）
nocturnal	夜的，夜间的（2013）
noisome	恶臭的；令人不快的（2014, 2012）
nondescript	莫可名状的；难以区别的；没有特征的
nonpartisan	无党无派的，超乎党派的（2013, 2012）
nonporous	无孔的（2013）
nostalgic	思乡的；怀旧的
nosy	好管闲事的；包打听的；有香味（或臭味）的；大鼻子的（2014）
noticeable	显而易见的（2013）
notorious	臭名昭著的，声名狼藉的（2012）
noxious	有毒的；有害的（2014, 2013）
nude	裸露的（2013）
null	无效的；无价值的（2014）
nutritious	有营养的；多滋养的（2012）
O	
obdurate	固执的，顽固的（2013, 2012）
obedient	顺从的，服从的（2014, 2013, 2012）
obese	肥胖的（2012）
objective	客观的（2012, 2009）
obligatory	强制性的；义不容辞的（2012）
obliging	乐于助人的（2013）
oblique	间接的；倾斜的；不坦率的（2013）
oblivious	遗忘的（2013）
obnoxious	不愉快的，讨厌的
obscure	微暗的；难解的（2013, 2012）
obsequious	谄媚的；奉承的；顺从的
observable	看得见的（2014, 2012）
observant	善于观察的，观察力敏锐的；严守教规的（2014, 2012）
obsessed	着迷的；一门心思的；（思想）无法摆脱的（2014）
obsessive	强迫性的；分神的
obsolete	过时的；已废弃的（2013, 2012）
obstinate	固执的，倔强的
obstreperous	吵闹的，喧嚣的，乱闹的（2013）

obtuse	钝的，不尖的；圆头的
occult	超自然的（2013）
odd	古怪的（2013，2012）
odious	可憎的，讨厌的（2014，2012）
odorless	没有气味的（2014）
odorous	有气味的；芬芳的（2012）
offensive	无礼的，唐突的；讨厌的；进攻（性）的，攻击的（2014，2012）
officious	多管闲事的；非官方的
oiled	加过油的（2009）
olfactory	嗅觉的（2014，2012）
ominous	预兆的；不祥的（2015，2013，2012，2009）
omnipotent	全能的，无所不能的
omnivorous	杂食的（2013）
opaque	不透明的；难懂的（2013）
opinionative	固执己见的（2012，2009）
opinionated	固执己见的（2012，2009）
opulent	富裕的，富足的
original	最初的（2014）
ornamental	装饰的（2013）
ornate	装饰华丽的；（文体）绚丽的；矫揉造作的（2014，2012）
ostentatious	装饰华美的；炫耀的，卖弄的（2014，2013，2012）
outraged	出离愤怒的（2012）
outrageous	暴怒的；无礼的
overt	明显的；公然的；公开的（2009）
overcast	阴天的，多云的（2012）
overwhelming	势不可挡的；压倒性的（2013）

P	
pacifist	非战主义的
palatable	美味的；愉快的（2013，2009）
pale	苍白的；淡的（2013，2012）
pallid	苍白的，暗淡的（2009）
palatable	美味的（2013）
palpable	明显的；可触知的
paltry	微小的；不重要的；无价值的；可鄙的（2014，2013，2012）
paragon	完美的
parallel	平行的；类似的（2009）
paramount	极为重要的；至高无上的（2013）
paranoid	多疑的（2013）

parochial	教区的；地方性的；狭小的
partial	有偏见的（2012）
partisan	效忠的；党派的
passionate	热情的（2013, 2012）
pathetic	可怜的，令人同情的（2014）
peculiar	奇怪的；特殊的
pedantic	卖弄学问的
pedestrian	徒步的；平庸的，缺乏想象的
pellucid	透明的；澄清的；明了的
penitent	忏悔的，悔悟的（2013）
pensive	沉思的；愁眉苦脸的
penultimate	倒数第二的（2012）
penurious	吝啬的，缺乏的（2013）
perceptive	（有）知觉的；感知的（2014, 2012）
perennial	四季不断的；连续多年的（2013）
perfidious	不忠的，背信弃义的
perfunctory	草率的；敷衍的
perilous	危险的（2012）
permeated	弥漫的（2013）
peripatetic	巡游的
peripheral	外围的；不重要的
pernicious	有害的；致命的（2014, 2012）
perpendicular	陡峭的；直立的
perpetual	永久的，长期的（2009）
perplexed	困惑的，不知所措的（2014）
perplexing	令人困惑的；复杂的（2014）
persistent	坚持的（2014, 2012）
perspicacious	有洞察力的；聪颖的；敏锐的
persuasive	有说服力的，令人信服的（2012）
pert	大胆的；鲁莽的
pertinacious	执拗的；顽固的，顽强的
pertinent	相关的（2013）
petite	小的（2012）
petrified	因恐惧发呆的；坚硬的（2014, 2013）
petty	不重要的，微不足道的；小气的，心胸狭窄的（2012）
pervasive	弥漫的（2013）
petulant	易怒的，使性子的，脾气坏的（2014）
philanthropic	仁慈的（2014）

phlegmatic	冷漠的（2009）
phony	假的，欺骗的
picky	挑剔的（2014）
pied	斑驳的；杂色的（2012）
piercing	尖锐的，刺耳的（2012）
pious	虔诚的
pithy	简洁有力的
placid	安静的；平和的（2014, 2013, 2012）
plausible	貌似合理的（2013, 2012）
pliable	易弯曲的；柔软的；圆滑的（2014, 2012）
plump	丰满的；丰富的（2012）
poignant	尖锐的；辛酸的；深刻的；（记忆）鲜活的（2015, 2014）
pompous	傲慢的，自大的，夸大的（2014, 2012）
porous	可渗透的；多孔的
portentous	不祥的；预兆的
portly	肥胖的，魁梧的；庄严的
possessive	拥有的；占有的（2012）
posterior	（时间、次序上）较后的
posthumous	死后的；死后出版的（2014, 2012）
potable	可以喝的，适合饮用的（2013, 2012, 2009）
potent	强有力的
practical	实践的，实际的；可实现的，实用的（2014）
pragmatic	实用主义的；实际的
praiseworthy	值得赞扬的（2013, 2012）
precarious	不确定的；危险的
precious	珍贵的，贵重的
precise	精确的；严格的
precocious	早熟的
predatory	掠夺的；捕食的
predominant	优越的，卓越的；有力的（2012）
prehensile	适于抓住的（2014, 2012）
prejudiced	有偏见的（2013）
premeditated	预先想过的，有预谋的（2012）
preposterous	荒谬的（2013）
prerogative	有特权的
presumptuous	放肆的；冒昧的，冒失的
pretentious	自负的（2014, 2012）
prevalent	流行的；普遍的（2014, 2012）

previous	在······（发生）之前的
prickly	多刺的；易生气的（2014）
priggish	古板的（2013）
prim	规规矩矩的；呆板的；拘谨的
prime	首要的；最好的
pristine	原来的，古时的；原始的；纯洁的，干净的（2013, 2012）
private	私人的；私下的；私有的（2012）
prodigal	浪费的，挥霍的（2012）
productive	多产的（2014, 2013）
profane	世俗的；不敬神的；亵渎的（2013）
proficient	熟练的，精通的（2013）
profound	深刻的；深奥的（2012）
profuse	丰富的；浪费的
prolific	多产的（2013, 2012）
prominent	杰出的；显著的，突出的（2014）
promising	有希望的，有前途的（2012）
prompt	迅速的；及时的（2014, 2013, 2012）
proper	适当的，合适的
prophetic	预言的，预示的；先知的（2013）
proprietary	所有者的，所有权的（2012）
prosperous	繁荣的，兴旺的
protean	千变万化的
providential	幸运的；及时的（2012）
provincial	地方的；偏狭的（2014, 2012）
prudent	谨慎的（2012）
prudish	过分守礼的，古板的（2013）
psychic	灵魂的；心灵的；通灵的
pudgy	矮胖的
puerile	孩子气的；天真的；不成熟的
pugnacious	好斗的
punctilious	精密细心的；一丝不苟的
punctual	准时的，正点的（2012）
pungent	苦痛的；刺激性的；严厉的（2015, 2013, 2012）
puny	微小的，不足取的
putrid	腐臭的（2012）
Q	
quaint	古雅的；离奇有趣的；奇怪的
querulous	抱怨的（2013）

quotidian	每日的；平凡的
R	
rabid	猛烈的；激烈的；激进的
radiant	发光的；明亮的；辐射的（2013）
radical	激进的；基本的；彻底的
ragged	破损的，褴褛的（2013）
rancid	腐臭的（2012）
rancorous	怨恨的，憎恨的
random	随机的；没有明确计划或秩序的
rapacious	强夺的；贪婪的，贪欲的
raspy	刺耳的（2014）
rational	合理的；理智的（2012）
raucous	粗声的，沙哑的；刺耳的（2014）
ravenous	贪婪的；渴望的（2014, 2012）
rebellious	起义的；叛乱的；造反的（2014）
recalcitrant	反抗的；反对的；顽强的（2014, 2012）
receptive	接受能力强的；能容纳的
recessive	有倒退倾向的，逆行的；（遗传特征）隐性的（2014, 2012）
reciprocal	相互的；互惠的（2009）
reckless	鲁莽的（2013）
recluse	隐居的
redoubtable	可怕的，厉害的；令人敬畏的
redundant	多余的（2014, 2012）
reedy	多芦苇的；声音细而尖的（2012）
refined	精炼的；优雅的（2014, 2012）
refractory	执拗的；倔强的；难治疗的；耐熔的（2014, 2012）
regal	帝王的；适于帝王的
regressive	回归的；逆行的；退化的（2012）
related	相关的；同种的（2009）
relevant	有关的；中肯的；有重大作用的
reliable	可靠的
religious	宗教的（2014）
reluctant	不情愿的，勉强的
renowned	有名的；有声誉的
repentant	后悔的，悔悟的（2013）
repetitive	重复的，反复的（2014）
reprehensible	应受指责的
representative	代表性的

reproachful	应受责备的；申诉的；非难的
reptilian	爬虫类的；卑下的
repugnant	讨厌的；不愉快的；厌恶的（2014, 2012）
reputable	有声望的；受到好评的；卓越的
reserved	预订的；矜持的，内敛的；储藏着的（2014, 2012）
residual	残余的，剩余的
resilient	能复原的（2013, 2012）
resolute	坚决的（2013）
responsive	反应的（2013）
restless	焦躁不安的（2013）
retentive	（记忆力）有记性的，记性强的；能保持或容纳液体等的（2013, 2012）
reticent	沉默寡言的，讳莫如深的（2012）
reverent	恭敬的；虔诚的
revolting	令人厌恶的；背叛的，叛乱的
rewarding	有益的，值得的（2012）
rhythmic	有节奏的（2013）
rickety	连接处不牢固的，快要散架的；患软骨病的；驼背的；摇摆的（2014, 2012）
rife	流行的；盛传的；非常多的
rigid	严厉的；僵硬的；死板的；精确的（2013, 2012）
robust	强壮的，强健的（2013, 2012）
rosy	玫瑰色的（2014）
rotten	腐烂的
rotund	洪亮的；圆滚滚的（2014, 2012）
rough	粗糙的（2014）
routine	日常的；例行的（2013, 2012）
ruddy	红润的，红的
rudimentary	初步的；基本的；根本的（2013）
rugged	崎岖的（2013）
runny	（食物）稀的；黏软的（2012）
rural	农村的，乡村的；田园的
S	
saccharine	含糖的
sacred	神圣的（2012）
sacrosanct	神圣不可侵犯的
sagacious	聪明的，睿智的
sage	智慧的（2013）
salient	突出的；显著的

salty	咸的（2014）
sanctimonious	假装虔诚的
sane	理智的；神志健全的（2014）
sanguine	自信的，乐天的（2014, 2012）
sanitary	卫生的，清洁的（2012）
sapphire	蓝宝石色的（2012）
sarcastic	讽刺的
saturated	饱和的；浸透的（2013）
saucy	傲慢的；莽撞的；活泼的
savory	可口的，美味的（2012）
scalar	标尺的；逐级的；音阶的
scant	不足的，缺乏的；将近的；吝啬的（2014）
scared	害怕的（2013）
scary	惊恐的，胆怯的（2012）
scathing	严厉的；损伤的
scrupulous	小心谨慎的，细心的
scudding	（尤指船、舰或云彩）笔直、高速而平稳地移动的 [scud]
secluded	隐蔽的（2013）
sedate	安静的，镇静的
seemly	适当的；得体的
seesaw	交互的
seething	火热的；沸腾的
segregate	分离的；隔离的
selfless	无私的（2013）
seminal	种子的
sensational	轰动的；耸人听闻的（2013）
sensitive	敏感的（2012）
sensual	感觉上的；肉感的；色情的；世俗的
sentimental	多愁善感的（2014, 2013, 2012）
serendipitous	偶然发现的（2013）
serene	平静的，宁静的（2013, 2012, 2009）
servile	卑躬屈膝的，过分屈从的（2012）
severe	严厉的，严格的；剧烈的，严重的（2014, 2012）
shady	荫凉的（2013, 2012）
sheer	绝对的，全然的
showy	鲜艳的；炫耀的（2013）
shrewd	精明的；敏锐的（2013）
shrill	刺耳的，尖声的（2012）

simultaneous	同时发生的，同时存在的
sincere	真诚的，诚挚的（2014）
sinister	不吉利的；凶恶的（2013）
skeptical	怀疑的
skimpy	不足的，缺乏的（2012）
skinny	皮包骨的，瘦削的（2012）
skittish	易激动的；轻佻的（2014, 2012）
slack	松弛的；缓慢的；不景气的
slanting	倾斜的（2013）
slender	微薄的；苗条的；细长的
slim	苗条的；薄的；少的
slippery	滑的；狡猾的（2012）
sloppy	泥泞的；马虎的，草率的（2014, 2013, 2012）
slothful	懒惰的（2012）
sluggish	懒惰的；迟钝的；无精打采的（2013, 2012）
sly	偷偷摸摸的；狡猾的（2012）
sneaky	鬼祟的；卑鄙的（2013）
snobbish	势利的（2013）
snug	舒适的；贴身的
sober	沉着冷静的（2014, 2013, 2012）
sociable	社交的（2014, 2012）
spendthrift	浪费的；挥霍无度的
soft-hearted	仁慈的（2013）
soggy	浸水的，透湿的；沉闷的
solar	太阳的（2014）
solemn	庄严的；郑重的（2012）
solitary	孤独的；独居的（2014）
solo	单独的
soluble	可溶的（2013）
somber	微暗的，阴天的；阴森的；阴郁的（2013, 2009）
somnolent	瞌睡的；困的；昏昏欲睡的（2014, 2012）
soothing	平息的；安慰的（2013, 2012）
sophisticated	复杂的；精密的；久经世故的，富有经验的（2012）
soporific	催眠的；想睡的（2012）
sore	疼痛的
sour	酸的（2014）
sovereign	至高无上的；有独立主权的（2013, 2012）
sparkling	闪闪发光的（2013）

sparse	稀少的，稀疏的（2014，2012）
spectacular	壮观的，惊人的
spectral	幽灵的，鬼魂的
spiteful	怀恨的，恶意的（2012）
spontaneous	自发（产生）的（2012）
sporadic	零星的；不定时发生的（2013，2009）
sprightly	愉快的；活泼的
spruce	干净的，整洁的（2012）
spurious	假的；伪造的（2014，2012）
squalid	肮脏的；卑鄙的
staid	固定的；沉着冷静的
stale	不新鲜的（2014，2012）
stark	完全的；光秃秃的，荒凉的；刻板的；朴实的（2012）
stationary	不动的；稳定的（2012）
steadfast	坚定的；踏实的（2014，2012）
steamy	蒸汽的；雾重的，潮湿的
steel	钢的
steep	陡峭的，险峻的
stellar	星的
sterile	不育的（2012）
stern	严厉的，严峻的；坚定的，不动摇的（2014，2013，2012）
sticky	粘的（2014，2012）
stiff	僵硬的；严厉的；呆板的（2012）
stingy	吝啬的（2013，2012）
stinking	臭的（2013）
stoic	克己的（2012）
stout	坚固的；结实的（2012）
stranded	搁浅的；处于困境的，进退两难的（2012）
strenuous	费力的；奋发的；艰苦的（2014，2012）
stringent	迫切的；严厉的
stubborn	顽固的，固执的（2014，2013，2012，2011）
stunted	成长受妨碍的；矮小的（2014）
sturdy	健全的；强健的（2013）
suave	柔和的，温和的
sublime	壮观的；卓越的（2012）
subliminal	下意识的，潜在意识的
submissive	顺从的；柔顺的（2014，2013，2012）
subordinate	下级的

subterranean	地下的；秘密的（2014, 2012）	
subtle	精细的；狡猾的；敏感的（2014, 2012）	
succinct	简洁的（2012）	
succulent	多汁的（2013）	
sufficient	充分的，足够的（2012）	
sullen	愠怒的，闷闷不乐的	
summary	立即的（2012）	
sumptuous	华丽的，奢华的（2012）	
superannuated	过时的；老朽的；退休的	
superb	极好的	
superficial	肤浅的（2012）	
superfluous	多余的（2012）	
supernatural	超自然的；神奇的（2012）	
supple	柔软的（2014, 2012）	
supreme	至高的，最高的	
surplus	剩余的	
surreptitious	鬼鬼祟祟的；秘密的（2013）	
susceptible	易受外界影响的	
swampy	沼泽的；沼泽多的；湿地的；松软的	
swarthy	浅黑的，黑黝黝的	
swell	时髦的；很棒的	
sweltering	闷热的，中暑的（2012）	
swift	快的，迅速的（2014）	
swollen	肿大的；自负的（2014, 2012）	

T

tacit	缄默的；不言而喻的	
taciturn	沉默寡言的（2014, 2012）	
tactile	触觉的，能触知的（2014, 2013, 2012）	
tactful	机智的；老练的	
tainted	感染的；污染的（2013）	
talkative	健谈的（2012）	
tame	温顺的；经驯服的（2012）	
tan	棕褐色的（2012）	
tangible	切实的；可以触摸的（2013, 2012）	
tantamount	同等的，相等的（2013）	
tardy	缓慢的，迟缓的；迟到的（2014, 2012）	
tasty	好吃的（2013）	
tattered	破烂，穿破烂衣的（2014, 2012）	

taut	拉紧的，紧张的；整齐的，整洁的（2013）
tedious	沉闷的；乏味的（2015, 2013）
telepathic	精神感应术的
temperate	温和的；适度的；有节制的（2009）
tempestuous	有暴风雨的；暴乱的（2014）
temporary	暂时的，临时的
tenable	合理的，站得住脚的（2013）
tenacious	紧粘不放的；固执的；不屈不挠的（2013, 2012）
tender	柔软的；纤细的；敏感的（2012）
tentative	试验性的；暂时的；犹豫不决的
tenuous	精细的；稀薄的（2013）
tepid	微温的（2012）
terminate	有结尾的，结束的
terrestrial	地上的；地球的（2012）
terse	简洁的，简明的（2013）
theatrical	剧场的；夸张的
therapeutic	治疗的
thermal	热的，热量的（2013）
thorough	彻底的，十足的（2012）
thrifty	节俭的（2013）
threatening	胁迫的；险恶的；凶兆的；（天气等）要变坏的（2015）
threefold	三倍的；三重的
thrifty	节俭的，节约的（2012）
thwart	横着的
tidal	潮的，潮流的（2012）
timid	胆小的（2014, 2012）
timorous	胆怯的，胆小的
tiresome	令人疲劳的，令人厌倦的（2013）
tongue-tied	结巴的（2012）
toothsome	可口的，美味的
towering	高耸的；杰出的（2013）
torpid	麻木的；迟钝的（2012）
torrid	酷热的
tortuous	扭曲的，弯曲的；啰唆的
toxic	有毒的；中毒的（2014, 2013, 2012）
tractable	易于管教的；易驾驭的；温顺的（2013）
tranquil	安静的，宁静的（2014, 2013）
transient	短暂的

transitory	短暂的（2014，2012）
translucent	半透明的（2014）
transparent	透明的；易懂的；坦率的（2012）
traumatic	创伤的（2013）
treacherous	背信弃义的（2012）
trembling	战栗发抖的（2014，2012）
tremendous	巨大的；精彩的，了不起的
tremulous	颤抖的（2012）
triple	三倍的
trite	平庸的，平凡的；陈腐的
triumphant	胜利的；狂欢的
trivial	琐碎的，不重要的（2013）
tropical	热带的；酷热的；热情的
torpid	迟钝的；不活泼的
truculent	野蛮的，粗野的；残酷的（2012）
trying	艰难的（2014，2012）
tubular	管状的
turbulent	狂暴的；吵闹的（2013）
twisted	扭曲的，变形的（2012）
typical	典型的，有代表性的（2012）
tyrannical	残暴的；暴君的；专横的（2014）

U

ubiquitous	到处都在的（2013，2012）
unanimous	全体一致的（2013）
unbiased	无偏见的（2013，2012）
uncanny	神秘的；不可思议的
uncivilized	未开化的，不文明的（2012）
uncommitted	不受约束的（2014，2012）
uncompromising	不妥协的（2014，2012）
unconcerned	不关心的（2014）
unctuous	油腔滑调的
undulate	波动的；起伏的
unduplicated	独一无二的（2013）
uneven	不平坦的；不均匀的（2014）
unfeigned	真实的，真诚的
unfettered	无拘无束的（2012）
unflagging	不可松懈的（2013）
unflappable	不宜惊慌的（2013）

unflinching	不畏惧的（2014, 2012）
unfounded	无事实根据的；无基础的（2012）
ungainly	笨拙的；不雅的
unhindered	不受妨碍的，不受阻碍的；顺畅的（2013, 2012）
unilateral	单方面的；单边的；片面的
unintended	无意识的（2014）
uninvolved	漠不关心的（2013）
unique	独一无二的（2014）
unkempt	蓬乱的，不整洁的（2014, 2012）
unleavened	未发酵的（2014, 2012）
unmanageable	无法控制的；无法管理的（2014）
unnecessary	不必要的，多余的；无用的，无益的（2013, 2012）
unparalleled	独一无二的（2013）
unprecedented	前所未有的，空前的（2011）
unquenchable	不能遏制的；不能熄灭的
unrestrained	不受限制的；放纵的（2012）
unruly	不守规矩的；任性的；难驾驭的；难控制的（2014, 2012）
unswerving	坚持不懈的；坚定不移的（2014）
untimely	不合时宜的；过早发生的（2012）
unwieldy	笨重的；笨拙的（2013）
unwilling	不愿意的；不情愿的；勉强的
uppermost	最高的；至上的
uproarious	骚动的，喧闹的；可笑的，令人捧腹的（2014, 2013, 2012）
upset	烦乱的；不高兴的
urban	城市的
useless	无用的（2014）
V	
vacant	空闲的；空缺的；空虚的；茫然的（2014, 2013, 2012）
vacuous	空的；（心灵）空虚的（2013）
vague	不明确的，模糊的（2014, 2013, 2012）
vain	徒劳的；虚荣的（2014, 2012）
valiant	英勇的
valuable	有价值的（2014, 2012）
vehement	激烈的，猛烈的
venerable	可敬的（2013）
venomous	有毒的；恶毒的；怨恨的
veracious	诚实的，说真话的（2014, 2012）
verbose	冗长的；累赘的

verdant	翠绿的，青翠的；没有经验的，不老练的
versatile	多才多艺的；通用的（2014, 2013, 2012）
vertical	垂直的
veteran	老练的，经验丰富（2013）
viable	能养活的，能生育的；可行的
vibrant	振动的；充满生气的
vicarious	替代的；代理的
vicious	堕落的；恶毒的
victorious	胜利的，凯旋的（2014, 2012）
vigilant	警醒的；警戒的；警惕的（2014, 2013, 2012）
vigorous	精力充沛的，有活力的（2013, 2012）
virtual	虚拟的；实质的
virtuous	有品德的；善良的；贞洁的（2012）
viscous	黏性的（2013）
visible	明显的（2014）
vital	生死攸关的，至关重要的；有活力的
vivacious	活泼的（2012）
voluminous	卷数多的；大量的
voracious	贪婪的；贪吃的（2013, 2012）
vulgar	粗俗的（2014, 2012）
vulnerable	易受伤害的；有弱点的（2013, 2012）
W	
waggish	爱开玩笑的；滑稽的
wan	苍白的，无血色的（2014, 2012）
wandering	漫游的；闲逛的；（精神）恍惚的；错乱的（2013, 2012）
wanton	荒唐的；嬉戏的；繁茂的（2012）
warrantable	合理的（2013）
wary	机警的；谨慎的；唯恐的；考虑周到的（2013, 2009）
watchful	注意的，留心的；小心提防的，警戒的（2014）
wayward	任性的（2012）
weary	疲劳的，使人疲劳的
weathered	经受住的，饱经风霜的（2014, 2012）
weird	古怪的（2013, 2012）
whimsical	古怪的；异想天开的；反复无常的
wholehearted	一心一意的
whopping	巨大的，庞大的
widespread	分布广的；普遍的
wily	使用计谋的，有诡计的；狡猾的（2013）

winsome	引人注目的；迷人的；可爱的（2014, 2013, 2012）
wispy	像小束状的；纤细的；脆弱的（2014）
woeful	悲伤的，悲哀的（2014, 2012）
wooden	木制的
wordy	多言的，啰唆的（2013）
worldly	世俗的（2013, 2012）
wretched	可怜的，不幸的；卑鄙的（2014, 2012）
Z	
zany	滑稽的；古怪的
zealous	热心的，热情的（2013, 2009）

同义类比选择中的副词

adversely	不利地
arbitrarily	任意地；偶然地；武断地（2013）
arithmetically	算数地（2013）
authentically	真正地（2013）
bizarrely	古怪地，怪异地（2013）
blatantly	公然地（2013）
chronically	长期地（2012）
consequently	结果地（2013）
conventionally	传统地（2013）
definitely	明确地，确切地（2013）
deftly	灵巧地；熟练地；敏捷地（2014）
detrimentally	有害地（2013）
effortlessly	轻松地（2013）
emotionally	感情用事地（2013）
enormously	非常（2013）
erratically	不规律地（2013）
equivocally	含糊地（2013）
federally	联邦地（2013）
generously	大方地；丰富地（2013）
genuinely	真正地（2013）
grudgingly	勉强地（2013）
guardedly	谨慎地（2013）
inadvertently	不留意地（2013）
intentionally	故意地（2013）
judiciously	明智地（2013）
momentously	重要地；严重地（2013）
lawfully	合法地（2013）
lucidly	清晰地（2013）
lucratively	可盈利地（2013）
ludicrously	滑稽地；可笑地（2013）
minimally	最小地（2013）
mercilessly	无情地（2013）
neatly	整洁地（2013）
occasionally	偶然地（2013）

oddly	奇怪地，古怪地（2013）
randomly	随机地；偶然地
rigorously	严格地（2013）
ruefully	悲伤地；悔恨地（2013）
stringently	严格地（2013）
subsequently	后来，随后地（2013）
tediously	沉闷地；冗长而乏味地（2014）
thoroughly	完全地，彻底地（2013）
thoughtfully	体贴地（2013）
unequivocally	明确地（2013）
unflinchingly	毫不退缩地，毫不畏惧地（2012, 2009）
vigorously	精神旺盛地（2013）

本章重点介绍主题词汇（*Subject-Related Words*）。

Part 1 形形色色的人 / People

各种各样的人以及特点是 SSAT 的必考内容，每年的每次考试均有所涉及。难度也不一致，有时候简单，有时候考查的词汇较为专业，同学们几乎不知道这个单词是什么意思。有时候词汇的区分度又不是那么清楚。具体而言，考查到的是人的概念、观点（言论）、作品、动作、心理、职业、爱好等。比如就类比真题而言，出现过 wordsmith is to writing，wordsmith 意为以写作为生的人，所以这类人的特点自然就是擅长 writing。同样地，raconteur 意为善于讲故事的人，这类人所擅长的自然就是 storytelling。

absolutist	专制主义者
adolescent	青少年（2014）
adversary	反对者；对手；仇敌（2012）
advocate	提倡者，鼓吹者
agronomist	农学家（2013）
amateur	业余爱好者（2013）
anarchist	无政府主义者 /a person who believes in, advocates, or promotes anarchism or anarchy
anomalies	异常人士
antipodes	恰恰相反者
archaeologist	考古学家
artisan	工匠，技工
ascetic	苦行者
aspirant	野心家；怀抱大志者
attorney	代理人；律师（2014）
auditor	审计员
baker	面点师（2012, 2009）
bandit	强盗，土匪；恶棍；敲诈者
bard	游吟诗人
bass	男低音（2012）
batter	击球手（2012）

beggar	乞丐（2012）
benefactor	捐助者；施主（2014, 2013）
blab	泄密者
blabber	多嘴的人；泄密者；胡言乱语
blockhead	木头人；笨蛋；傻子
bourgeois	中产阶级
buffoon	愚蠢的人；傻瓜；逗乐小丑，丑角；滑稽的人（2014, 2012）
burglar	窃贼；破门盗窃者
butcher	屠夫（2013, 2012）
captain	船长（2014）
carpenter	木匠（2014, 2012, 2009）
cartographer	地图绘制者（2012）
censor	检查员；（潜意识的）抑制
charlatan	假内行；骗子；江湖庸医 / a con artist or fake（同义词为 fraud, quack，该词的来源比较曲折，虽然它看起来比较像从法语词变过来的，但是它确实是起源于意大利词语 *ciala*，意为"喋喋不休"。有人推测，这个单词暗指鸭子的呱呱叫声，后来就很自然地演变为 *ciarlatano* 这个词，意为"骗子"。）
chef	厨师，大师傅（2014, 2012）
cherub	小天使
churl	粗野之人（其特点就是 uncouth）
clairvoyant	千里眼，透视者（2014）
clerk	职员（2013）
clown	小丑（2014）
coach	教练（2013）
cobbler	鞋匠（2013）
conformist	墨守成规者
cobbler	补鞋匠
cohort	（古罗马军队的）步兵大队，军队；同伙，共犯（2015）
comedienne	戏剧女演员（2013）
commentator	评论员，讲解员（2012）
companion	伙伴（2014）
confidant	心腹，知己（2013）
conniver	阴谋家（其特点就是 conspiratorial）
connoisseur	鉴赏家
conservative	保守党人 /a supporter of political conservatism（2012）
coquette	卖弄风情之女子
coroner	验尸官，法医（2012）
counselor	顾问（2012）
counterfeiter	伪造者（fabrication，伪造）

crew	全体工作人员（2014, 2012）
criminal	罪犯（2012）
crone	干瘪；老丑婆
crony	密友，亲伴，好友
culprit	犯人；罪犯（2012）
curator	博物馆馆长（2012）
daredevil	鲁莽的人 /a recklessly bold person
debunker	揭露真相者
delinquent	失职者；违法者（2012）
demagogue	煽动者；政治家 /leader who makes use of popular prejudices and false claims and promises in order to gain power
dentist	牙医（2014, 2012）
devotee	热爱者（2013）
dictator	独裁者
dilettante	浅尝辄止者，半吊子（2013）
diplomat	外交家（2014）
dolt	笨蛋，傻瓜（其特点就是 stupid）
donor	捐赠者（2012）
dowager	贵寡妇
dramatist	戏剧作家（2013）
drummer	鼓手（2013, 2012）
eccentric	行为古怪的人
egalitarian	主张平等的人
egoist	自我为中心者
electorate	全体选民
elitist	精英（在 SSAT 中，这个词并不总是好词，经常带有贬义色彩，用以描述行为人高高在上的姿态，用鄙夷的口吻发话）
eccentric	怪人
ecstatic	狂喜的人
electrician	电工
emancipator	解放者；释放者
entourage	随行人员；周遭环境（2014）
equivocator	说话模棱两可的人（2012）
executive	行政主管（2014）
exemplar	模范，榜样
extremist	极端主义者
fabulist	预言家；说谎者
federal	联邦士兵
founder	创立者，奠基人（2012）

gawky	笨拙之人
general	将军（2014）
glutton	贪吃者；有承受力之人（2012）
goalie	（足球或曲棍球的）守门员（2012）
gourmand	美食家，饕餮
gymnast	体操运动员（2014）
hag	女巫；丑老太婆
hedonist	快乐主义者，享乐主义者 / a pleasure-seeker（你曾经觉得自己生不逢时吗，hedonist 曾经指古希腊一些哲学家，他们认为那些给感官带来快乐的事物在道德上才是至上的。如果感觉好，那就去做。他们用表示快乐的希腊单词 hedone 给自己命名。不过 hedonism/ 享乐主义的含义没能保留到现在，我们这个时代对它的解读好像建立在一个相反的观念上—没有付出就没有收获。另外，不论你信不信，还有一个词表示无法享受快乐，anhedonia 表示"缺失快感"之意。）
henchman	忠实的追随者，党羽；跟踪者
herald	使者，先驱，通报者；（旧时的）传令官（2014）
hermit	隐士，隐居者（2012）
hostile	敌对；敌方
humanist	人文学家（2013）
hypnotist	催眠师（2013）
hypochondriac	忧郁症患者
iconoclast	反传统者
idiot	白痴，傻瓜（2013）
imbecile	愚蠢之人（2013）
immortal	不朽的人物
immune	免疫者
impostor	冒充者；骗子
inmate	囚徒；（精神病院等中的）被收容者
insurgent	叛乱分子
insurrectionist	起义者
intern	实习生
janitor	受雇替房主看管房屋之人（2012）
jester	弄臣（2012）
juvenile	青少年
liar	骗子，说谎者（2014, 2012）
lunatic	疯子；狂人（2012）
magnate	大亨，巨头（2013）
malcontent	不满现状的人
martinet	纪律严格的人（2013）

martyr	烈士；殉道者
matriarch	女族长
maverick	与众不同的人，特立独行之人 / an independent individual who does not go along with a group or party
mayor	市长（2014, 2012）
mechanic	机械工（2013, 2012）
mediator	调停者（2013）
mendicant	乞丐（2014, 2012）
mentor	指导者，良师益友（2012）
merchant	商人；店主
messenger	先行官；先驱（2014）
miscreant	恶棍，无赖；异端者
miser	守财奴；吝啬鬼（2013, 2012）
mitigator	缓和者
mob	暴徒；犯罪团体；乌合之众（2009）
monarch	君王，帝王，最高统治者 / a supreme ruler（monarch 通常指的是国王和女王。而公爵、伯爵、子爵、勋爵和其他更不闪耀的人都不能称作 monarch。一个由国王或者女王统治的国家叫作 monarchy/ 君主制。如今仍然存在一些君主国家，但是多数皇室已经没有政治实权，他们只是坐着豪车轿车四处闲逛，设法躲避小报记者偷拍。）（2014）
moron	傻子，蠢人（2012）
musician	音乐家（2013）
naysayer	拒绝者
neonate	初生婴儿
nonentity	不重要的人（2013）
novice	新手，初学者（2014, 2013）
nonpartisan	无党派人士
numskull	傻瓜，笨蛋
oceanographer	海洋学家
opponent	反对者；对手（2014）
optician	光学仪器商；眼镜商
orator	演说者；演讲者；雄辩家；[律] 原告；请愿人（2013）
outcast	被社会驱逐之人（2013）
pacifist	和平主义者（2012）
pagan	异教徒；无宗教信仰者
pariah	贱民（印度的最下层阶级）；流浪者，无赖汉；为社会所遗弃者
partisan	游击队；虔诚信徒；党羽
partisan	强硬支持者，党羽 / a firm adherent to a party, faction, cause, or person
patron	赞助人，保护人；主顾（2012）

pedagogue	教师；教育者；假装博学者（2015, 2009）
pedestrian	行人
penitent	改过悔悟之人
pharmacist	药剂师（2014）
philanderer	爱和女人调情的男人；玩弄女性的男人
philanthropist	慈善家（2014, 2013）
physician	内科医生（2014）
pilot	舵手（2013）
plagiarist	剽窃者，抄袭者 /a person who steals another's ideas or writings
playwright	剧作家（2013, 2012）
poacher	捕猎者（2012）
pope	教皇，主教（2014）
potentate	当权者
posterity	后代
potter	陶工（2012）
pragmatist	务实主义者（2012）
precursor	先驱，先行者
predecessor	前辈
pretender	冒充者，假冒者
priest	牧师；教士；神父
principal	校长（2012）
procrastinator	拖拉者
prodigal	浪费的人（2012）
profiteer	投机者；牟取暴利者
prop	导演（2013）
propagandist	宣传人员
proponent	建议者；支持者
proprietor	业主，企业所有者
protagonist	主角，主人公（2012）
prude	过分正经的人
purveyor	提供者，供应商
rabble	乌合之众；暴民；下等人（2014, 2013）
realist	现实主义者（2013）
rebel	反叛者，叛徒（2013）
recalcitrant	反抗者；顽抗者
raconteur	健谈者，善谈者；善于讲故事之人
ranger	森林看守人（2012）
recluse	隐遁者，寂寞者（2013, 2012）

referee	裁判（2013）
reviewer	评论人；书评者
revisionist	修正主义者
rival	对手；竞争者
rookie	新手（2013）
rustic	乡下人，村夫
sage	圣人，哲人；圣明（2014, 2009）
saint	圣人；圣徒
scrooge	吝啬鬼（2013）
seer	先知，预言者；幻想家
sentry	卫兵，哨兵（2014）
sharpshooter	神枪手；狙击手
shepherd	牧羊人（2012）
shilling	先令
shrink	精神分析学家；精神科医生（2012）
sibling	兄弟姐妹
sidekick	伙伴，密友（2012）
skeptic	怀疑论者；无神论者；怀疑宗教的人
sneak	怯弱鬼祟之人（2012）
snob	势利小人
solitary	隐士
soothsayer	预言者；占卜者；算命者（2014, 2012）
sorcerer	魔术师；男巫师
sourpuss	满腹牢骚的人
sovereign	君主；元首（2012, 2009）
spectator	观众；旁观者（2012）
spendthrift	败家子，挥霍无度之人
spy	间谍；侦探（2012）
steelworker	钢铁工人（2014）
steward	乘务员（2013）
stickler	坚持原则的人
stockbroker	股票经纪人
stoic	坚忍克己之人（2012）
surgeon	外科医生（2014, 2012）
surrogate	代理（人）（2014, 2012）
surveyor	测量员（2014, 2012）
sweetheart	爱人，情人
sybarite	爱奢侈享乐之人

sycophant	马屁精
tailor	裁缝（2013）
throng	人群（2013）
thug	暴徒；刺客
toddler	初学走路的孩子
totalitarian	极权主义者（2014）
tragedian	悲剧演员（2013）
traitor	叛徒；卖国贼（2012）
treasurer	会计
tycoon	企业界的大亨（2012）
umpire	裁判员，仲裁人
underling	下属，部下
vegetarian	素食主义者（2014, 2009）
vendor	卖主
veterinarian	兽医
victim	受害人（2014）
villain	坏人；恶棍
villain	（小说、戏剧中的）反派主角
virtuoso	演艺精湛之人；艺术品鉴赏家（2013）
voluptuary	骄奢淫逸之人；酒色之徒
vocalist	声乐家
wag	小丑（其特征就是滑稽的 /humorous）
wanderer	流浪者（2012）
wanton	荡妇（2012）
warlock	术士；魔术师
warmonger	战争贩子（2012）
warrior	战士；勇士，武士（2012）
weaver	织工，编织者（2014）
widow	寡妇
widower	鳏夫
wizard	男巫；术士；鬼才
wordsmith	以写作为生的人
wrangler	牛仔（2013）
zany	小丑

Part 2 音乐 / Music

| aria | 抒情调；独唱曲（2014） |
| audition | 试唱 |

baton	指挥棒（2014）
bow	弓子（2013）
brass	铜管乐器（2013）
burlesque	讽刺滑稽的戏剧
cadence	节奏；韵律
cantata	康塔塔（清唱套曲，是一种包括独唱、重唱、合唱的声乐套曲）（2014）
capriccio	随想曲
cello	大提琴（2015）
choir	唱诗班（2012）
chord	和弦（2012）
chorus	合唱队（2014, 2013, 2012）
clarinet	竖笛；单簧管（2013, 2012）
coda	尾声
concert	音乐会（2014）
concerto	协奏曲
conductor	指挥（2013）
cornet	（乐器）短号；圆号（2015, 2013）
crescendo	音乐渐强
debut	初次登台露面
decrescendo	音乐渐弱
diminuendo	音乐渐弱
drum	鼓（2013）
duet	二重唱
encore	再演唱的要求
ensemble	大合唱
fantasia	幻想曲
fiddle	小提琴
finale	尾声（2014, 2013）
flute	长笛（2014）
forte	强音记号
gamut	全音阶
harpsichord	键琴（钢琴前身）（2009）
horn	号角，喇叭（2013）
instrument	乐器（2014, 2013）
lullaby	摇篮曲
lyre	古希腊七弦琴（lyre 是古希腊一种类似小竖琴的乐器，相传由宇宙之子把琴弦缠绕在乌龟壳上制成。据说 lyre 的琴声可以使人忘忧，使奔腾的大河停流，使静止的山峦趋步，使凶顽的猛兽驯服，使沉默的石头开口）
lyrics	歌词（2013）

madrigal	情歌
melody	曲调；旋律（2012）
metronome	节拍器（2013）
movement	乐章
musical	音乐剧（2013）
note	音符（2013）
oboe	双簧管，欧巴管（2012）
oratorio	清唱剧
orchestra	管弦乐队（2013, 2012）
overture	器乐前奏曲；序曲，序乐；序诗（2013, 2012）
pedal	踏板（2013）
piano	钢琴（2013）
piccolo	短笛；吹短笛者（2014）
pitch	音高（2013, 2012）
prelude	序曲
quartet	四重唱（2012）
quintet	五重唱（2012）
rehearsal	排练
requiem	安魂弥撒；安魂曲
reverie	梦幻曲
rhapsody	狂想曲
rhythm	旋律（2014, 2012）
scale	音阶（2013）
serenade	（演奏）小夜曲（2014, 2012）
score	乐谱（2013）
solo (*aria*)	独唱；独奏
sonata	奏鸣曲
soprano	女高音
symphony	交响乐（2013, 2012）
tambourine	铃鼓，小手鼓（2013）
tenor	男高音
timpani	定音鼓（2012）
trio	三重唱
trumpet	小号（2013）
tuba	（乐器）大号；低音号（2015, 2012）
viola	中提琴（2015）
violin	小提琴（2013, 2012）
vocalist	歌手；声乐家（2013）

woodwind　　　　木管乐器（2012）

Part 3 建筑 /Architecture

abode	住所；公寓；（在某地的）暂住；逗留（2014, 2012）
alcove	凹室；壁龛 / recess in a room；（花园）凉亭
altimeter	测高仪（2014, 2012）
altitude	高度
amphitheater	古罗马剧场；圆形露天剧场
apartment	公寓（2012）
apse	（教堂东端的）半圆室（2014）
aqueduct	水道；导管
architectural	建筑学的（2014）
asylum	庇护；收容所
atrium	（现代建筑物开阔的）中庭，天井 /entrance hall
attic	阁楼；顶楼；鼓室上的隐窝；飞檐矮墙，飞檐矮楼（2014, 2012）
auditorium	会堂，礼堂（2014, 2012）
basement	地下室（2014）
bastion	城堡，堡垒（2012）
blueprint	蓝图（2014）
bolt	门闩（2014, 2013, 2012）
brick	砖（2014, 2012）
buttress	扶墙，扶壁 / a supporting structure *e.g.* holding up a wall（2012）
cabinet	壁橱，橱柜；内阁（2012）
casement	一扇窗（2013）
caulking	防水 /waterproofing
cell	牢房（2013）
cemetery	墓地，公墓
cloister	（学院、修道院、教堂等建筑的）走廊；回廊 / covered walkway around a courtyard (*esp*. in monasteries)
concrete	混凝土（2013, 2012）
cornice	檐口 / curved molding between top of wall and the ceiling in a room
domicile	住所，住宅（2012）
dormer	屋顶窗 / type of window in a roof
dungeon	地牢，土牢
edifice	大厦（2014）
egress	出口；外出（2014, 2009）
enclosure	围墙；围绕；附件
entry	入口（2014）

façade	（建筑物）正面，表面，外观 / front elevation （2013）
foundation	地基（2014）
fountain	喷泉（2014）
frame	门框（2013）
frieze	（柱顶过梁和挑檐间的）雕带，（墙顶的）饰带 /decorative panel running around a room often at ceiling height
gargoyle	怪兽状滴水嘴 /water spout in the shape of a demon or animal etc
girder	（建筑学）大梁，纵梁 / supporting rod or beam （2014, 2012）
harem	（穆斯林住宅的）闺房（2012）
jamb	侧柱，柱状物 / side of door frame
lintel	楣，过梁 /top of door frame
lobby	大厅，大堂（2012）
mansard	双重斜坡的屋顶，有双重斜坡屋顶的房屋 /type of roof
molding	成型；制模；铸造 /decorative plasterwork (on ceiling for example) or wood on furniture
morgue	太平间，停尸房（2012）
niche	适当的位置；壁龛 / recess in a wall (for inserting a statue etc)
palace	宫殿（2009）
pantry	餐具室；食品室；食品储藏室
parquet	镶木地板 / decorative wooden flooring
patio	天井（2014, 2012）
pedestal	底座，基座 / base of a column
pier	码头；桥墩；窗间壁
pillar	柱子（2014, 2012）
pub	酒吧，酒馆
pyramid	金字塔（2012）
saloon	大厅；展览场；酒吧
skyscraper	摩天大楼（2014, 2012）
spire	尖塔；螺旋
stadium	体育场（2012）
temple	寺院（2014）
tile	瓦片，瓷砖（2014, 2012）
veneer	饰面，护面；外饰 / surface coating
warehouse	仓库（2014）

Part 4 动物 /Animals

acorn	橡实 [松鼠喜食]（2013）
amphibian	两栖动物；两栖（类）的；水陆两用的（2014, 2013, 2012）

antler	（鹿）角
apiary	（养）蜂房（2012）
avian	鸟类的（2013，2012）
aviary	鸟舍，大鸟笼
bask	晒太阳 [蜥蜴之动作]（2013）
bat	蝙蝠；短棍（2014，2013，2012）
beak	鸟嘴（2014，2012）
beaver	水獭（2013）
beetle	甲虫（2013）
bison	（北美）野牛
bite	鱼饵（2013）
blubber	鲸脂
boa	蟒蛇；女用围巾
boar	公猪，野猪（2013，2012）
buffalo	水牛（2013）
burro	小驴（2013）
butterfly	蝴蝶（2013，2012）
calf	小牛（2013）
camel	骆驼（2012）
canary	金丝雀；告密者
canine	犬科动物；犬科的（2014，2013，2012）
cannibal	食人者；吃同类的动物
carnivorous	食肉的（2013）
carrion	腐肉（2013）
caterpillar	毛毛虫（2014，2013，2012）
chameleon	变色龙（2013）
chick	小鸡（2014）
circle	盘旋 [鹰之动作]（2013）
claw	（动物的）爪；（蟹等的）钳（2013，2012）
cocoon	茧，茧状物（2012）
cod	鳕鱼（2012）
colt	雄性小马（2013）
coop	鸡笼（2013）
corral	畜栏（2013）
crake	秧鸡；秧鸡叫
crane	鹤（2012）
croak	蛙鸣（2013）
cub	幼兽

cygnet	小天鹅（2012）
den	兽穴（2013）
dinosaur	恐龙（2014，2012）
doe	雌鹿（2013）
dolphin	海豚（2012）
down	（鸟的）绒毛
drone	（蜜蜂）嗡嗡声（2013）
duck	鸭（2013）
eagle	鹰（2013）
elk	麋鹿
emu	鸸鹋（2012）
entomology	昆虫学
equine	马的，似马的（2012）
ewe	母羊（2013）
fang	（蛇的）毒牙（2013）
fauna	动物群
fawn	未满周岁的小鹿
fin	鱼鳍（2014，2013）
feline	猫科动物，猫；猫科的
flipper	鳍状肢（2013）
flock	鸟群，羊群（2014，2013，2012）
foal	一岁以下的小马、小驴等
fodder	马料，草料
fox	狐狸（2013）
frog	青蛙（2014，2013）
fur	皮毛（2013）
gaggle	鹅群（2013）
gill	（鱼）鳃（2013）
giraffe	长颈鹿（2013）
goat	山羊（2013，2012）
gallop	飞奔[马之动作]（2013）
goose	鹅（2013）
gosling	小鹅；年轻无知的人（2012）
grasshopper	蚂蚱（2012）
grizzly	北美洲灰熊（2013）
ground hog	土拨鼠（2012）
hare	野兔（2013）
hawk	鹰（2013）

herbivore	食草动物
herd	畜群（2013）
hereford	赫里福种的食用牛（2015, 2012）
hibernate	冬眠 [hibernation *n.*]（2014, 2013）
hippopotamus	河马（2012）
hive	蜂房，蜂箱（2013）
hog	猪（2013）
honeybee	蜜蜂（2013）
honeycomb	蜂窝（2014, 2012）
hoof	（马的）蹄子（2013）
hound	猎犬（2013）
hummingbird	蜂鸟（2012）
insect	昆虫（2013）
jump	（袋鼠）跳跃（2013）
kangaroo	袋鼠（2014, 2013）
kennel	狗窝；养狗场（2012）
kitten	小猫（2013, 2012）
lair	（野兽的）巢穴（2012）
lamb	羔羊，小羊（2013）
lark	云雀，百灵鸟（2012）
larva	幼虫（2012）
leap	（羚羊等）跳跃（2012）
leash	系动物的绳子；约束，栓制（2012）
leopard	豹子（2012）
limb	四肢（2013）
lion	狮子（2013）
lizard	蜥蜴（2013, 2012）
lung	肺（2013）
lobster	龙虾（2013）
mammal	哺乳动物（2014, 2013, 2012）
mare	母马，母驴；月球表面阴暗部（2013, 2012）
marsupial	有袋类（动物）（2013）
meadow	牧场（2013）
metabolism	新陈代谢
migrate	（动物）迁徙（2013）
minnow	诱饵鱼；小淡水鱼
mollusk	软体动物（2013）
monarch	黑脉金斑蝶（2013）

moose	大角麋，驼鹿（2013，2012）
moth	飞蛾（2013）
nest	巢（2014）
opossum	负鼠（2013）
ornithology	鸟类学
ostrich	鸵鸟（2013）
otter	水獭（2013）
owl	猫头鹰（2015）
oyster	牡蛎；沉默之人（2014，2013，2012）
pack	狼群（2013）
pachyderm	厚皮类动物；迟钝的人（2013，2012）
paleontology	古生物学
panther	豹子（2013，2012）
peacock	孔雀（2014）
penguin	企鹅（2013，2012）
perch	栖息（2013）
pest	害虫；有害之物；讨厌之人
phoenix	凤凰
plumage	翅膀；（鸟类）羽毛
polliwog	蝌蚪；首次越过赤道的海员
pony	小马（2014，2013，2012）
poodle	髦毛小狗；贵宾犬（2015，2012）
porcupine	箭猪，豪猪（2014，2013，2012）
porpoise	海豚（2012）
primate	灵长类动物（2014，2012）
puppy	幼犬（2012）
python	大蟒（2014，2012）
quill	（刺猬或豪猪的）刺；羽毛管；鸟翎（2014，2013，2012）
rabbit	兔子（2013，2012）
raccoon	浣熊（2012）
ram	公羊（2013）
reptile	爬行动物（2014，2013，2012）
rhinoceros	犀牛（2012）
rodent	啮齿动物（2013）
roe	鱼卵，鱼子；獐（2013，2012）
rook	秃鼻乌鸦
roost	鸟窝；鸡棚
rooster	公鸡（2013）

salmon	鲑鱼（2014, 2013, 2012）
scale	鱼鳞（2013）
school	鱼群（2014）
scorpion	蝎子（2013）
seal	海豹（2014, 2013）
seine	渔网（2013）
serpent	毒蛇；阴险之人
skunk	臭鼬（2014, 2012）
shear	剪羊毛；大剪刀（2013）
sheep	羊（2013）
shell	壳（2013）
simian	猿的，类人猿的；猿，类人猿
slippery	滑的 [蛇的特征]
slither	蛇行（2013）
snake	蛇（2013）
snare	（用以捕鸟的）罗网（2013）
sow	母猪
sparrow	麻雀（2012）
spawn	产卵（2013）
spider	蜘蛛（2013, 2012）
spine	脊椎（2013）
squirrel	松鼠（2013, 2012）
stag	雄鹿（2013）
stallion	种马；成年公马
sting	（蝎子等的）刺（2013）
stork	鹳（长腿鸟）
swallow	燕子（2014）
swan	天鹅（2012）
tadpole	蝌蚪（2014, 2013, 2012）
tail	尾巴（2014）
talon	鹰爪（2013）
terrier	原本用于狩猎的小狗（2012）
toad	蟾蜍（2014, 2012）
tortoise	陆龟（2013, 2012）
trout	鳟鱼（2013, 2012）
tuna	金枪鱼（2013）
turkey	火鸡
turtle	乌龟（2013, 2012）

tusk	尖牙（2013）
veal	小牛肉
venison	鹿肉；野味
venom	毒液；恶意
vermin	害虫；寄生虫
vulture	秃鹰（2013, 2012）
waddle	摇摆走 [鸭之动作]（2013）
walrus	海象（2013）
warm-blooded	（动物）温血的（2012）
web	蜘蛛网（2013）
whale	鲸鱼（2012）
wool	羊毛（2013）
woolen	羊毛的
wolf	狼（2013）
worm	（蠕）虫（2014, 2013, 2012）
zebra	斑马（2012, 2009）

Part 5 植物 /Plants

acorn	橡子（2013）
algae	水藻；藻类
arboreal	树木的（2013）
bark	树皮（2013, 2012）
berry	浆果（2014, 2012）
blossom	花（2009）
botanist	植物学家（2014）
botany	植物学（2014）
bough	大树枝（2014）
branch	树枝（2014）
broccoli	西兰花（2012）
bud	花蕊；萌芽（2013, 2012, 2009）
bulb	球茎，块茎植物（2013）
burgeon	芽，嫩枝
bush	灌木（2013）
cantaloupe	罗马甜瓜（2012）
carrot	胡萝卜（2013）
cedar	雪松（2013, 2012）
cherry	樱桃；浆果（2013）
cork	软木；软木树；软木塞

cornfield	玉米地
ebony	乌木（2013）
fig	无花果（2013）
flora	植物群（2014, 2012）
foliage	叶子（总称）
glade	林间空地
grape	葡萄（2012）
grassland	草地
grove	小树林（2013）
herb	香草，药草（2012）
husk	（果类或谷物的）外壳，荚（2014, 2012）
jungle	丛林（2013）
laurel	月桂树（2012）
lavender	薰衣草；淡紫色（2012）
lemon	柠檬（2012）
lettuce	莴苣（2013）
lily	百合花（2012）
melon	瓜（2012）
mint	薄荷（2012）
needle	针叶（2013）
oak	橡树；橡木（2013, 2012）
olive	橄榄（树）（2012）
onion	洋葱（2013）
orange	橘子（2013）
orchid	兰花；淡紫色
peach	桃子
peanut	花生（2013）
pear	梨（2013）
pine	松树；凤梨（2013, 2012）
pineapple	菠萝，凤梨（2013）
pistachio	开心果（2013）
plum	李树（2013）
pod	豆荚（2012）
pollen	花粉（2012）
prune	梅子
rind	果皮，外皮（2012）
rubber	橡胶（2013）
sap	树液；精力，元气（2009）

sapling	幼树，树苗（2013, 2012）
shrub	灌木（2012）
spruce	云杉（2012）
stem	茎，干（2012）
straw	秸秆（如麦秆等）；吸管（2012）
trunk	树干（2013）
twig	嫩枝
vegetation	植被（2012）
vine	葡萄树；藤蔓植物（2014, 2013, 2012）
vineyard	葡萄园（2012）
violet	紫罗兰（花）（2013）
woods	树林（2013）

Part 6 饮食/Food

ambrosia	美味食物；神的食物
banquet	宴会
batter	（用鸡蛋、牛奶、面粉等调成的）糊状物（2015）
beverage	饮料（2012）
biscuit	饼干（2014, 2012）
bowl	碗（2013）
bread	面包（2013）
broth	肉汤
bun	圆形的小面包或点心
butter	黄油（2012, 2009）
cafeteria	自助餐厅（2012）
caffeine	咖啡因（2012）
cereal	谷物（2013）
cheese	奶酪（2012）
cider	苹果汁；苹果酒
container	容器（2013）
core	果核（2013）
crust	面包皮，干面包片（2014, 2013, 2012）
dessert	甜点（2012）
diet	饮食
dough	生面团（2015, 2012）
feast	宴会，酒席（2012）
flour	面粉（2012）
galley	（船或飞机的）厨房（2012）

ginger	姜（2013）
goblet	高脚玻璃杯（2013）
gluttony	暴饮暴食（2012）
grain	谷物（2014）
graininess	谷粒状（2013）
grocery	食品杂货店（2012）
hamper	食盒，食篮
jam	果酱（2014）
juice	果汁（2013）
lemon	柠檬（2014）
macaroni	通心粉
menu	菜单
nut	坚果；难题（2012）
pasta	面团（用以制意大利通心粉，细面条等）；意大利面食（2014, 2012）
peel	果皮（2014, 2013, 2012）
pepper	胡椒（2012）
peppery	胡椒的（2013）
picnic	野餐（2013）
popcorn	爆米花（2012）
prune	李子干（2013）
pudding	布丁（2014, 2013, 2012）
quid	烟草块；咀嚼物
raisin	葡萄干（2013）
relish	滋味；调味品；爱好
rind	果皮，壳（2014）
roast	烤肉
saccharine	糖精
sauce	酱汁；调味品（2014, 2012）
saucer	茶托，碟子
seasoning	调味品，佐料；增添趣味之物
snack	快餐；点心（2014, 2012）
soup	汤（2013）
spice	香料；调味品；情趣
spoon	勺子，匙（2014, 2013）
stew	炖肉，炖菜（2012）
toast	面包片（2014, 2012）
toaster	烤箱（2009）
tobacco	烟草

Part 7 自然 /Nature

accretion	连生；添加生长 (*opposite of erosion*)
anemometer	风速计
antipode	地理位置的对立（特指新西兰、澳大利亚和西半球的对立）
aperture	孔，穴，缝隙
arable	适合耕种的（2013）
archipelago	群岛，列岛（2015）
bank	河岸（2013）
bay	海湾
booze	酒；酒宴
boulder	卵石，大圆石；巨石（2014, 2013）
brook	小溪，小河（2014）
canyon	峡谷（2015, 2014, 2009）
cartography	制图（法），地图制作（2014）
cascade	小瀑布
cataract	大瀑布；奔流（2015, 2009）
cavern	洞穴（2014, 2012）
chasm	深坑；裂口（2014）
clay	黏土（2013）
cliff	悬崖，峭壁（2015, 2014, 2013, 2012, 2009）
confluence	汇流处（2013）
continent	大陆；洲
conurbation	有卫星城的大城市（2013）
creek	小溪，小湾（2013）
crevice	（岩石、墙等）裂缝
dam	水坝（2013）
defile	山中的狭道（2012）
demography	人口统计学 / study of population statistics
droplet	小水滴（2013）
epoch	纪元，时代（2013）
equinox	昼夜平分点，春分或秋分 /either of the two times of the year when the length of day and night are equal (e.g. the vernal equinox on 21st march)
escarpment	悬崖，绝壁（2015）
fallow	休耕地 / left uncultivated (land that can be cultivated but is currently not under crops)（2014）
fissure	裂缝；裂开（2009）
fountain	喷泉（2013, 2012）
glacier	冰河，冰川（2012）

graphite	石墨（2012）
gravel	小碎石（2013）
grotto	岩洞，洞穴；人工洞室（2014）
gully	冲沟，溪谷（2015, 2014, 2012, 2009）
gunk	泥状物质；无特殊形状之物
hillock	小丘，土堆
hillside	山坡，山腰
inundate	淹没，泛滥 /flood
isobar	等压线 / line on a chart that links areas of equal air pressure
isthmus	地峡 / a narrow strip of land connecting two large land masses
lagoon	泻湖，池沼（2014, 2012）
landscape	风景；地形（2014, 2012）
lane	小路，小巷（2014, 2012）
lava	熔岩（2013）
leeward	下风，背风 / sheltered side (opposite of windward)
legend	图例 / key to a map
marble	大理石（2014, 2013, 2012）
meadow	草地；牧场
meander	（河流的）曲折；漫步；迂回旅行
meandering	蜿蜒的河流；漫步；聊天（2013, 2012）
mine	矿山，矿井（2014）
mire	泥沼
mud	泥浆（2014）
nadir	最低点 / lowest point（2014, 2012）
oasis	（沙漠中的）绿洲（2014）
ooze	泥浆（尤指河床、湖底等的淤泥）（2012）
opal	蛋白石，猫眼石（2012）
ore	矿石（2014, 2012）
pearl	珍珠（2014）
pebble	鹅卵石；小石子（2014, 2012）
pelagic	远洋的；海面的 / living in or relating to oceanic waters
plate	板块 / tectonics theory describing the formation and movement of the earth's land masses
plateau	高原，高地（2014）
pond	池塘（2014, 2013, 2009）
prairie	草原
precipice	悬崖，断壁；绝境（2015, 2013, 2012, 2009）
puddle	水坑，地上积水（2012）
quagmire	沼泽；绝境

ravine	峡谷；沟壑；山涧（2013, 2012）
reservoir	蓄水池（2013）
rip	裂口，裂缝
ripple	涟漪，波纹（2012）
rivulet	小溪，小河
shale	页岩，泥板岩（2012）
shoreline	海岸线（2014）
sinkhole	孔洞（2013）
skyline	地平线（2013）
stratum	岩层；地层；社会阶层（2012）
swamp	沼泽，湿地
terrestrial	地（球）上的；陆地的（2014）
thunderbolt	雷电（2013）
volcano	火山（2013）
zenith	顶峰，顶点 /peak, highest point
valley	山谷
waterway	水道（2013）

Part 8 城市 /City

avenue	街道
curb	街道的镶边石
driveway	车道（2013）
intersection	十字路口（2013）
junction	交叉点，交界口（2013）
lane	车道，跑道；泳道
median	中线（2013）
outskirts	郊区（2013）
sidewalk	人行道（2013, 2012）
stoplight	红灯（2013）
vehicle	交通工具（2013）

Part 9 法律 /The law

affidavit	宣誓口供；宣誓书 /a written declaration made under oath
arbitrator	仲裁人；公断者
arbitration	仲裁 /third party resolution of a dispute
attorney	律师（2012）
bench	法官席（2013）
codicil	遗嘱的附件 /an addition at the end of a will

collateral	担保物 /money or securities used to guarantee a loan
constitution	宪法；组织（2013）
courtroom	法庭（2013）
embezzlement	挪用，侵占 /defrauding someone of money
exculpate	证明无罪；免除责任 / prove not guilty; remove blame
exonerate	使无罪
gavel	会议主席或法官用的小木槌（2012）
handcuff	手铐（2013）
illicit	非法的
judge	法官（2013）
judiciary	法官；司法制度；司法部（2012）
juror	陪审团（的成员）（2014, 2012）
impeach	控告，弹劾 /to bring an accusation against (esp. a public official)
indemnify	保障；保护；使免于受罚；补偿 /act as a guarantor; insure; pay compensation
indictment	控告；起诉 /formal accusation of a serious crime
legal	合法的
legislature	立法机构（2014）
libel/slander	诽谤 /unproven accusations that damage a person's reputation (libel is written; slander is spoken)
lien	（法）留置权；扣押权 /right over someone's property, usually in payment of a debt
litigation	诉讼 /a lawsuit
litigant	诉讼当事人 /one who starts legal proceedings
perjury	假誓；伪证 /telling lies under oath
plaintiff	原 告 /the person who brings a complaint to law (as opposed to the defendant)
rider	法律补充 /an addition to a law
statute	法律 /a law
suborn	行贿 /bribe a witness
subpoena	传票 /a summons to court
summon	召唤 /to call forth
summons	传票
writ	令状；文书 /written court order

Part 10 艺术 /Art

aesthete	审美家；唯美主义者 /person who appreciates art
artistry	艺术技巧（2013）
atelier	工作室；画室 /studio

avant-garde	先锋 /at the forefront of art or fashion
ballet	芭蕾（2012）
baroque	巴洛克风格的；过分装饰的 /highly decorated; excessively ornate
caricature	漫画；讽刺画；讽刺描述法 / cartoon depiction of a person; spoof
canvas	画布（2014）
choreographer	舞蹈指导（2013, 2012）
collage	拼贴画；拼贴艺术 /artwork made up of images from different sources（2014, 2012）
crayon	蜡笔，彩色粉笔（2012）
decoration	装饰品（2014）
diptych	双折画 /a painting etc with two panels with related images (*triptych – three panels*)
documentary	纪录片（2013）
easel	画架 /stand used to support a painting
effigy	肖像，雕像
emboss	装饰，浮雕 /to make a design which is raised from a surface
etching	蚀刻版画 /drawing made by cutting into a surface
fresco	壁画 /painting technique in which paint is applied to wet plaster
iconography	图解 /images and symbols associated with a particular subject
improvisation	即兴表演（2013）
kitsch	粗劣的作品；俗气的艺术、设计等；迎合低级趣味的作品 /something in bad taste; gaudy or sentimental
merengue	梅伦格舞（起源于多米尼加和海地民间的一种适合在舞厅跳的交际舞，以滑步为特征）
mosaic	马赛克，镶嵌工艺，镶嵌图案 / picture made up of small pieces (of tile etc.)（2014, 2012）
motif	（文艺作品等的）主题；（音乐的）乐旨，动机；基本图案（2013）
mural	壁画 /painting applied directly to a wall（2012）
paint	颜料（2014）
palette	调色板，颜料 /artist's tool on which paint is mixed（2014, 2012）
pantomime	取材于童话或传说的有音乐、舞蹈及滑稽表演的一种英国戏剧；哑剧表演（2012）
pastiche	模仿之作品 /a work of art or music that imitates other styles
philistine	市侩，庸人 /person with no appreciation of art
pigment	色素，颜料（2014）
photography	摄影（2009）
skit	幽默短剧（2013）
stippling	点画；点刻法 /a technique which involves the application of small dots of color
tango	探戈舞曲（2012）

vignette	装饰图案；小插图 /small sketch

Part 11 文学 /Literature

allegory	寓言 /story in which things and people are symbols or metaphors
alliteration	头韵
allusion	暗指，典故 /indirect reference
anthologist	诗集编者（2012）
anthology	选集（2012）
ballad	歌谣，民歌，叙事歌，情歌
burlesque	滑稽模仿，滑稽剧 /undignified comedy often intended to ridicule
canon	标准 /set of work accepted as a standard
critique	评论（文章）（2012）
denouement	（戏剧、小说等的）结局 /final revelation of the outcome of a complex plot
didactic	说教的 /intending to teach a moral lesson
dystopia	异位；非理想化的地方；糟透的社会 /vision of an unpleasant world (utopia = ideal world)
elegy	哀歌，挽歌 /poem etc. written in praise of someone dead（2014, 2012）
epic	史诗 /long poem etc., often relating the deeds of a hero（2012）
epigraph	铭文，题词（2009）
epilogue	结语，尾声，收场白（2013, 2009）
episode	插曲；一段情节；有趣的事情（2013）
epistolary	书信 /written as a series of letters
epistle	书信
epitome	缩影；典型（的人或事）；摘要（2014, 2013）
essay	文章，短论，随笔，小品文（2012）
eulogy	颂歌，颂词（2012）
footnote	脚注（2013）
genre	分类，类别 /type, category
grammar	语法（2013）
haiku	三行俳句诗（日本的一种诗体）（2012）
hyperbole	夸张（2012）
index	索引（2013）
irony	讽刺 / type of humor in which the opposite of what is meant is said
lampoon	讽刺文章（2012）
limerick	五行打油诗 /short amusing poem
malapropism	词语荒唐误用
margin	书的空白页（2013）

metaphor	比喻（说法）；暗喻，隐喻 /figure of speech in which a comparison is implied
ode	颂诗，颂歌（2014, 2013, 2009）
onomatopoeia	拟声（语）
opera	戏剧
parable	寓言，格言 /short story that teaches a moral lesson
predicate	谓语
preposition	介词
protagonist	主角，主人公 /main character in a book, play, film etc.
pseudonym	假名，化名 /false name
refrain	重复；叠句；副歌
satire	讽　刺 /work or genre in which the follies of society or people are exposed to ridicule
sonnet	十四行诗 /a poem of fourteen lines
stanza	诗节（2013）
verisimilitude	逼真 /having the appearance of truth; seeming possible in real life
plagiarize	抄袭 /to steal and pass off the ideas or words of another as one's own
postscript	附言（2013）
preamble	前言，序文（2013）
synopsis	摘要，概要
syntax	语法，句法（2012）

Part 12 经济和政治 /Economics and Politics

allowance	津贴；零用钱（2014）
anarchism	无政府状态 /absence of law
appropriation	挪用，拨款（特殊项目的基金）（2013）
ballot	投票（2013）
bicameral	两 个 议 会 的 /a type of government or legislature based on two chambers or divisions
broker	经纪人（2013）
bureaucracy	官僚主义，官僚政治，官僚机构
caucus	干部会议，核心会议 /small group with a common interest
cloture	结束讨论 /process of ending a debate by putting the matter to vote
deficit	赤字；亏损
deflation	通货紧缩
demagogue	煽 动 者 /leader who appeals to the emotions and prejudices of the people
egalitarianism	平等主义 /belief in equality before the law
extradition	（根据条约或法令对逃犯等的）引渡 /returning a person to his or her country of origin

filibuster	阻碍立法之情形 / delaying tactics（2013）
gerrymandering	为本党利益改划选区，不公正操纵 /altering boundaries (of constituencies) to benefit one political party
impeachment	控告，弹劾 /making a formal accusation against
inauguration	就职 /official ceremony installing a president etc.
incumbent	在职者 /present holder of a certain office/position
legislation	立法（2013）
lobby	游说（团）/ persuade; a group that supports a particular position
moratorium	（行动，活动等的）暂停；暂禁 /temporary cessation of activity; temporary prohibition
nihilism	虚无主义 /a movement that believes that all existing political institutions must be destroyed before improvement can be made
oligarchy	寡头统治 /ruled by a few
parliament	国会；议会
plutocracy	财阀统治；财阀，富豪 /government by the wealthy; the wealthy class that controls a government
polemics	辩论，争论 /argumentation
politician	政治家（2014）
poll	投票，民意（测验）（2014）
sanction	批准 /give official approval to
veto	否决；否决权 /a prohibition issued by an authority; the right to prevent or reject

Part 13 天文、气象与环境 /Astronomy、 Meteorology and Environment

adverse weather condition	恶劣的天气状况
air quality rating	空气质量评级
arid and semi-arid areas	干旱和半干旱地区
astrology	占星术（2014）
astronomer	天文学家
astronomy	天文学（2014, 2009）
blizzard	暴风雪
breeze	微风；容易做的事情（2012）
celestial	天空的（2013）
cold snap	寒潮
cold spell	春寒期
constellation	星座（2012）
cyclone	旋风
desertification	沙漠化

dew	露水（2013）
drought	干旱（2013, 2012）
drought region	干旱地区
drought-relief efforts	抗旱
dry spell	干旱期
El Nino phenomenon	厄尔尼诺现象
exhaust	废气（2012）
extreme weather	极端天气
fleck	微粒；斑点 /a small bit or flake; a tiny mark or spot
fog	浓雾
forestation	植树造林
frosty	霜冻
galaxy	银河，星系（2014）
greenhouse	温室（2013）
hail/hailstone	冰雹
high temperature	高温
hurricane	飓风（2014）
ice rain	冻雨
innermost	最内部的 / farthest inward, inmost
La Nina phenomenon	拉尼娜现象
less rainfall	少雨
meteorologist	气象学家（2014）
meteorology	气象学（2014）
meteor	流星
monsoon	季风（雨）（2013）
orbit	轨道（2014, 2012, 2009）
precipitation	降雨或降雪量
rain spell	雨季
rainstorm	暴风雨（2012）
revolution	公转
sand and dust weather	沙尘天气
sandstorm	沙尘暴（2014, 2012）
satellite	卫星
sleet	雨夹雪；雹；冻雨
snowflake	雪花（2014, 2012）
snowstorm	暴风雪
stormy wind	暴风
thunderstorm	雷暴
topsoil	表土层

tornado	旋风，龙卷风（2014, 2012）
typhoon	台风
visibility	能见度
waterspout	海上龙卷风
whirlpool	旋涡（2013）
whirlwind	龙卷风
zephyr	西风，徐风，和风

Part 14 宗教 /Religion

acolyte	（天主教）侍祭 /a devoted follower; one who helps in certain rituals
agnostic	不可知论者 /someone who is unsure about the existence of god
apocrypha	伪经（旧约全书中犹太人不予承认为希伯来圣经的经籍）/set of books of doubtful origin (not part of the accepted gospels)
ascetic	禁 欲，克 己 /one abstains from all forms of indulgence for religious reasons; hermit
atheist	无神论者 /one who denies the existence of god
augury	占卜 /foretelling the future with the aid of omens
blasphemy	对上帝的亵渎，亵渎的言辞 /speech which insults religion; showing lack of respect to god or religion
clergy	（尤指基督教堂内的）牧师，教士 /the collective noun for the priests of a particular religion
congregation	（教堂里的）会众 /group of worshippers
desecrate	亵渎，玷污 /spoil something holy (so that it is no longer sacred)
heresy	异端 / expression of an unorthodox or controversial belief
homiletics	讲道术，说教术 /the art of preaching and writing sermons
idolatry	偶像崇拜 /worship of idols
liturgy	礼拜仪式；（英国国教的）祈祷书 /the prescribed forms of worship (rites) used in a church etc.
miter	主教法冠 /a liturgical headdress worn by bishops on formal occasions （2014, 2012）
numinous	神圣的；神秘的；超自然的；令人敬畏而又向往的 / causing a spiritual feeling; beyond understanding
oracle	神谕；圣人（2009）
pantheism	泛神论 / belief in many gods
religion	宗教（信仰）（2014）
sanctify	使神圣；洗清……的罪孽 /make holy
sermon	布道，说教（2013, 2012）
theology	神学 / study of religion
venerate	尊崇 /worship

zealot	狂热者 /one who is passionate about beliefs; fanatic

Part 15 生理与心理 /Psychology

altruism	利他主义 /self-sacrifice (putting others before oneself)
aural	耳的，听觉的
catharsis	发泄，宣泄 / purging or venting strong emotions
cathartic	发泄的，宣泄的；泻药
cerebral	大脑的；智力的 /of or relating to the brain or the intellect; appealing to or requiring the use of the intellect; intellectual rather than emotional
circadian	生理节奏的（以二十四小时为周期的）/ occurring approximately every 24-hours
cognition	认知 / the mental process of knowing something
cognitive	认知的 / of, relating to, being, or involving conscious intellectual activity
congenital	先天的，天生的 / present from birth
curiosity	好奇 / desire to know
egocentric	以自我为中心的 /selfish; self-obsessed
empathy	移情 / ability to understand and identify with another person
gestalt	形式，形状 /a pattern or symbol that is more than the sum of its parts
habituation	适应，习惯性 / becoming used to something
heuristic	启发式的；探试的，探索的 /stimulating interest; encouraging someone to investigate or learn
hypochondriac	疑病症患者；患疑病症的 / person with imaginary illnesses; excessively concerned about health
hysteria	歇斯底里 /state of violent mental agitation
innate	内在的 / inborn
insanity	不正常；精神错乱 /madness（2012）
insomnia	失眠症 / inability to sleep（2012）
masochist	性受虐狂者，受虐狂者 /person who enjoys inflicting pain on himself
misogyny	厌女（症）
mnemonic	记忆的，助记的 /concerned with memory; memory aid
nasal	鼻的，鼻音的
paranoid	属于偏执狂的，患妄想狂的 /excessively worried or afraid
pathological	病理学的；由疾病引起的；病态的，疾病的
pectoral	胸部的，胸的
phobia	恐惧；厌恶 /excessive fear (e.g. claustrophobia is fear of enclosed spaces)（2013）
placebo	安慰剂 /a substance of no real medicinal value used as a control in an experiment, or to reassure a patient

psyche	精神 /the soul, spirit or mind; that which is responsible for our thoughts and feelings
psychiatrist	精神病专家，精神病医生（2012）
psychiatry	精神病学，精神病治疗法（2012）
psychic	巫师；灵媒；心灵研究
psychology	心理学；心理状态（2014, 2012）
somnambulism	梦游 /sleep-walking
somnambulist	梦游者 /a sleepwalker
soporific	催眠的
soul	灵魂，心灵（2012）
subliminal	心阈下的，潜意识的；太弱或太快以致于难以觉察的 / below the threshold of consciousness
tactile	触觉的

Part 16 外交 /Diplomacy

ambassador	大使，使节
antagonize	反对，对抗；激怒 / to act in opposition to; to incur of provoke the hostility of
ceremony	仪式，典礼（2013）
concession	让步，协商 / the act or an instance of conceding; something conceded（2013）
conduct	行为（2013）
denunciation	斥责，谴责 / the act of denouncing especially a public condemnation
diplomacy	外交手腕；机敏，圆滑 / the art and practice of conducting negotiations between nations; skill in handling affairs without arousing hostility（2008）
diplomat	外交官（2013, 2012）
equivocate	含糊其辞 / to use equivocal language especially with intent to deceive
negotiate	协商，过渡（2008）
oratory	演讲（2013）
protocol	外交礼仪，协议（2013）
surrender	屈服，投降；放弃，抛弃 / to relinquish possession or control to another because of demand or compulsion; to give up or abandon

Part 17 军事 /Military

ambush	埋伏，伏击；伏兵 / surprise attack; military trap
armada	无敌舰队 / fleet of ships
armor	盔甲，装甲（2012）
barrage	以密集炮火进攻；信息爆炸 / heavy concentration of artillery fire; an overwhelming amount of information etc.
besiege	包围，围困 / to surround and attack
beleaguer	包围，围困

conscript	应征士兵；征召 / person forcibly made to join the army; process of forcing someone to sign up
covert	隐藏的，隐蔽的 / hidden, secret
decimate	大批杀害（取十分之一）/ destroy a significant part of (originally one-tenth)
emissary	使者，密使 / messenger and representative
epaulet	肩章，肩饰 / shoulder decoration on a uniform
espionage	间谍活动，刺探 / spying
feint	伪装，佯攻 / pretence; deceptive move in a battle
fusillade	猛射，齐射 / a rapid, simultaneous discharge of firearms
insignia	记号，标志；徽章，荣誉 / a badge or emblem of office
martial	军事的，战争的，尚武的 / concerned with the military
musket	步枪，滑膛枪 / old-fashioned weapon (like a rifle)
platoon	军队中的一个排（2012）
reconnaissance	事先考查；侦测 / advance survey; preliminary investigation
rifle	步枪，来福枪（2012）
salvo	齐射，齐鸣 / simultaneous firing of weapons; sudden outburst
scabbard	鞘，枪套 / cover for a sword (a quiver is a container for arrows)
skirmish	小冲突，小规模战斗 / minor battle
truce	停战，停火 / cease-fire; agreement to end hostilities
vanquish	征服；击败 / conquer; defeat
weaponry	武器（总称）（2012）

Part 18 学科 /Subjects

archaeology	考古学
astrology	占星术
cardiology	心脏学
criminology	犯罪学（2012）
dermatology	皮科
entomology	昆虫学
ethnology	人种学
etymology	语源学
gastronomy	美食法
gerontology	老人医学
homiletics	说教术
kinesiology	运动技能学，人体运动学（2012）
meteorology	气象学
neurology	神经学

numerology	命理学（2012）
obstetrics	产科学
oceanography	海洋学（2012）
ophthalmology	眼科学
ornithology	鸟类学
pathology	病理学
petrology	岩石学
philology	语言学，文献学
philosophy	哲学；哲理（2014）
physiology	生理学
prosody	诗体论
psephology	选举学
speleology	洞穴学
taxonomy	分类学
topography	地形学

Part 19 医疗 /Medical Science

amnesia	健忘，失忆（2012）
analgesic	止痛剂，镇痛剂（2014）
anemia	贫血症
anesthesiologist	麻醉师
anesthetic	麻醉剂
antidote	解药，解毒剂（2014, 2013, 2012）
antiseptic	杀菌剂；防腐剂（2014, 2009）
antitoxin	抗毒素（2014）
astringent	收敛剂
autopsy	尸体解剖；验尸；（事后的）分析，检查（2012）
blood clots	血凝块（2013）
coagulant	凝结剂
cure	治疗（2013）
drastic	烈性泻药
drill	（牙医的）钻头（2013）
drowsiness	睡意
dyslexia	阅读障碍
emollient	软化剂
euphoria	欣快症
hemophilia	血友病
hepatitis	肝炎

insomnia	失眠（症）（2014, 2012）
laxative	泻药
lethargy	困倦（2013）
malady	疾病；弊病
malaise	不舒服
malaria	疟疾；瘴气
malnutrition	营养不良
narcotic	催眠药（2013）
nephritis	肾炎
ophthalmia	眼炎
optometrist	验光师（2013）
optometry	视力测定，验光
paranoia	偏执狂
pathology	病理学
penicillin	青霉素
pharmacist	药剂师（2012）
pneumonia	肺炎
podiatry	足科病
poison	毒药（2013）
recovery	恢复（2013）
relapse	旧病复发（2013）
saliva	唾液
salve	药膏
scalpel	（外科医生的）手术刀（2014, 2013）
sedate	镇静剂（2013）
sedative	镇静药
slobber	口水
soporific	催眠剂
sore	痛处；疮口
stimulant	兴奋剂（2013）
surgeon	外科医生（2013）
tonic	补药，补剂（2013）
vaccination	接种注射（2013）

分解词汇之前缀与后缀

Part 1 前缀

Prefix	Meaning	Examples
a，an	not，without	acentric（离心的），amoral（不道德的），amorphous（无定性的），anarchy（无政府状态），apathy（冷漠无情），asocial（无社交的），asymmetrical（不对称的），atypical（不典型的），asymptomatic（无临床症状的），analgesic（止痛剂），anaerobic（厌氧的）
ab，abs	from，away from	abdicate（ab+dicate [*to proclaim*]，放弃），abduct（诱拐，绑架），abhor（憎恶，痛恨），abnormal（反常的），abortion（流产，堕胎），abscond（潜逃），absent（缺席的），abstain（自制，戒绝），abstract（摘要；抽象的），abuse（滥用；虐待）
ac，ad，af，ag，as，at	to，toward	addict（ad+ dict [*to say*]，沉溺），advent（ad+ vent [*to come*]，出现、到来），adverse（ad+ verse [*to turn*]，逆的、反对的），affirm（af+ firm，确认、断言），aggress（ag+ gress [*to walk*]，侵犯、攻击），attract（at+ tract [*to draw*]，吸引），accede（同意），adhere（粘着；坚持），adjunct（附件，附属物），assure（确认），attach（附上，系上，贴上），attain（达到，获得），attest（证明，作证）
ambi，amphi	both；around	ambiguous（ambi+ igu[*to drive*]+ous，引起歧义的），ambivalent（互相矛盾的），amphibian（两栖动物），ambidextrous（左右手同样灵巧的），amphitheater（圆形露天剧场；古罗马剧场）
an	not，without	anesthetic（an+ esthetic [*perceptive*]，麻醉剂；麻醉的），anarchy（an+ arc [*ruler*]+y，无政府状态）
ant，anti	against	Antarctic（ant+ arctic，南极的；南极），antipathy（anti+ pathy [*feeling*]，憎恶、反感），antibody（抗体），antidote（解药），antithesis（对立，对照），antibacterial（抗菌剂），antonym（反义词）
ante	before	antebellum（战前的），antedate（先于），antecede（先于），antecedent（之前的），antechamber（前厅），antenatal（出生前的），anterior（先前的，早期的）
auto	self	autonomy（auto+ nom [*name*]+ y，自治），autobiography（auto+ bio [*life*]+ graphy [*writing*]，自传），autocratic（专制的），autograph（亲笔签名），autography（亲笔签名），automobile（汽车）

bene	good, well	beneficial（bene+ fic [to do]+ ial，有益的），beneficiary（受益人），benefactor（捐助者），benefaction（捐助；善行），benediction（祈福，祝福），benevolent（仁慈的，慈善的），beneficent（仁慈的，慈善的），benign（良性的；仁慈的）
bi	two，double	bilingual（bi +lingua [language]+al，双语的），biannual（两年一次的），biennial（一年两次的），bilateral（双边的），biweekly（两周一次的；双周刊）
by	nearby；minor	byline（署名），byway（旁道），by-business（兼业），by-law（内部章程，附则），byproduct（副产品），bypass（绕开），bystander（旁观者）
cata	down，downwards，fully	catalyst（cata+ lyst [to free]，催化剂），catalogue（cata+ logue [to say, to tell]，目录），catastrophe（cata+ strophe [turning]，大灾）
circum	around	circumambulate（绕行），circumlocution（迂回说法），circumscribe（周围画线；限制），circumspect（谨慎小心的），circumvent（绕行；回避），circumference（圆周；周围），circumnavigate（环航），circumlunar（环绕月球的）
co，com，con	together	cooperation（合作），coincide（同时发生），coagulate（凝结），coalesce（合并，联合），combine（结合，联合），commemorate（纪念；庆祝），commensurable（成比例的），compassion（同情，怜悯），compatriot（同胞），condense（压缩，浓缩），congregate（集合，聚集），consolidate（巩固；合并）
contra，counter	against	contradict（contra+ dict [to speak]，反驳、否认），contradiction（反驳、否认），contrary（相反的），contrast（对比），counterclockwise（逆时针方向），counterpart（对手；副本），counterfeit（伪造；伪造品；假冒的）
de	away；down	debate（de+ bate [to beat]，辩论），decelerate（减速），decode（解密），decrease（减少），deduce（演绎，推论），deface（丑化，失面子），defame（诽谤，中伤），deficit（不足，赤字），deforest（砍伐森林），descend（下降），desist（停止），devalue（贬值）
deca	ten	decade（十年）
deci	tenth	decimal（十进制的，小数的），decimeter（分米）
di	double，twice	dilemma（di+ lemma [assumption]，进退两难），diploma（di+ ploma [folded]，文凭、证书）
di，dis	apart，away	digress（离题），diminish（减少），divert（转移，娱乐），disable（dis+ able [capability]，使无能、使残废），disadvantage（不利，劣势），disagree（不同意，不一致），disarm（解除武装），discourage（使沮丧），dispel（驱逐），dispassionate（冷静的），disproof（反驳；反证），dissociate（分离），distract（转移；分心）

dia	across, between, through	diagnosis（dia+ gnosis [*knowledge*]，诊断），dialogue（dia+ logue [*speech*]，对话），diameter（dia+ meter [*to measure*]，直径）
duo	two, double	double（双重的；二倍），doubt（*to be of two minds*，怀疑），dual（二重的，两层的），duel（*a combat between two*, 决斗），duplicate（duo+ plic[*to fold*]+ ate，复制的、完全相同的）
dys	faulty, wrong	dysfunctional（有功能障碍的），dyslexia（读写困难），dyspepsia（消化不良），dystopia（异位；非理想化的地方；糟透的社会），dystrophy（营养不良）
en	in, into, on, at, near	enact（法令），enclose（围绕；附寄；纳入），encounter（遭遇；对抗），enlarge（扩大，增加）
epi	upon, to, besides, among	epic（epi+ c[=cus, *narrative*]，史诗），epidemic（epi+ dem [*people*]+ ic[*adj.*]，流行病），episode（epi+ sode[*coming in*]，插曲、一段情节），epigram（警句，格言），epilogue（结语；后记），epitome（摘要；缩影）
equ	equal	equable（平静的；稳定的），equanimity（平静），equilibrium（平衡），equitable（公平的），equivalent（相等的），equivocal（模棱两可的），equivocate（说话模棱两可）
eu	good, pleasing	eugenics（eu+ gen[*to bear*]+ics，优生学），eulogy（颂词，颂歌），eulogize（称赞，颂扬），euphony（悦耳之声），euphoria（兴奋欢欣），euthanasia（eu+ thanas[*to die*]+ia，安乐死）
e, ef, ex	out	eccentric（古怪的，反常的），egress（外出，出口），efface（抹掉），exceed（超过，胜过），exhale（呼气），exhume（发掘），expel（驱逐，逐出），expose（暴露，揭穿），expurgate（净化，删去），extract（摘录，提取）
extr, extra	beyond; outside	extracurricular（extra+ curri[*to run*]+cular[*adj.*]，课外的），extraordinary（extra+ordinary，非常的、特别的），extraneous（外来的），extraterrestrial（地球以外的），extravagant（奢侈浪费的），extrovert（外向的）
for, fore	before	forefather（祖先，祖宗），foresee（预知），forward（向前的，前部的）
forth	towards	forthcoming（*imminent*，即将出现的）
hemi	half	hemisphere（半球）
hetero	different	heterogeneous（异种的），heterosexual（异性恋）
homo	same, alike	homogeneous（homo+ gene[*kind, kin*]+ ous[*adj.*]，同种的），homosexual（同性恋），homonym（同音异义词）
holo	entire	holocaust（毁灭；大屠杀），holograph（亲笔文件；全部亲笔写的），holometabolism（完全变态，全变形）
hyper	over	hypercritical（吹毛求疵的，苛求的），hypersonic（超音速的），hypertension（过于紧张；高血压）

hypo	under	hypothesis（hypo+ thesis[*to place*]，假设），hypotension（低血压），hypocritical（伪善的），hypocrisy（伪善），hypodermic（皮下的），hypomnesia（记忆力减退），hypotrophy（不足生长）
im，in，il，ir，un	not	impertinent（无礼的；不中肯的），inept（不适当的，无能的，笨拙的），intractable（难以对付的，倔强的），illegal（非法的），irregular（不规则的）
im，in，em，en，	in，into	imbibe（吸取，吸入），imperil（陷入危险），implicit（不言明的，含蓄的），imprison（下狱，拘禁），incisive（敏锐的；激烈的），inscribe（铭刻，题献），invade（侵入，拥入）
inter	between	interfere（干涉，干预），interject（插话，插入），interlocutor（对话者，谈话者），interlope（干涉，闯入），interlude（中间时间，中间事件，间奏曲），interscholastic（校际间的），intersect（贯穿，相交），intervene（阻碍，出面）
intra，intro	within	intramural（壁内的，内部的），intranet（内网），intrastate（州内的），intravenous（进入静脉的；静脉注射的）
kilo	thousand	kilogram（公斤），kilometer（公里）
macro	big	macrobian（长寿的；长寿的人），macrocosm（宏观世界），macroeconomics（宏观经济学）
mal，male	bad	maladroit（笨拙的），malodorous（有臭味的），maltreat（虐待，亏待），malfunction（故障），malefaction（罪恶，罪行），malediction（诅咒），malevolent（恶意的），malefactor（罪人，犯人），malicious（恶意的），malcontent（不满的，不服的），malpractice（玩忽职守），malapropism（字的误用），malady（疾病；弊病），malaria（疟疾；瘴气）
mega	large，million	megabyte（[电脑]百万位元组）
meta	change	metamorphose（改变形状）
micro	small	microbe（微生物），microcosm（微观世界），microfilm（缩微胶卷），microscope（显微镜），microwave（微波）
milli	thousand，thousandth	milliliter（毫升），millimeter（毫米）
mini	small	minibus（小型巴士），minimum（最低，极小值），minimize（最小化），miniature（微型；小型的），minutiae（细节，小事）
mis	hate，wrong	mislead（误导），misnomer（误称），misspell（拼写错误），mishap（不幸，灾难），misshape（使成畸形），misanthrope（厌恶人类者）
mono	one	monograph（专题论文），monologue（独白），monarch（君主，帝王），monopoly（垄断，专利），monotonous（单调的），monogamy（一夫一妻制），monolith（独块巨石，整体塑制品），monomania（单狂，偏狂）

multi	many	multilingual（多种语言的），multiple（多样的），multiply（乘；繁殖），multiform（多种形式的），multimedia（多媒体），multitude（大量，众多）
neo	new	neonate（新生儿），neonatal（新生的，初生的），neogamist（新婚者），Neolithic（新石器时代的），neologism（新字，新义），neophyte（新手，初学者），neoteric（新式的；现代的），neophilia（喜新成癖）
non	not	nondescript（难以形容的），nonstop（直达的，不停的；直达车），nonentity（不重要；无足轻重之人），nonsuch（无与伦比的事物，绝品，极品），nonconformist（不遵循传统之人）
ob，op	against	object（反对），obscure（遮掩；模糊的），obstacle（障碍），obstruct（妨碍；阻塞），obnoxious（可憎的，讨厌的），oppose（反对），opponent（对手）
omni	all	omnibus（公共汽车；选集，汇编；综合的；老百姓），omnivorous（杂食的），omnipotent（无所不在的），omnipresent（无处不在的），omniscient（无所不知的），omnificent（创造一切的，有无限创造力的）
out	outside，over	outdo（胜过，优于），outwear（比……经久，使筋疲力尽），outwit（以机智取胜），outlaw（不合法），outlandish（古怪的，奇异的），outrage（愤慨），outmoded（过时的，不流行的），outskirts（郊区），outline（外形，轮廓，概要）
over	overly；on；turn	overact（过火地表演），overdose（药物过量），overlap（重叠），overwhelm（压倒；泛滥），overbridge（天桥），overlook（俯视；疏忽），overturn（颠覆），overthrow（颠覆）
paleo	old	paleontology（古生物学），Paleolithic（旧石器时代的），paleofauna（古动物群），paleoflora（古植物群）
pan	all，everywhere	pan-American（泛美的），pandemic（流行病；流行的），panorama（全景），pansophic（全知的），pandemonium（喧器；大混乱）
para	beside，beyond，against，contrary	paragraph（段、节、短评），parallel（平行的；并列），parasite（寄生虫）
per	through；false	perfuse（洒遍，散布），persist（坚持），perturb（扰乱），permeate（弥漫，渗透），perspective（远景，观点），perennial（全年的），permanent（永久的，持久的），perspicacious（有洞察力的），perfidy（不忠，背叛），perjury（伪证，假誓），perfunctory（敷衍草率的）
peri	around；about	peripatetic（巡回的），periscope（潜水艇望远镜），periphery（周围，外围），periphrastic（迂回的）
poly	many	polygon（多边形），polymorphous（多形态的）

post	after	postpone（推迟，延期），postfix（后缀，词尾），postscript（附言，附录），posterior（较后的），posthumous（死后的）
pre	before	precede（先于），preface（序文，前言），preclude（预先排除；妨碍，阻止），precaution（预警），predict（预测），preamble（序文，前言），predestine（注定），precursor（先驱，前导），prescience（预知，先见），premonition（预告，预感）
pro, pur	forward; support	protrude（伸出，突出），protagonist（主演，支持者），propel（推进，驱使），promote（促进，提升），prologue（序言，开场白），pro-feminist（赞同女权主义者），pro-democracy（支持民主制），purpose（目的，用途）
proto	first	prototype（原型，标准），protocol（协议；草案）
pseudo	false	pseudonym（假名，笔名），pseudoscience（伪科学），pseudograph（冒名作品），pseudology（谎话）
re	again; back	regenerate（再生），refurbish（刷新），retract（缩进；拉回），repose（休息，静止），resonant（回响的，洪亮的）
se	apart, away	separate（分离），seclude（隔离，隔绝），secede（退出；脱离）
semi, hemi, demi	half	semiannual（每半年的），semiskilled（半熟练的），semitransparent（半透明的），semi-colony（半殖民地），demigod（半神半人），hemisphere（半球）
sub	under	submarine（潜水艇；海底的），submerge（潜水，浸没），subconscious（潜意识的），subnormal（正常以下的），subordinate（属下，附属物），subjugate（征服），subterranean（地下的），subservient（奉承的）
super	above	superimpose（重叠；添加），supervise（监督，管理），superannuated（老朽的，退休的）
sur	on, upon	surpass（超过，超越），surface（表面），surmount（克服，超过）
sym, syn	together; with	sympathy（同情），symmetry（对称），symbiotic（共生的），symphony（交响乐），synchronous（同时的，同步的），symposium（座谈会，讨论会；宴会），synthesis（合成）
tele	far off	telegraph（电报），television（电视），telephone（电话）
trans	across; beyond	transpose（调换，置换），transgress（逾越，违法），transcend（超越），transpire（蒸发；发生，显露），transmit（传输；发射）
twi	two	twilight（黄昏，黎明），twin（双胞胎），twifold（两倍的）
ultra	extreme	ultrasonic（超音速的），ultraviolet（紫外线的）
un	not	unwelcome（不受欢迎的；冷淡），unwrap（打开，展开），unusual（不常见的，罕见的）
under	under, beneath	undergo（遭受，经历），underlie（位于或存在于某物之下；构成……的基础），undertake（从事；担任；许诺；着手）

uni	one	unisex（男女通用的），unique（独一无二的），uniform（统一的），unicorn（独角兽），unison（和谐，协调），unilateral（单边的）
vice	secondary	vice-president（副总裁，副校长），vice-premier（副总理），vice-manage（副经理，协理）
with	backyard	withdraw（撤销，撤退），withhold（阻止，扣留），withdrawn（偏僻的，沉默寡言的）
tri	three	triple（三倍的），trio（三重奏），tripod（三脚架），tripartite（三重的），triplet（三胞胎）
quad，tetra	four	quadruple（四倍的），quadruped（四足兽），quadrangle（四边形），tetragon（四边形）
quint，penta	five	quintet（五个一组；五重奏），quintuplet（五个一组），pentagon（五边形），pentagram（五角星形）
sext，hexa	six	sextuple（六倍的），hexagon（六边形），hexapod（六足动物）
sept，hepta	seven	septuplet（七个一组），heptagon（七边形）
oct	eight，eighth	octopus（章鱼），octagon（八边形），October（*the eighth month of the Roman year*）
nov	nine	nonagon（九边形）
dec，hector	ten	decade（十年），decagon（十边形），decimal（十进位的；小数），decimate（十中抽一；毁灭大部分）
mill，kilo	thousand	millennium（一千年），millipede（千足虫），kilogram（千克）

Part 2 后缀

Noun Suffix		
reference	suffix	example
people	ain	captain
	aire	millionaire
	an, ian, ean	German, musician, European
	ant	assistant, servant
	ar	beggar, scholar
	ard, art	coward, steward, braggart
	ary	contemporary, secretary
	ate	advocate, candidate
	ee, er	employer, employee
	eer	engineer, pioneer
	en	citizen
	ent	president, resident
	er	customer, leader
	ese	Chinese, Japanese
	ess	actress
	eur	amateur
	herd	shepherd
	ier	cashier, soldier
	ist	communist
	ive	operative, relative
	man	chairman, fisherman, salesman
	on	champion
	or / our	color / colour
	ster	minister
	y, yer	enemy, lawyer
small, cute	cle	article, particle
	el, le	vessel, bottle
	en, in	chicken, violin
	et, ette	blanket, cigarette
	kin	napkin, pumpkin
	let	booklet, bullet
	ling	darling
	ule	molecule

	age	courage, marriage
abstract noun	al	approval, survival
	cy	bankruptcy, prophecy
	dom	freedom, wisdom
	hood	childhood, likelihood
	ic, ics	arithmetic, physics
	ing	bearing, clothing
	ion	civilization, invitation
	ism, asm	Buddhism, communism, chasm
	itude	altitude, latitude
	um	aluminum, petroleum
	ment	movement, treatment
	mony	ceremony, harmony
	ness	happiness, kindness
	or / our	humor/humour
	ry	luxury, mystery
	ship	citizenship, friendship, relationship
	th	death
	ty, ety, ity	loyalty, variety, reality
	ure	exposure, failure
	y	delivery, discovery
place	age	village
	ary	library
	ory	factory, laboratory
	um	auditorium, museum
subject	ology	philology, seismology, entomology, etymology, ornithology
fear	phobia, phobe	claustrophobia, agoraphobia, acrophobia, xenophobia

Adjective Suffix

reference	suffix	example
可以，能够	able, ible	available, reasonable, visible
有关，有……性质	al, ial	literal, racial
	ant, ent	brilliant, fluent
	ate, ete, ute	accurate
	ical	radical, tropical
	id	rapid, timid
	ish	childish, selfish, yellowish
	ly	costly, timely, friendly

由……做成	en	golden, wooden
方向	ern	eastern, western, modern
倍数，几重	fold	twofold, tenfold
充满	ful	graceful, thoughtful
	ous	glorious, gorgeous, laborious
易于……	ile	fertile, hostile
比较级词尾	ior	junior, senior, superior
具有某种风格	ique, esque	antique, picturesque
没有	less	helpless, priceless
像……一样，喜欢……的	like	businesslike, childlike, ladylike
像……一样，有……倾向	some	troublesome, wholesome
最高级	most	almost, foremost
防止	proof	waterproof, airproof
方向	ward	awkward, backward

Adverb Suffix

reference	suffix	example
方式	ly	actually, barely
	wise	likewise, otherwise, clockwise

Verb Suffix

reference	suffix	example
成为……，处理，作用	ate	isolate, speculate
使成	en	fasten, sharpen, weaken
反复	er	batter, chatter
做成，……化	fy	clarify, classify, justify
做……	ish	cherish, diminish, flourish
成……状态，……化	ize, ise	civilize, generalize
反复	le	sparkle, twinkle

Exercise

根据前缀与后缀的知识，请同学们将下面的中英文进行配对。

英文:		中文:	
apathy	neologism	撤退	六边形
abdicate	nonconformist	展开	四边形
adhere	omnipresent	黄昏	三脚架
amphibian	opponent	传输	副总理
antipathy	overbridge	对称	独角兽
antenatal	paleoflora	越过	潜水艇
autocratic	panorama	重叠	多边形
benefactor	permeate	隔离	巡回的
malefactor	peripatetic	再生	单调的
bilateral	polygon	假名	苛求的
bystander	postscript	原型	大屠杀
circumscribe	precursor	突出	同种的
coalesce	protrude	先驱	不同的
contradiction	prototype	附录	公平的
counterfeit	pseudonym	弥漫	旁观者
devalue	regenerate	全景	双边的
dispel	seclude	天桥	捐助者
dysfunctional	semitransparent	对手	专制的
epigram	submarine	新字	内壁的
equitable	superimpose	繁殖	七个一组
euphony	surmount	贯穿	五个一组
expurgate	symmetry	吸取	超音速的
extravagant	transmit	假设	半透明的
heterogeneous	twilight	删去	古植物群
homogeneous	ultrasonic	警句	厌恶女人
holocaust	unwrap	驱逐	微观世界
hypercritical	unicorn	贬值	宏观世界
hypothesis	vice-premier	仿造	改变形状
intractable	withdraw	反驳	悦耳之声
imbibe	tripod	合并	功能障碍
intersect	quadrangle	限制	冷漠无情
intramural	quintuplet	罪人	两栖动物
macrocosm	hexagon	放弃	无处不在的
metamorphose	septuplet	附着	难以对付的
microcosm	octagon	憎恶	奢侈浪费的
misogyny	decagon	千足虫	出生之前的
monotonous	millipede	十边形	不遵循传统之人
multiply		八边形	

10 Chapter

分解词汇之词根

　　分解词汇，指的是在有些情况下，尽管考生不认识这个单词，也可以通过一定的方法推测出比较难的词汇的意思。例如，anachronism 是 SSAT 考试中一个比较难的词汇，许多同学都不认识。其实，这个词汇完全可以通过分解来记忆，a 或者 an 有 not/without（没有）之意，如 amoral, atypical, asymptomatic。chron 的意思是"时间"，如 chronology, chronological, chronograph(stopwatch)。ism 并不会改变一个单词的意思，是一个后缀，多表示制度或者做法。总结一下已有的信息，anachronism 的意思类似 a system not time。

　　同学们是不是有点困惑？应该是有点。但是，这已经足够可以让考生了解到选项是否合适。如果选项与时间有关，没准就是正确选项。如果你要找的词汇与动植物有关，就可以排除了。实际上，anachronism 的精准意思是"时代错误，不合时代的人或物"。这就好比莎士比亚《哈姆雷特》中的 Amelia 在扮演 Ophelia 的角色之时，戴着电子表一般。

Stem	Meaning	Examples
aer，aero，aeri	air	aeroplane（飞机），aerology（高空气象学），aeroview（鸟瞰图）
ag，act	to do	agent（代理人），agential（代理人的），agency（力量，作用；代理处，机构），agenda（议事议程），agile（敏捷的，灵活的），agility（敏捷，灵活），agitate（动荡），agitated（不安的），agitation（鼓动），coagent（合作者，共事者）
agri，agro，agr	field，land	agriculture（农业），agronomy（农艺学），agrology（土壤学），agrarian（土地的，农业的）
alt，acr	height	altitude（高度），altimeter（高度计），exalt（提拔；赞扬），acrophobia（恐高症）
alter，altru，ali	other	alternative（两者择一的），altruism（利他主义），alien（外国的，相异的），alias（别名，化名），alibi（托词，借口）
am	love	amour（爱情，恋情），amorous（恋爱的，多情的），enamor（使倾心，使迷恋），enamored（倾心的，被迷住的），amateur（业余爱好者，*lover*），amateurish（像搞业余的，不像内行的），amatory（恋爱的，爱慕的），amiable（和蔼可亲的），amicable（友善的，和平的），amicability（友好，和睦），amity（友善，和平），paramour（par[*aside*]+ amour[*love*]，情妇、情夫）
amb	walk	amble（漫步，缓行），ambulant（走动的），ambulate（走动），circumambulate（绕行），noctambulant（夜间走动的），somnambulate（梦游），preamble（序言），preambulate（作序），ambitious（有雄心的）
andr	male	misandria（厌男症），androphobia（恐男症），androgynous（雌雄同体的）
angl，angul	angle	equiangular（等角的），rectangle（长方形）

anim	life，spirit，soul	animal（动物），animate（有生命的），animation（活跃，有生气），inanimate（无生命的），animosity（憎恨），magnanimity（宽宏大量），magnanimous（宽宏大量的），equanimity（沉着冷静），equanimous（沉着冷静的），longanimity（忍耐性，坚韧性），longanimous（忍耐的，坚韧的），unanimous（一致同意的），unanimity（全体一致，无异议），pusillanimous（胆怯懦弱的）
ann，enn	year	annals（编年史），annual（一年的，每年的），anniversary（周年纪念日），annuity（年金，养老金），superannuated（年老过时的），biannual（一年两次的），biennial（两年一次的），biennium（两年），perennial（常年的），semiannual（半年的，半年一度的），millennium（千年）
anthrop	human	anthropology（人类学），anthropologist（人类学者），anthropoid（类人的,有人形的),anthropoid ape(类人猿)，philanthropist(博爱主义者,慈善家)，philanthropy(慈善,仁爱)，philanthropic（博爱的），misanthropist（厌世主义者），misanthropy（厌世），misanthropic（厌世的，厌世者的）
apt，ept	fit; ability	aptitude（适应；才能），inapt/inept（不适应的；无能的），adept（熟练的），adapt（使适应），adaptable（有适应能力的）
aqua，aque，aqui	water	aquiculture（水产养殖），aquarium（水族馆），aquarius（水瓶座），aquifer（蓄水层），aquatic（水生的），subaquatic（水下的），aqueduct（水管），aqueous（水成的），subaqueous（水下的），aquamarine（海蓝宝石），opaque（不透明的）
arch，archy	rule; ruler	anarchy(无政府状态,无秩序),anarchic(无政府主义的),anarchism（无政府主义），anarchist（无政府主义者），monarch（君主，帝王），monarchy（君主政体，君主国），monarchic（君主制的，君主国的），monarchism（君主制度，君主主义），oligarchy（寡头政治），polyarchy（多头政治），patriarch（家长；族长），matriarch（女家长），gynarchy（妇女政治），plutarchy（富豪统治），archives（档案），hierarchy（等级制度），archenemy（首敌，大敌）
arch	ancient	archaic（古老的）
art	skill	artifice（诡计；欺骗），artifact（手工艺品），artisan（工匠，技工）
astro，aster	star	astronomy（天文学），astrology（占星术），astronaut（宇航员），astral（星的），asterisk（星号），disaster（灾难）

aud，aur	hear	audible（听得见的），inaudible（听不见的），auditory（听觉的），audiology（听觉学），audience（观众；听众），audit（旁听；审计），audition（听觉；试听），auditor（旁听者；审计员），auditorium（礼堂；讲堂），audio（声音的，声波的），aural（听觉的），auricle（耳），auricular（耳的）
aug	increase	augment（增大），august（威严的）
avi	bird	avian（鸟类的），aviary（鸟舍，大鸟笼），aviate（飞行），aviation（飞行）
band，bond	bind	bandage（绷带），bondage（奴役，束缚，囚禁）
bar	bar	barrel（桶），barrier（障碍），barrage（拦河坝，弹幕射击），embargo（禁运），embarrass（困窘）
bas	low	basin（水盆；盆地），bass（男低音；低音乐器），base（底部；低劣的），basement（地下室），abase（贬抑；使卑微），debase（贬低；降低）
bell	war	bellicose（好战的），belligerent（好战的），rebellion（叛乱），rebellious（反叛的），rebeldom（叛乱者；叛区；叛变）
biblio	book	bibliolatry（书籍崇拜，圣经崇拜），bibliofilm（图书摄影胶片），bibliology（书目学，圣经学），bibliography（参考书目），bibliophile（藏书家）
bi，bio	life	biology（生物学），biocide（杀虫剂），antibiotics（抗生素），antibiotic（抑制病菌的；抗生的），biography（传记），symbiotic（共生的），microbial（微生物的），biochemistry（生物化学），biophysics（生物物理学）
brev，bridg	short	brevity（简洁），abbreviate（缩减），breviate（缩减），brief（简短的），abridge（删节；削减）
cad，cas，cid	fall，befall	decadent（坠落的；颓败的），decadence（衰落，颓废），case（事件，情况），casual（偶然的，随意的），casualty（事故的伤亡者），occasion（情况；时机，机会），occasional（偶尔的），incident（事件，事变），incidental（偶然的，伴随的），incidence（发生，发生率），decay（衰退，腐朽），coincide（符合，一致），deciduous（落叶的），occident（西方，西半球），occidental（西方的）
calc	lime，stone	calcium（钙），calculus（小圆石；微积分），calculate（计算）
camp	field	camp（露营），campus（校园），campaign（战役），campsite（露营地）

cand	glow，be white	candle（蜡烛），candela（烛光），candid（坦白的，正直的），candidness（坦白，公正），candor（诚实，正直），candidate（候选人 [古罗马参加竞选公职之人需穿白色长袍]），candidature（候选人资格，提名候选），candescent（白热的，炽亮的），candescence（白热，明亮），incandescent（白热的，白炽的），incandescence（白热，白炽）
cant，chant，cent	sing	cantata（清唱剧），canticle（圣歌），cantor（唱诗班领唱，指挥家），incantation（咒语），enchant（着魔，迷醉）accentuate（着重）
cap，cep，ceive，cip，cup	take，hold	accept（接受），capture（俘获；夺得），captive（俘虏；迷恋者），captivate（迷住，迷惑），captor（捕获者），except（除外），conceive（怀有，孕育），deceive（欺诈，误导），perceive（察觉）
cap	head	capital（首都；资本），captain（首长，船长，队长），cape（海角，岬），capitation（人头税），decapitate（杀头，斩首）
car	car; run	cargo（货物），chariot（古代战车；四轮马车）
card，cord	heart	cardiology（心脏学），cardiac（心脏的），cordial（诚恳的，热情的），concord（和谐，一致），discord（不和，不一致）
carn	flesh	carnal（肉体的），carcass（尸体；残骸），carnage（屠杀），incarnate（肉色的；化身的），carnation（康乃馨；肉色的），carnival（狂欢节），carnivore（食肉动物）
cast	throw	broadcast（广播），forecast（预报），overcast（多云的，阴天的）
cav	hollow	cave（洞穴），excavate（挖掘），excavator（挖土机），concave（凹的）
ced，cede，ceed	go	accede（答应，同意），accession（就职），antecede（先行），antecedent（先行的，先前的），antecedence（先行，居先），antecessor（先行者，先驱者），cede（割让，让与），concede（承认；退让），intercede（从中调解），precede（先于），precedent（先例），unprecedented（史无前例的），procedure（步骤），recede（后退），retrocede（交还，归还），secede（脱离，退出），exceed（超越），proceed（着手，进行），proceeding（程序，进程），succeed（成功）

ces，cess		access（接近；入口），accessible（能接近的），accessory（附加；附加的），ancestor（祖先），cessation（停止），excess（超出，过度），excessive（过度的），incessant（不停的），necessary（必需的，强制的），process（过程），procession（列队行进），predecessor（前任，前辈），recess（休息；凹处），recession（后退），success（成功），successful（成功的），succession（继承），successive（继承的，相继的），successor（继承人），unprocessed（未加工的）
celer	quick, speed	celerity（迅速），accelerate（加速），decelerate（减速）
centr，center	center	centre（中心；圆心），central（中心的，中央的），centralism（集中制，中央集权制），centrality（中心性，中心地位），centralize（形成中心，把……集中起来），centric（中心的），eccentric（古怪的；离心的），egocentric（自我为中心的），epicenter（震中），concentrate（集中），concentric（同心的），centrifugal（离心的），centripetal（向心的）
cern，cret	separate, sift, observe	concern（关注，关心），discern（辨别），secret（秘密），secrecy（秘密），discrete（个别的，分开的），secretary（秘书），secrete（藏匿；分泌）
cert	sure	certain（确定的，确实的），certainly（确实地，当然），certainty（确实），ascertain（确定，查明），certify（证明，确保），certificate（证书），certitude（确信），concert（一致，和谐；音乐会）
chorm	color	chromosome（染色体），monochromatic（单色的）
chron	time	chronic（长期的，慢性的），chronicle（编年史），anachronism（时代错误），synchronize（同时发生，同步），synchronous（同时发生的，同步的），chronograph（计时表），chronology（年代学；年表），chronological（按时间顺序的），chronometer（精密计时器）
cid，cis	cut; kill	acid（酸的；酸性物质），concise（简洁的），precise（精确的），decide（下决心），decision（决定），excide（切开，切除），excise（切除，删去），incise（切割；雕刻），incisive（敏锐的，尖锐的），incisor（切牙，门齿），pesticide（杀虫剂），herbicide（除草剂），homicide（杀人），suicide（自杀），bactericide（杀菌剂），genocide（种族灭绝），patricide（杀父），matricide（杀母），scissors（剪刀）

circ，cycl	ring	circle（圆周，周期），circus（马戏团），circulate（循环），circular（圆形的，圆周的），circumstance（周遭，环境），encircle（包围），circuit（环行），circuitous（环行的，迂回的），microcircuit（微型电路，集成电路），cycle（循环；周期），cylcist（骑手），bicycle（自行车），cyclone（旋风），cyclonic（旋风的，气旋的），recycle（再生），encyclopedia（百科全书），autocycle（机器脚踏车），unicycle（独轮车），hemicycle（半圆形）
cite	call，urge	exciting（令人兴奋的，使人激动的），incite（激动，鼓动），recite（背诵）
claim，clam	cry	declaim（演讲），declamation（演讲），declamatory（演说的；夸夸其谈的），proclaim（宣布，声明），exclaim（惊叫，呼喊），reclaim（改造，感化；开拓，垦荒），acclaim（欢呼，喝彩），acclamation（欢呼，喝彩），disclaim（否认），disclaimer（否认；否认者），clamor（叫喊，呼声；喧闹），clamorous（喧闹的）
cli，clin，cliv	lean，bend	inclination（倾向，爱好），proclivity（倾向，癖性），decline（倾斜；下降），incline（倾斜；偏向），inclination（倾向，爱好；点头，弯腰），inclinable（倾向于……的，赞成……的），disincline（不愿意）recline（后靠，斜躺），recliner（活动躺椅）
clos，clud，clus	close	conclude（结束，做结论），concluding（结束的，最后的），conclusion（结论），conclusive（最后的；确定性的；结论性的），disclose（揭露，公开），enclose（围起，附入），exclude（排除），exclusive（专有的，排外的），include（包含），inclusive（包含的），occlude（阻塞），preclude（阻止，排除），seclude（隔离，隔绝），recluse（隐士），claustrophobia（幽闭恐惧症）
cog，cogn，gnos	know	cognition（认知），cognizable（认得出的），cognizant（知道的），cognize（认识），precognition（预知），recognize（认出，识别），incognito（隐姓埋名的），diagnosis（诊断），agnostic（不可知论者；不可知论的）
cord	heart	chord（琴弦；和音；情绪），cordial（衷心的，诚心的；强心剂，兴奋剂），discord（不一致），concord（和谐，一致），accord（一致，调和），record（记录，记载），cordiform（心形的），obcordate（倒心形的）
corp，corpor	body	corps（团体，军团），corpse（尸体），corporal（人体的；下士），corporeal（肉体的，物质的），incorporeal（无形体的，非物质的），corpulent（肥胖的），corporation（公司；社团），incorporate（组成一体，合并），corpuscle（微粒，粒子；血球），corset（妇女用的束腹、紧身外套）

cosm	order	cosmetic（化妆的），cosmic（宇宙的），cosmonaut（宇航员），cosmology（宇宙学），microcosm（微观世界），macrocosm（宏观世界），cosmopolitan（世界性的），cosmopolis（世界性城市，国际都市），pancosmism（信仰，主义）
count	count	countdown（倒数计时），counter（计算器；柜台），discount（折扣，打折）
cover	cover	discovery（发现，探索），coverage（覆盖；影响的范围；新闻报道）
crat，cracy	rule	autocrat（独裁者），autocracy（独裁政治），democracy（民主政治）
cre，cresc，cret	make，grow	creature（生物），crescent（新月），increscent（满月），increase（增加），increment（增值），incremental（增加的，增值的，渐进的），concrete（凝固，固结），decrease（下降，减少），accretion（增大），excrescence（赘生物；多余物）
cred	believe	credit（相信，信任），creditable（可信任的），discredit（失去信任，丧失信誉），accredit（信任，相信；委任），credence（信用；祭台），credential/credentials（证书，凭证），creed（信条；教义），credulous（轻信的），credulity（轻信），credible（可信的），incredible（难以置信的），credibility（可靠性），credo（信条，座右铭）
crim	accusation，crime	criminology（犯罪学）
crit	judge	criterion（标准），critic（批评家）
cryc	cross	crucial（关键的），cruise（巡航，徘徊），cruiser（巡洋舰）
crypt，cryph	hidden	cryptic（神秘的），encrypt（加密码）
cub，cumb	lie down	incumbent（有责任的，义不容辞的；有责任者，任公职者），incumbency（责任，任职），incubate（孵化），incubation（孵化，酝酿），incubator（孵化器），incubus（噩梦；沉重的负担），cubicle（小卧室，更衣室），recumbent（躺着的，斜卧的），recumbency（斜卧，依靠），procumbent（向前俯的，平卧的），concubine（妾），concubinage（情妇身份；非法同居），succumb（屈从）
culp	blame，guilt	culprit（罪犯），culpable（有罪该罚的），exculpate（使无罪），inculpate（使负罪）

cult	till	culture（文化），cultured（有教养的），cultural（文化的；教养的），cultivate（培养，教化），cultivated（耕种的；有教养的），cultivation（耕作；培养），cultivator（耕作者），cultivatable（可耕作的；可培养的），cult（礼拜；迷信），cultism（崇拜；迷信），cultist（热衷于搞迷信崇拜之人），agriculture（农业），agrigultural（农业的，农学的），agriculturist（农学家），apiculture（养蜂业），aquaculture（水产业），floriculture（花卉栽培），pisciculture（鱼类养殖）
cur	care for	cure（治疗），cureless（无法治疗的），curable（可以治疗的），curious（好奇的；新奇的），curiousness（好奇；新奇），curiosity（新奇；好奇），incurious（不好奇的；没兴趣的），incuriosity（无好奇心；没兴趣），curative（治疗的），accurate（准确的），secure（安全，保卫；安全的，安心的），security（安全，保护），securer（保卫者），securement（把握），procure（获取，取得），procurable（可获得的），procural（获得，取得），procurement（获得），curate（副牧师；当馆长），curator（馆长；监护人），manicure（美甲），pedicure（修脚）
cur，curr，curs	run	cursor（光标，指针），cursory（仓促的，草率的），cursoried（动物疾走的；适于奔驰的），cursoriness（仓促，草率），current（流通的；当前的），currently（普遍地；当前地），currency（通货），occur（发生），occurrence（出现，发生），occurrent（目前正在发生的；偶然发生的），recur（重来，复发），recurrence（重现，复发），recurrent（再发生的；经常发生的），concur（同时发生），concurrence（同时发生；同意），excursion（远足），excursionist（远足者，短途旅行者），precursor（先行者，前辈），precursory（先行的，前辈的），course（行进，进程；道路，路线），discourse（演说，会谈），recourse（要求归返权，追索权），cursive（草书，行书），curriculum（全部课程）
cuss	strike，shake	discuss（讨论），percuss（敲击），percussion（打击乐器）
dain，dign	worth	dainty（美味的，精美的），dignify（使高贵），dignitary（高官权贵），dignity（尊严），disdain（轻视），indignant（愤怒的）
deb，du	owe	debt（债务，借款），due（应得的；到期的），dutiful（尽忠职守的）
de，div	god; divine	deify（奉为神；崇拜），deism（自然神论），deity（神性），divine（神的，上帝的）

dem	people	democracy（民主），democratic（民主的），democrat（民主主义者），democratism（民主主义），demos（人民大众），demotic（民众的；通俗的），demography（人口统计学），demographic（人口统计的），demographer（人口统计学者），demagogue（蛊惑民众的政治鼓动家；煽动民心者），demagogic（蛊惑的；煽动的），demagogism（煽动，煽动主义），demagogy（煽动；煽动性宣传），pandemic（流行病；流行的），epidemic（流行病；流行的），epidemiology（流行病学），endemic（某地特有的；地方性的），endemicity（地方性；风土性），endemically（地方性地；特有地）
dent，dont	tooth	dentist（牙医），dental（牙齿的），denture（假牙），dendelion（蒲公英）
derm	skin	dermatitis（皮肤炎），dermatologist（皮肤专家），pachyderm（厚皮动物），hypodermic（皮下的）
dic，dict	say	abdicate（放弃，退位），addict（沉溺，上瘾），addiction（入迷），benediction（祝福），benedictive（祝福的），contradict（反驳；否认），contradiction（矛盾），contradictory（矛盾的，反驳的），dedicate（奉献，献身），dictate（口述；命令），dictation（口述；命令），dictator（独裁者），dictatorship（独裁，专政），dictatorial（独裁的，专政的），diction（措辞），dictionary（字典），dictum（声明；格言），indicate（暗示，表明），indication（指示；象征），indicative（指示的；象征的；陈述的），indicator（指示者；指示器），edict（法令；布告），edictal（法令的；布告的），indictment（起诉），malediction（诅咒），maledictive（诽谤的；咒骂的），predicament（困境），predict（预测），prediction（预言，预告），predictive（预兆的），verdict（裁决），vindicate（维护，证明），valediction（告别）
dign	worthy	dignity（尊严，高贵），indignity（轻蔑，侮辱），dignify（使有尊严，使高贵）
divid，divis	divide，separate	divide（划分；分配），divider（划分者；分隔物），division（分开），divisional（分开的；除法的），divisible（可分的；可除尽的），divisibility（可分性；可除性），individual（个体，个人），individuality（个性），individualize（使个体化；使具有个性），divident（被除数；股息），divisor（除数），divisive（制造分裂的；造成不和的），divisiveness（分裂，不和），subdivide（再分，细分），subdivision（细分；细分的部分）

doc, doct	teach	doctor（博士；医生），doctoral（博士的），doctorate（博士头衔；博士学位），doctrine（教条，学说），doctrinal（教条的），doctrinaire（教条主义者；空谈理论家），doctrinarism（教条主义；空谈主义），indoctrinate（灌输，教授），document（文件，公文），documental（公文的，文件的，文献的），documentary（公文的，记录的；纪录片），docile（易管教的，易驯服的）
dogma, dox	opinion	dogmatic（教条的，武断的），paradox（似是而非的观点），orthodox（正统的，传统的）
dom	rule; home	dominate（统治，支配），domineer（压制），dominion（统治，支配），domesticate（驯化），domestic（国内的；家庭的；驯养的），domicile（住处）
don, dot, dow	give	donor（捐赠），donate（捐赠），anecdote（轶事，奇闻），condone（宽恕，赦免），endow（捐助，赋予）
dorm	sleep	dormitory（宿舍），dormant（潜伏的，冬眠的），dormitive（安眠药），dormouse（睡鼠）
draw	draw	drawer（抽屉），drawback（缺点），withdraw（回收，撤退）
duc, duce, duct	lead	conduce（有益；导致），conductor（向导；指导者；乐队指挥；导体），conductible（能传导的），conductive（传导性的），deduce（推论），deduct（扣减），deduction（演绎，推论），deductive（演绎的，推论的），educate（教育），education（教育；教育的过程），educator（教育工作者），educative（有教育意义的），introduce（引进；采用），introducer（引进者；介绍人），introduction（引进；导言；介绍），introductory（介绍的；导言的），produce（生产，创造），producer（生产者；制造者），product（产品；成果），production（生产；产品；成果），productive（多产的），reduce（减少），educe（引出，推断），induce（引诱），induct（正式加入；使就职），seduce（勾引，引诱），abduct（引诱），adduce（引证，举出），aqueduct（导水管），viaduct（高架桥）
dur	last	durable（持久的，耐用的），endure（忍耐；持续）
dyn, dyna	power, force	dynast（统治者；君主），dynamo（发电机），dynamite（炸药），dynasty（王朝，朝代），dynamic（动力的；活跃的），dynamics（力学），dyne（达因，力的单位），isodynamic（等力的），adynamic（无力病；体力衰竭症），adynamic（无力的）
eco	house	ecology（生态学），economy（经济，节约），economics（经济学）
ed	eat	edacious（贪吃的，贪婪的），edacity（贪吃，贪婪），edible（可食用的）
ego	I, self	egocentric（以自我为中心的），egoism（自我主义，利己主义），egoist（利己主义者）
electr	electric	electric（电的；刺激的），electricity（电）

em，empt，ampl	take	exempt（免除，豁免），ample（充足的，丰富的），example（例子，榜样）
epi	on，midst，after	epidemic（流行病；流行性的），epigram（格言，警句），epigraph（题词；碑文），epilogue（后记），episode（插曲；一段），epitome（摘要；缩影）
equ	equal，even	equal（相等的，等值的），equality（同等，平等，均等），equalize（使相等，使平均），equate（使相等，使平衡），equation（等式，方程式），equilibrium（供求平衡），equilibrate（平衡），equilibrant（平衡力），equilibrist（使自己保持平衡的人），equator（赤道），equatorial（赤道的），adequate（胜任的；足够的，充分的），adequacy（适合，足够），equivalent（相等的，等值的），equable（平稳的，平静的），equability（平稳，平静），equivocal（有歧义的，模棱两可的），equivocality（词语的多义性；言语的含糊），equivocate（含糊其辞，支吾）
erg	work	energy（活力；能量），energize（给……以能量；鼓励），energetic（有活力的，精力充沛的），allergy（过敏；反感），allergic（过敏性的；厌恶的），allergist（过敏症专家），synergy（协同作用），synergic（协同的；合作的），synergist（增效剂；合作剂），erg（尔格 [功的单位]），ergograph（示功器，测力器），ergometer（测功计，测力计），ergonomics（人类工程学），ergonomical（人类工程学的）
err	wander；err	err（做错，犯错），erratic（不稳定的，无规律的）
ess，est	to be	essence（本质，要素），quintessence（精华，精髓，本质）
fa，fabl，fam，fess	speak	fable（寓言，传说），fabulous（惊人的，难以置信的），famous（有名的），confess（坦白，承认），profess（声称，公开言明），professor（教授）
fac，fic	face	preface（前言，序言），superficial（肤浅的）
fac, fact, feas, fect, fic, fig	make，do	benefactor（施主，恩人），malefactor（犯罪分子，作恶者），facile（容易的，灵巧的），facility（熟练，灵巧；设备），facilitate（使容易，使便利），facsimile（复制，传真），fact（事实，真相），faction（派别，小集团），factitious（人工的，虚假的），factor（要素），factory（工厂），manufacture（产品，制造），feasible（可行的），malfeasance（不正当，不法行为），affect（影响），affectation（假装，装腔作势），affection（情爱；感情；疾病），defect（过失，缺点），effect（效果），infect（传染，感染），infectious（有感染力的），perfect（完美无缺的），perfectionist（完美主义者），deficient（有缺陷的，不完全的），deficit（不足，赤字），efficient（有效率的），fiction（小说；虚构），fictitious（虚构的，假想的），proficient（熟练的；专家），sufficient（充足的，足够的，足量），munificent（慷慨的，丰厚的），figment（虚构之事）

fall, fail, fals, fault	err, deceive	fallacious（有错误的），fallible（有可能犯错的），falsify（篡改）
fare	go	fare（运费，车费），farewell（再会），warfare（战争，交战），welfare（福利，幸福）
fend	strike	defend（保卫），offend（冒犯，得罪）
fer	carry, bring, bear	confer（交换意见，协商），conference（会谈；会议），conferee（参加会谈者，参加会议者），differ（不同，相异），different（不同的；各种的），difference（分歧，差异），offer（提供；提议），offering（提供；礼物），prefer（宁要；偏爱），preference（偏爱，倾向），preferable（更可取的；更好的），preferential（优先的），ferry（渡口），refer（参考，提及），reference（参考），referential（有关的；作为参考的），referable（有关的），suffer（遭受；忍受），sufferance（忍耐），suffering（受苦，苦难），sufferable（可忍受的），transfer（转移，传送），transference（转移，调动；转让），transferor（转让人），transferee（受让人），transferable（可转移的；可转让的），fertile（肥沃的），infertile（贫瘠的），auriferous（含金的，产金的），fructiferous（结果实的），luminiferous（发光的），somniferous（催眠的）
ferv	boil	defervesce（退烧），effervesce（沸腾），perfervid（非常热心的）
fid	trust, faith	affidavit（宣誓口供；宣誓书），confide（信任，信赖），confidant（密友；知己），confidante（知己的女友），confidence（自信，确信），confident（自信的，确信的），confidential（机密的；获信任的；信任他人的），diffident（羞怯的；无自信的；谦虚的），diffidence（缺乏自信；害羞；谦虚），faithful（忠诚的），faithless（不忠实的，不守信的），fidelity（诚实，忠诚），fideism（信仰主义），fideist（信仰主义者），perfidious（背信的，奸诈的），perfidy（背信弃义；出卖，叛变），infidel（异教徒），infidelity（无宗教信仰；背信）
fig, fict	form	figure（形态；轮廓；人物形象；身份；塑造出，想象），figural（具有人的形象的），figuration（成形，外形），figurative（用图形表明的；比喻的），figurable（能成形的），figment（臆造或者虚构的东西），fiction（虚构，杜撰；虚构的故事，小说），fictional（虚构的；小说的），fictionist（小说家），fictitious（杜撰的，非真实存在的），fictile（可塑的；黏土制的），disfigure（毁损，玷污），disfigurement（毁形，毁容），prefigure（预想，用形象预示），prefiguration（预想，预兆），transfigure（使变形，使改观），transfiguration（变形，改观），effigy（肖像，模拟像）

fin	end; boundary	affinity（密切关系），confine（限制），confinement（限制；监禁），confinable（可限制的），define（阐释），definable（可限定的；可下定义的），definite（明确的），definition（界限；定义），definitive（确定的，最后的，限定的），indefinite（不确定的），indefinitely（不确定地），finite（有限的），infinite（无限的），refine（精制，纯炼），final（最终的；结局），finality（结尾；定局），finalist（决赛选手），finalize（把……定下来；定稿），finale（终曲，终场），finish（结束，完成），finisher（完工者；决定性的事件），
firm	firm	confirm（确定，巩固），infirm（柔弱的，体弱的），infirmary（医院，疗养院），firmament（苍天，天空）
fix	fasten	fixation（固定；执着），fixture（固定装置；设备；预定日期），affix（前缀），prefix（前缀），suffix（后缀），transfixion（刺穿，贯穿）
flam, flagr	flame; burn	flammable（可燃的），inflame（发怒；发红），flamboyant（火焰的；灿烂的；艳丽的），flamingo（火烈鸟）
flat	blow	inflate（充气；膨胀），inflatable（可膨胀的），inflation（膨胀；通货膨胀），inflationary（通货膨胀的），deflate（放气；削减；紧缩），deflation（放气；紧缩），deflatable（可紧缩的；可放气的），deflation（通货紧缩；放出空气），deflationist（主张紧缩通货的人），reflate（通货再膨胀），reflation（通货再膨胀），flatulent（肠胃胀气的；自负空虚的），flatulency/flatulence（肠胃气胀；自负空虚），conflation（熔合，合成）
flect，flex	bend	reflect（反映，反射），reflection（反射；沉思；反省），reflective（反射的；沉思的），inflect（弯曲，曲折），inflection（弯曲，曲折），inflective（弯曲的；曲折变化的），genuflect（屈膝），flexible（易弯曲的，灵活的），flexibility（柔性；机动性），inflexible（不可弯曲的，不屈服的；不可改变的，固定的），inflexibility（不可屈性；硬性），deflect（使转向，使偏离），deflective（偏转的，偏离的），flex（屈曲），reflex（不自觉的反射行为；反射；光；影像），reflexology（条件反射学），reflexive（反身的）
flict	strike	afflict（痛苦，折磨），conflict（斗争），inflict（施加；处以）

flu,flux	flow	affluent（富裕的），affluence（丰富，富裕），circumfluent（环流的；周围的），confluence（汇合；合流），confluent（合流的，汇合的），conflux（合流；汇集），effluent（流出的；支流），effluence（流出；射出），fluctuate（波动，起伏），fluent（流利的），fluency（流畅，流利），influent（流入的），fluid（流体，液体），fluidity（流动性），fluidify（使成流体），flush（脸红；兴奋），flux（涨潮，流出，变迁），influence（影响），influential（有影响力的），influenza（流行性感冒），influx（汇流，注入），mellifluous（悦耳的），refluent（逆流的，倒流的），superfluous（多余的），superfluity（多余，奢侈）
foli	leaf	foliage（树叶），defoliate（落叶）
forc，fort	strong	force（力量，势力；强迫，夺取），forceful（强有力的），forceless（无力的；软弱的），enforce（实施，执行；强制；迫使），enforcement（实施），reinforce（增援；加强），reinforcement（增援；加强），effort（艰难的尝试；努力），effortless（不费力的；容易的），comfort（安慰），comforter（安慰者），comfortless（无安慰的；不舒适的），fort（堡垒，要塞），fortify（加强，设防），fortifier（设防者；使坚固的东西），fortification（设防；防御区），fortitude（坚忍，刚毅），fortitudinous（坚忍的，刚毅的）
form	form	deform（变形，残废），formal（正式的），informal（非正式的），formula（公式，规则）
found，fund	base	founder（建立者，设立者），profound（深奥的），fund（基金），fundamental（基础的）
fract,frag	break	fraction（分数；碎片），fractional（部分的；分数的），fractionize（分为几部分；化为分数），fractious（易怒的，急躁的），fracture（破裂，断裂），fragile（脆的，易碎的），fragility（脆弱），frail（脆弱的，易碎的），fragment（碎片；破裂），fragmentary（碎片的；片段的），framentate（使裂成碎片），infract（违反，犯法），infraction（违反），refract（折射），refractive（折射的），refractable（可折射的），refractor（折射器），refractory（倔强的；耐熔的），anfractuous（弯曲的，迂回的），suffrage（投票，赞成；选举权）
frat	brother	fraternal（兄弟般的），fraternity（友爱，兄弟会）
fring	break	infringe（违反）
fug	flee	refuge（避难所），refugee（难民），centrifuge（离心机）

fuse，found	pour; melt	fuse（熔丝，保险丝），fusion（熔化；熔合），fusible（易熔的），diffuse（散播，扩散），confuse（搞乱，混淆），confusion（混乱；慌乱），confusable（可能被混淆的），refuse（不接受；拒绝），refusal（拒绝），profuse（极其丰富的，过多的；慷慨的，浪费的），profusion（丰富；慷慨；浪费），effuse（倾吐，抒发），effusion（抒发；流出），effusive（溢于言表的；流出的），found（铸造，熔制），foundry（铸造厂），confound（使混乱，混淆）
gam	marriage	bigamy（重婚），monogamy（一夫一妻制），polygamy（一夫多妻制）
gen	birth，produce	gene（基因），generate（产生，发生），generation（一代），generative（生殖的；产生的），general（一般的；全面的），generality（一般性；普遍性），generalize（使一般化），generous（慷慨大方的），genesis（起源，创始），genetic（遗传的），genetics（遗传学），genial（愉快的，和蔼的），congenial（友好的），congeniality（同性质；投合，适宜），congenital（先天的），genius（天才），genus（种，属，类），ingenious（有独创性的），genuine（真正的，真实的），ingenuous（天真坦白的），indigenous（土生土长的），eugenic（优生的），eugenics（优生学），eugenist（优生学家），homogenous（同性质的，同类的），heterogeneous（各种各样的；成分混杂的）
ger，gest	carry	gesture（手势，表情，姿势），congest（充满，堵塞），congestion（拥堵），digest（消化），digestion（消化，领悟），digestible（易消化的），exaggerate（夸张），belligerent（交战的；好战的），belligerency（交战状态；好战性），suggest（暗示；建议），suggestion（暗示；建议），suggestive（暗示的），ingest（吸收；咽下）
grad	step;degrees; walk	grade（年级，等级），gradation（等级），degrade（降级，降格），degradation（降级，降格）downgrade（降低，贬低），upgrade（提升），gradient（梯度，坡度；倾斜的），gradual（逐渐的），graduate（毕业），graduation（毕业；授学位），postgraduate（研究生），retrograde（倒退）

graph，gram	write，draw	autograph（亲笔签名），biography（传记），autobiography（自传），cartographer（制图者），calligrapher（书法家），calligraphy（书法），choreographer（编舞者），demography（人口统计学），epigram（警句），epigraph（碑文，题词），grammar（语法），grammarian（语法学家），grammatical（语法的），gramophone（留声机），graphic（图表的；书写的；生动的），lexicography（辞典编纂），monograph（专题论文），telegraph（电报），photograph（照相），program（节目，计划），programmatic（纲领性的；计划性的），programmer（排节目者；定计划者），diagram（图表，图解），diagrammatic（图表的），phonogram（表音符号；音标文字），cryptogram（字母，文字），cryptogrammic（密码的；暗记的），dactylogram（指纹）
grand	grand	grandeur（伟大，庄严），aggrandize（增加，夸大）
grat	pleasing，thankful	congratulate（祝贺），congratulatant（祝贺者；祝贺的），grateful（令人愉快的，可喜的；感谢的），gratitude（感谢，感激），gratify（使高兴，使满意），gratification（喜悦；满足），ingratiate（迎合，讨好），ingratiating（讨好的；奉承的），gratuity（赏金，小费），gratis（免费的），gratuitous（无理由的，无端的；免费的），ingrate（忘恩负义的人）
grav	heavy	grave（重大的，严肃的；墓穴），gravity（重力），aggravate（加重；恶化）
greg	group	congregate（集合，聚集），aggregate（聚集，总计），segregate（分开，隔离），gregarious（爱交际的）
gress	go，walk	aggress（侵略；发动攻势），aggression（侵略；进攻），aggressive（好争斗的），aggressor（侵略者），congress（会议；国会，议会），congressional（大会的；国会的，议会的），digress（离题），digression（离题；枝节），digressive（离题的；枝节的），egression（出现，出去），ingress（进入），progress（进步，进行），progression（连续；一系列；发展，进展），regress（退化，退步），regressive（回归的；退化的），regression（回归；倒退），transgress（越界，侵越）
gyn	woman	misogyny（厌恶女人），gynecologist（妇科医生），androgynous（雌雄同体的）
habit，hibit	have	habitual（习惯的；经常的），habitat（栖息地），inhabit（居住），exhibition（展览），inhibit（抑制，禁止），prohibit（禁止，阻止）
helio	sun	heliocentric（日心说）
hap	luck	hap（机遇，幸运，偶然发生之事），mishap（不幸），haphazard（偶然）

her	heir	heritage（遗产），inherit（继承），heredity（遗传），hereditary（世袭的，祖传的）
herb	grass	herb（草药），herbivore（食草动物），herbicide（除草剂）
here，hes	stick	adhere（粘着；追随），adherent（追随者），adherence（依附；固执），adhesion（粘着；依附；支持），adhesive（黏着性的；黏合剂），cohere（连贯，粘着），coherence（黏合性；紧凑；连贯），coherent（连贯的），cohesion（黏合，结合），cohesive（黏着的；紧密结合的；内聚的），inhere（固有），inherent（内在的，固有的），hesitate（犹豫不决；踌躇），hesitation（犹豫；踌躇），hesitative（显得踌躇的），hesitant（犹豫不决的，优柔寡断的）
horr	tremble	horrible（可怕的，恐怖的，讨厌的），horrid（可怕的，厌恶的），abhor（憎恶，痛恨）
hum	earth，ground；human	exhume（发掘；掘出），inhume（埋葬），humble（谦卑的），humid（潮湿的），humiliate（羞辱），humanity（人类；人道），humus（腐殖土），posthumous（死后的）
hydr,hydro	water	carbohydrate（碳水化合物），hydrant（消防栓），hydrometer（液体比重计，浮秤），hydrous（含水的），hydrate（给水），dehydrate（脱水），dehydration（脱水），hydrogen（氢），hydrotherapy（水治疗法），hydrophobia（恐水症；狂犬病），hydrophyte（水生植物）
hypno	sleep	hypnotic（催眠的；催眠药），hypnotism（催眠术，催眠状态），hypnotist（催眠师），hypnotize（进入催眠状态；入迷），hypnosis（催眠），hypnophoia（睡眠恐惧症），hypnotherapy（催眠疗法）
idio	personal	idiom（成语，惯用语）
insul	island	insular（岛屿的；偏狭的），insulate（隔绝），insulator（绝缘体；隔绝物），isolate（隔离，孤立），isolation（隔离）
imper	ask	imperative（必要的；命令的），imperator（绝对统治者），imperial（帝国的，庄严的），imperialism（帝国主义），imperious（专横的）
it	go	circuit（周围，环形），exit（出口），initial（开始的，最初的；首字母缩写），initiate（开始），uninitiated（外行的，缺少经验的），itinerary（旅行路线），seditious（煽动的），transition（转移，变迁）
jac	throw	adjacent（近邻的，毗连的），adjacency（毗连；接近），trajectory（弹道；抛物线），ejaculate（射出），ejaculation（射出；突然说出），interjacent（位于中间的），subjacent（底下的，下方的）

jec, ject	throw	adjective（添加的，从属的；形容词的；形容词），adjectival（形容词的），adject（不幸的），conjecture（推测，猜想），deject（使沮丧，使灰心），dejected（沮丧的，情绪低落的），eject（喷出，逐出），ejector（驱逐者；喷射器），ejective（喷出的，逐出的），inject（注射，注入），injection（注射；针剂），object（反对），objection（反对，异议），objective（客观的；宾语的），objectify（使客观化；使具体化），objectionable（令人不快的，讨厌的），subject（受制，隶属；主题；主语），subjective（主语的；主观的），project（突出，伸出；计划），projector（投影仪；计划人），projectile（抛射体；抛射的），reject（拒绝，排斥），rejectee（被拒绝者；遭剔除者），rejector（拒绝者；抛弃者）
join	join	adjoin（毗连，临近），adjoining（毗邻的），rejoin（重新连接；使再结合），subjoin（增补，附加），conjoin（联合；连接）
journ	day	journal（日记，日报，杂志），journalism（新闻业；报纸杂志），journalist（新闻记者）
jud	law, justice	adjudicate（判决，宣判），judicial（司法的），judicious（明智的）
junct	join	conjunction（连合，关联），conjunctive（连接的；联系的），juncture（交界处；时机，关头），junction（接合，交汇点），adjunct（附件，附属物；助手），disjunctive（分离的；转折的；反意的），injunction（命令，指令），injunctive（命令的；指令的），subjunctive（虚拟的）
juris	law, justice	jurisdiction（司法权），jurisprudence（法学），juristic（法律的），jurist（法理学家）
jur	swear	abjure（宣誓放弃），adjure（起誓，命令，恳求），perjure（作伪证）
labor	work	labor（劳动，努力），laborer（劳工），laborious（勤劳的，费力艰难的），collaborate（协作，合作），elaborate（精心制作）
laps	slip, glide	lapse（差错，失误，过失），collapse（倒塌，崩溃），elapse（流逝，消逝）
lat	bring, bear	translate（翻译，转化），translation（翻译；译文），translator（翻译者；议员），translative（翻译的），relate（讲述，告诉），relation（联系；关系；叙述），relative（亲戚；关系词；相关的），superlative（最高级的；最高级形式），superlativeness（最高级；最好），legislate（立法），legislature（立法机关），abalate（切除），ablation（切除术），collate（校对，核对），collation（核对），collator（校对者），delate（控告，告发），delator（告发者），illation（推论，演绎），illative（推论的，演绎的）

later	side	bilateral（双边的），unilateral（单边的），collateral（并行的，旁系的）
lav，lau	wash	laundry（洗衣店），lava（熔岩），lavatory（盥洗室，厕所），lavish（浪费的）
lax，lyse	loosen	relax（放松），analyze（分析，分解），paralyze（使麻痹）
lect，leg，lig	choose	elect（选举），election（选举；当选），elector（有选举权的人），electorate（全体选民），elective（选择的；有选举权的），select（选择），selection（选择；选集），selector（选择者；选择器；开关），selective（选择的），intellect（智力，才智），collect（收集），collection（收集，集合），collectable（可收集的），collector（收集者），collective（聚集的；集体的），neglect（忽视），neglected（被忽视的），neglectful（疏忽的），lecture（演讲；讲稿），intellectual（智力的，明智的），intellectuality（理智性），intellectualism（智力活动），legend（传说），elegant（雅致的；优美的），eligible（值得挑选的；合格的），eligibility（合格；适宜），negligent（粗心大意的；玩忽职守的），negligence（粗心大意；疏忽），intelligent（有理智的；聪明的），intelligence（智力，聪明；情报），intelligential（智力的；传送情报的），intelligentsia（知识界；知识分子）
leg	law	illegal（非法的），privilege（特权）
lega	appoint; send	delegate（代表），legacy（遗产），legatee（遗产继承人）
lev	raise	lever（杠杆），alleviate（减轻，缓和），elevate（提升；举起），levity（轻浮，轻率）
liber	free	liberate（解放），liberty（自由），libertine（放荡的，自由思想的）
lic	to be permitted	license（执照，许可证），licit（准许的，合法的），illicit（非法的）
lig	bind	oblige（强制），obliging（乐于助人的；应尽的），obligate（负责），obligation（责任，义务），religion（宗教），religious（宗教的），ligature（纽带；绷带），disoblige（不通融），disobliging（不亲切的；不通融的），colligate（扎住；综合），colligation（综合，概括），ligament（韧带），ligamental（韧带的）
lingu	tongue, language	linguist（语言学家），linguistic（语言学的），bilingual（双语）
liqu	fluid	liquid（液体），liquor（酒精饮料；液体）
liter	letter	literal（文字的），literate（有文化的，识字的），literacy（有文化；识字），literature（文学，文献），literary（文学作品），literator（文人，作家），illiteracy（文盲），illiterate（不识字的，文盲的），obliterate（涂去，擦掉；除去，使消失），obliteration（消灭，抹去）

loc	place	local（地方的，本地的），locality（地点，所在地），locate（坐落于），location（位置，定位），locator（定位器），locomotive（运动的），locomotion（运动，移动），locomotor（有运动能力的人或物），locomotory（运动的），allocate（定位；分配），allocation（分配），collocate（配置，安置），collocation（搭配，配置），dislocate（脱位，脱臼；使混乱），relocate（重新定位，重新安置），relocation（重新安置）
log	speech, reason	analogy（类比），apologize（道歉），apology（道歉，谢罪），apologetic（道歉的，辩护的），apologia（辩解），catalogue（目录），dialogue（对话，会话），dialogic（对话的），dialogist（对话者），epilogue（尾声；后记），philology（语言学），philologic（语言学的），tautology（赘述），tautological（重复的，赘述的），eulogy（颂词，颂文），eulogize（称赞，颂扬），eulogistic（颂扬的），illogical（不合逻辑的，无意义的），logic（逻辑），logical（有逻辑的），logician（逻辑学家），monologue（独白），neologism（新词），prologue（前言，开场白），prologize（作开场白，作序），trilogy（三部曲）
loq, loc	speak	eloquent（口才好的），eloquence（口才，雄辩术），colloquial（口语的；非正式的），colloquialism（口语，口语用法），grandiloquent（夸张的，大言不惭的），magniloquent（夸张的），magniloquence（华而不实），loquacious（多嘴的，饶舌的），loquacity（多嘴，饶舌），obloquy（诽谤，谴责），soliloquy（独白），somniloquy（说梦话），colloquy（谈话，对话），locution（说话风格），circumlocution（迂回说话），circumlocutory（说话迂回的），elocution（朗诵法，演说法），elocutionist（演说家），elocutionary（演说术的），interlocutor（参加谈话者，对话者），interlocutory（对话的，对话体的），interlocution（对话，交谈）
long	long	prolong（延长），longitude（长度；经度），longevity（长寿）
luc, lust, lumin	light	elucidate（阐明，说明），illuminant（发光的；发光体），illustrate（举例说明，阐明），lucid（清晰的），pellucid（清澈透明的），lumen（流明[光通量单位]），luminary（发光体；天体；知识渊博之人），luminescent（发光的），lustrous（有光泽的，光亮的），luminous（发光的，明亮的），lucent（明亮的），translucent（半透明的）
magn	big	magnify（放大），magnitude（大小，重要性），magnanimous（宽宏大量的），magnificent（壮丽的，宏大的）

man，main	by hand	manual（手工的），manage（操纵，控制），manager（经理，管理人），management（管理，安排），manageable（易操纵的；易管理的），manner（方式；举止，风度），mannerless（没有礼貌的），mannerism（言行癖性；习气），manuscript（手稿，原稿），emancipate（解放，释放），manipulate（操纵，利用），manipulation（操作，控制），manufacture（手制，加工；制造），manacle（手铐；束缚），quadrumana（灵长类动物），quadrumanous（灵长类动物的），maintain（保持，维持），maintenance（保持，维持），maintainable（可保持的，可维持的）
mand	order	command（命令，指挥），demand（要求），countermand（撤回），remand（遣回，召回），mandate（命令；授权），mandatory（命令的）
mar	sea	marine（海的，海事的），mariner（水手；船员），maritime（海的，航海的），submarine（潜水艇）
mater，matri	mother	maternal（母亲的），matriarchy（母系社会）
med	middle	medium（媒介，手段），mediate（调停，调解），mediation（调停，调解），mediator（调停者），meditative（调停的，调解的），immediate（即刻的；直接的），immediately（立即，马上），intermediate（中间的），intermediary（中间形态，中间阶段，中间人），mediterranean（位于陆地中间的），medieval（中世纪的），medievalism（中世纪精神），medievalist（中世纪文化艺术的爱好者或研究者），median（当中的），mediocre（中等的；平庸的）
melan	black	melancholia（忧郁症），melancholy（忧郁，悲哀），melanin（黑色素）
mem	mindful	memory（记忆），memorize（记住），memorable（难忘的，值得纪念的），memorial（记忆的，纪念的；纪念物），memorialize（纪念），memorialist（回忆录作者），memorandum（备忘录），immemorial（无法追忆的；远古的），commemorate（纪念，庆祝），commemoration（纪念），commemorative（纪念性的），commemorable（值得纪念的），remember（纪念），rememberable（可记住的，可记得的），remembrance（记忆），remembrancer（提醒者；纪念品）
mnes，mnem，mon	memory，remember	amnesia（健忘），amnesty（赦免），mnemonic（记忆的，助记的），mnemonist（研究记忆术者），monument（纪念碑，遗址）
merc	trade；reward	mercantile（商人的，商业的），mercenary（唯利是图的；雇佣兵），merchandise（商品），merchant（商人），commercial（商业的；商业广告）
merge，mers	sink，dip	immerge（浸没，陷入），immerse（沉浸）

meter，metry	measure	geometer（测地仪），altimeter（高度计），barometer（气压计），thermometer（温度计）
migr	remove；wander	migrate（移动，迁移），emigrant（移民）
mini，min	small	minus（减去，除去；负的），minute（微小的），minuteness（微小；细致），minutia（琐事，细节），minority（少数，少数派），diminish（变小，减少），diminishable（可缩减的），mince（切碎），minimum（最小量；最小的），minimize（最小化），miniature（缩图；微小的），minster（大臣，部长；服务，帮助），ministry（内阁），ministerial（部的，部长的），ministrant（服侍的，提供服务的；服侍者，提供帮助者），administer（执行，管理），administrate（执行，管理），administration（执行，管理），administrative（行政的，管理的），administrator（行政官员，管理人），ministration（服侍，帮助）
milit	soldier	military（军事的），militia（民兵）
mir	wonder；behold	admire（敬佩），miracle（奇迹），mirage（海市蜃楼），marvel（奇迹）
miss，mit	send；cast	admission（允许进入；承认），admit（允许，承认），admittance（进入），commission（委任），commit（委托；犯罪），commitment（委托事项；犯罪；禁闭），committee（委员会），compromise（妥协；危及），dismiss（解散；开除），dismissal（打发；解雇；免职），emissary（密使，使者），emit（发出，放射），emissive（发出的，发射的），intermit（中断，间歇），intermittent（间歇的，断断续续的），missile（导弹；可投掷的），missilery（导弹），missileman（导弹手），mission（使命；任务；代表团），missionary（传教士；传教的），missive（公文，书信），omit（省略；删节），omission（省略；删节），omissive（省略的；删节的），permit（允许，许可），permission（允许，许可），permissive（宽大的；放任的；自由的；容许的），promising（有希望的，有前途的），remiss（怠慢的；疏忽的；无精打采的），remit（汇寄），remittance（汇款），submit（服从；提出），submission（屈从），submissive（服从的，顺从的），transmit（传输，传送），transmission（传动；送达），transmissive（传送的，能传达的），transmitter（传送者；传达者）

mob，mot，mov	move	remove（搬走，移开），removal（移动；调动），removable（可移动的），automobile（汽车），demobilize（复原；遣散；改编军队），demobilization（复员；遣散），immobile（固定的；不变的；稳定的），mobile（可移动的；易变的；机动的），mobility（运动性，机动性），mobilize（动员，调动），mobilizable（可动员的），mob（暴民，暴徒），mobster（犯罪集团成员，匪徒，歹徒），mobocracy（暴民政治，暴民统治），automotive（自动的；汽车的），commotion（动乱，喧闹），promote（促进，提升），demote（降级），demotion（降级），emote（表现感情），emotion（情感外露，冲动），emotional（感情上的，激动的），locomote（移动，行动），locomotive（火车头），motive（运动的），motivity（动力），motivate（激发；引发动机），promote（促进，发扬，晋升），promotion（提升，促进），promotive（促进性的；宣传的），remote（偏僻的，遥远的），motion（运动；打手势），move（移动），commove（使动荡，搅乱），movement（运动），movie（电影）
mod	manner	model（模特；样式），modern（现代的），modest（适度的；谦逊的），modify（变更），accommodate（供给；符合），commodity（商品）
mon	advise，remind	monitor（班长；监视器；监视），monument（纪念碑），summon（召唤）
monstr	show	monster（妖怪），monstrous（形状奇怪的），demonstrate（示范，说明），demonstration（演示）
mor	custom	moral（精神的，道德的；教训，寓意），immoral（不道德的，放荡的）
morph	shape	amorphous（无定形的），metamorphose（变形），polymorphous（多形态的）
mort, mor	death	mortal（人类的，不免一死的），immoral（不朽的），mortality（必死的命运；死亡率），mortify（抑制，苦修；感到屈辱），mortuary（太平间），morbid（疾病的，病态的，健全的），moribund（垂死的），amortize（分期偿还债务），postmortem（死后的，死后发生的；尸体）
mount，mont	mountain; ascend	mountain（山，山脉），amount（总计，共计；总数），paramount（极为重要的；最高的；卓越的），montage（蒙太奇，文学、音乐或美术的组合体）
muni	service	municipal（市政的；内政的），communicate（沟通，传达），communism（共产主义），immune（免疫，免除），immunize（使免疫）
mur	wall	mural（壁画），extramural（市外的；城墙外的；校外的）
mut	change	mutate（变异，突变），mutation（转化，变化），transmute（变形），permutate（改变；更换），immutable（不可改变的），commuter（经常往返者）

myst	mystery	mystery（神秘），myth（神话，传说）
nat，nai，nas	born	nation（民族，国民，国家），national（国家的，民族的），nationality（国籍；国家，国民性），native（本地的，出生地的，本国的），nature（自然；本质），natural（天生的；自然的；本能的），innate（天生的，固有的），natal（出生的），natality（出生率），prenatal（胎儿期的），neonate（新生儿），neonatal（新生儿的），naïve（天真的），nascent（初期的），nascence/nascency（发生，起源），renaissance（复兴），renascence（复兴，再生），renascent（新生的，复兴的），cognate（同源的），cognation（同源）
naut	sail	nautical（航海的），astronaut（宇航员），aquanaut（潜水员）
necro	death，dead	necrology（讣告），necromancy（巫术，招魂术），necromancer（巫师，通灵者），necrophobia（死亡恐惧）
nect，nex	bind	nexus（联结），annex（附加，附件），connexion（联结；亲戚），connect（连接，联系）
neg	deny	negate（打消，否定，否认），negative（否定的；底片，负数），neglect（忽视）
neur，neuro，nerv	nerve	neural（神经系统的，神经中枢的），neurology（神经学），enervate（削弱，使衰弱）
neutr	neither	neuter（中性的；中性；中和），neutral（中立的，中性的），neutralism（中立，中立主义），neutralist（中立主义者），neutrality（中立，中性），neutralize（中和，中立），neutron（中子）
nigr，negr	black	negro（黑人），negress（女黑人），denigrate（使变黑；玷污，诋毁）
nihil	nothing	nihil（虚无），annihilate（歼灭，消灭），nihilism（虚无主义，无政府主义），nihilist（虚无主义者）
nil，nul，null	zero	annihilate（歼灭；取消，废除），null（零的；无价值的），annul（取消，废除），nullify（取消，废除）
noct，nox	night	noctambulist（梦游者），nocturnal（夜间的）
nom，nym	name	misnomer（误称），nominal（名义上的），nominate（提名，任命），denominate（命名），anonymous（匿名的，无名的），ignominious（可耻的）
norm	rule，norm	normal（有规范的，正常的），abnormal（异常的，反常的），enormous（巨大的，过分的）

not	know; mark	annotate（注释，评注），annotation（注解，评注），notable（值得注意的，显著的），notation（符号，计数法），noted（著名的，显著的），notice（通知，注意），noticeable（显而易见的），notify（通报，公告，通知），notification（布告，通知），notifiable（应通知的，应报告的），notion（观念，想法），notional（概念的；名义上的），denote（指示；表示），denotation（表示；符号；意义），denotable（可表示的；可指示的），denotative（表示的；指示的），notorious（声名狼藉的），notoriety（声名狼藉，臭名昭著），connote（意味着；含蓄），connotation（内涵；含蓄），connotative（含蓄的；内涵的）
nounce, nunci	state, declare	enunciate（发音清晰），pronounce（宣布），denounce（指责），renounce（放弃）
nov	new	novel（新奇的），novelize（使成小说，使小说化），novelty（新奇，新颖），innovate（改革，创新），innovation（革新，创新），innovatory（革新的；富有创新精神的），renovate（翻新，革新），renovation（更新；整修），novation（更新），novice（新手，初学者），noviciate（新手的见习，见习期），novelette（中篇小说）
nox, noc, tox, nic	harm, poison	nocuous（有害的，有毒的），innocent（无罪的；清白的；天真的），toxic（有毒的；中毒的），pernicious（有害的；致命的），noxious（有害的，有毒的），obnoxious（令人讨厌的）
number, numer	number, count	numerable（可数的，可计算的），innumerable（数不清的），enumerate（列举），numerology（命理学）
nutri	nourish	nutrition（营养），nutrient（有营养的，滋养的；营养品），malnutrition（营养不良）
ol, olfact	smell	olfactory（嗅觉；嗅觉的），olfaction（嗅觉），redolent（有强烈气味的；使人联想或回想起某事物的），indolent（懒惰的，懒散的，不活跃的）
onym	name	anonym（匿名者），antonym（反义词），synonym（同义词）
oper	work	opera（歌剧），operate（操作，开动），cooperate（合作）
opt	choose	option（选择，选项），adopt（采用；收养），optimism（乐观主义）
opt, opto	eye, sight	optics（光学）；optometrist（验光师），synopsis（概要）
ora	speak, pray	oracle（神谕），orate（演说），orator（演讲者，演说者）
oder, ordin	order	ordinary（普通的），extraordinary（特别的，超常的），coordinate（调整的，同等的），subordinate（服从的，附属的）
ori	rise	oriental（东方的），origin（起源），originator（创始者，发明人），orientate（定位；向东）
orn	decorate, furnish	ornament（装饰品），adorn（装饰，修饰），suborn（贿赂，唆使）

ortho	straight, right	orthodox（正统的，传统的），orthodontist（牙齿矫正医师），orthotics（矫正术），orthograde（直立行走的），Orthodox Church（东正教堂）
pac, plac	calm, peace	pacify（安抚），placate（安抚，抚慰），placid（平和的，安静的），pacific（和平的），implacable（难平息的），pacifier（调解人），pacifist（和平主义者）
pass, pat, path	feeling	pathetic（可怜的），apathy（冷漠无情），apathetic（冷漠的），antipathy（憎恶，反感），empathy（移情），sympathy（同情），sympathetic（具有同情心的），telepathy（心灵感应），pathology（病理学），pathos（悲怆；痛苦），patient（有耐性的；患者），outpatient（门诊病人），compatible（相容的；和谐的），passion（激情，热情），compassion（同情），compassionate（同情；有同情心的），passive（被动的，消极的）impassive（冷漠的；无感情的），impassioned（充满激情的；热烈的），passionate（热烈的；激昂的）
pact	agree, fasten	pact（合同；协定），compact（契约，合同；结紧）
pan	bread	panada（面糊），pantry（餐具室，食品室），companion（伙伴，同伴，伴侣），accompany（伴随，陪伴）
par	equal	par（同等，同程度），parity（等价，同等），imparity（不平等，不同），compare（比喻，相比），comparable（可比较的，比得上的），comparative（比较的，比较而言的），comparison（比较，对照，比喻），pair（双，对），diaprate（全异的，不同的），disparage（蔑视，轻视），nonpareil（无与伦比的）
part	part	partial（有偏见的），impartial（公正的），particle（颗粒，极少量），apartment（房间，公寓单元）
pass	pass	passenger（乘客，旅客），passport（护照），trespass（侵入，打扰）
pater, patr	father	paternal（父亲的），paternalism（家长作风），paternalist（搞家长式统治的人），paternity（父权；父系），patriarch（家长，族长），patriarchy（父系社会），patriarchal（家长的,族长的），patrimony（遗产,继承物），patrimonial（世袭的,祖传的），patron（赞助人；恩人），patronize（赞助；光顾），patronage（庇护，资助），expatriate（逐出），expatriation（逐出祖国；流放国外），repatriate（遣返），patriot（爱国者），patriotic（爱国的），patriotics（爱国行为），patriotism（爱国主义，爱国精神），compatriot（同胞），compatriotic（同胞的），patrilineal（父系的）

ped, pod	foot	pedal（踏板），peddle（传播，散播；兜售，叫卖），pedestrian（步行者；单调的），biped（两足的；两足动物），centipede（蜈蚣），expedient（权宜之计），expedite（加速，派出），expedition（远征，探险），expeditious（迅速的，敏捷的），biped（两足动物），impede（阻碍，妨碍），impediment（妨碍，阻碍），quadruped（四足的；四足动物），tripod（三脚架），podium（指挥台；领奖台），podiatrist（足科医生），
pel, puls	push, drive	appeal（恳求；诉诸），compel（强迫），compelling（激发兴趣的；强迫的），compulsion（强迫，强制），compulsive（冲动的；强迫的），compulsory（强制性的），dispel（驱散），expel（驱逐，开除），expulsion（驱逐，开除），expulsive（逐出的，开除的），impel（推动，推进），impellent（推动的，推进的），impeller（推动者；推动器），impulse（推动，冲动），impulsion（推动，刺激），impulsive（冲动的），propel（推进），propeller（推进器），propulsion（推进），propulsive（推进的，有推进力的），repel（抵制），repellent（击退的，排斥的），repulse（击退），repulsion（排斥；厌恶），repulsive（令人厌恶的），pulse（脉动），pulsate（搏动）
pen，pun	punish	penal（刑罚的），penalty（惩罚），penitent（悔过的），reprent（后悔，忏悔）
pend, pens	hang; weigh	append（附加，增加），appendage（附加物；下属），appendix（附录），depend（依靠，依赖），dependable（可信赖的，可靠的），dependence（依靠；从属），dependant（受赡养者；侍从），dependent（依靠的；从属的），pending（待定的），impending（即将发生的），independent（独立的；自治的），independence（独立；自主），independency（独立），pendant（垂饰，坠儿），pendulum（钟摆），pendulous（下垂的，悬垂的），pendular（钟摆运动的；摆动的），perpendicular（垂直的，直立的；垂线，垂直），propensity（倾向；癖好），suspend（悬挂；中止），suspense（悬而不决，未定），suspensor（吊绷带），suspension（悬挂；暂停，中止），suspensive（暂停的，中止的；悬而不决的），compensate（偿还，补偿），compensation（补偿，赔偿），dispense（分发，分配），dispensation（分配；配方），dispensary（配药房；药房），expend（花费，支出），expenditure（支出，花费），expense（花费；消耗），expensive（昂贵的），pension（养老金，年金），pensive（沉思的），ponder（思索），spend（花费），spender（用钱之人），spendable（可花费的），spendthrift（挥霍的，浪费的；挥霍者，浪费者），ponder（沉思，考虑），pensive（沉思的，思考的，忧郁的），ponderous（笨重的）

peri	going around something	peripatetic（逍遥学派的，走来走去的），peripateticism（逍遥派），perimeter（周长），peripheral（外围的）
pet，petit	seek，strive	compete（比赛；竞争），competition（比赛；竞争），competitive（比赛的；竞争的），competitor（比赛者；竞争者），competent（有能力的；胜任的），competence（能力；胜任），competency（能力；技能），appetite（欲望，食欲），appetitive（关于食欲的），appetizer（开胃菜），appetizing（引起欲望的，开胃的），petition（请求，请愿书），petitioner（请求者；请愿人），petitionary（请求的，请愿的），repetition（重复），repetitious（重复的，啰唆的），repetitive（重复的；反复的），appetent（渴望的），appetence（强烈的欲望，嗜好），impetus（动力，促进），impetuous（猛进的；鲁莽的），impetuosity（猛进；鲁莽）
petr，petro	stone，rock	petrification（石化，僵化），petrify（使石化；吓呆），petrology（岩理学，岩石学）
phan，phen，fan	appear，seem	phan（表象，显像），phantasm（幻觉，幻想，幽灵），phantom（幻影，幽灵），phase（阶段，时期），diaphanous（透明的；精致的），phenomenon（现象），phenomenal（现象的；显著的），fantasy（幻想），fantastic（幻想的，奇异的），fancy（想象），fanciful（富有幻想的，异想天开的）
phil	love	philanthropy（博爱，慈善），neophilia（喜爱新奇），bibliophile（藏书家）
phon	sound	cacophony（刺耳之声），euphony（悦耳之声），microphone（扩音器，麦克风），phonics（声学），phonetics（语音学，发音学），symphony（交响乐），telephone（电话），megaphone（扩音器）
photo	light	photograph（照相），photosynthesis（光合作用）
pict	paint	depict（描画，描述），picturesque（图画般的），pictograph（象形文字）
plac，pleas	please	placate（安抚），complacent（自满的，自得的），please（取悦）
plain，plaint	beat the breast	complain（抱怨），complainant（原告，控诉人），plaintiff（原告，起诉人）
plaud，plode	strike，clap	applaud（赞同），applause（鼓掌欢迎，称赞），plaudit（喝彩，鼓掌），plausible（似是而非的），explode（爆炸），explosion（发出，爆炸），explosive（爆炸性的；爆炸物）
plant	plant	replant（再植），transplant（移植），supplant（取代，排挤）
ple，plen，plet	full; fill	complete（完成；完全的），complement（补充，补语），completion（完成，圆满），supplement（补充，增补），replenish（补充，装满），plenitude（充分，充足），plenty（大量，丰富），plethora（过多，过剩）

pli，plic，ply，plex	fold	accomplice（共犯，帮凶），application（请求，申请），complicate（使复杂），explicate（说明；解说），implicate（牵连；暗示），imply（暗指；意味），explicit（明确的），implicit（暗示的），multiply（繁殖；增加；乘以），pliable（柔软的；顺从的），supplicate（恳求，哀求，祈祷），complex（复杂的），perplex（困惑）
polis，polit	city	politics（政治），police（警察），acropolis（卫城），cosmopolis（国际都市），metropolis（首都，大都市），policy（政策，方针）
pon，pone，pound，pos，pose，put	place，put	component（成分），correspond（符合，一致；相应；通信），exponent（说明的；解释者），opponent（对手），postpone（推迟），proponent（支持者），respond（回应），compound（混合，调和），expound（详细说明，解释），impound（关押；保留），propound（提议），compose（组成；作曲），composer（创作者；作曲者），composition（写作；混合物；布局），composite（合成物；合成的，复合的），composure（沉着冷静），discompose（慌张，不安），repose（静止，休息），depose（罢免），dispose（处理），expose（暴露；展览；遗弃），impose（强加；征税），proposal（提议，建议），propose（计划，提议），suppose（推想，假定），presuppose（预先假定），position（职位，位置，立场），deposit（堆积，沉淀；存款；押金），depository（存放处，仓库，受托者），disposition（沉积；免职），exposition（展览会；说明），predisposition（倾向，偏好），reposition（重新配置，重新部署），opposite（对面的，对立的），computation（计算，估算），dispute（争论）
popul，publ	people	populace（大众，平民），popular（流行的，大众的），population（人口），public（公共的，公众的），publicity（公开；广告），publicize（宣扬，发表），republic（共和）
port	carry	portable（手提式的），portability（可携带性；轻便），portage（水陆联运，搬运），porter（搬运工人），portfolio（文件夹），export（出口；输出），exportable（可输出的），exportation（出口；输出），import（进口；输入），importable（可进口的），importation（进口），report（报告；转述），support（支持），transport（传送，运输），disport（玩耍，娱乐），deport（驱逐），deportation（放逐）
pot	power	potent（有效的），potential（可能性），potion（剂量）
preci，prais	price	precious（宝贵的，珍爱的），appreciate（赏识；感激），appraise（评估，估价），appraisal（评价，估价）

press	press, force	compress（压缩），compressor（压缩物，压缩机），depress（压低；萧条），express（表达），expression（表达，表现），expressive（表现的，有表现力的，意味深长的），impress（印象深刻，铭记），impressive（印象深刻的，感人的），oppress（压迫，压抑），pressure（压力），repress（镇压，抑制），suppress（镇压，抑制）
prim，prin，prem	first	primary（基本的，主要的），primitive（原始的，远古的），primate（灵长类动物），principal（首要的；负责人），principle（法则，原理），premier（首要的；首相，总理）
prehend，prehens	seize	comprehend（理解），comprehensive（综合性的），prehension（抓住，理解），reprehend（责备）
priv	private; deprive	private（私人的），privatize（民营化，私有化），privilege（特权），deprive（剥夺）
proach，proxim	near	approach（接近），approximate（接近；近似）
prob，prov	prove	prove（证明），approve（赞成，承认），probable（可能的）
prop，propri	own	proprietor（所有者，经营者），property（财产），proper（适当的）
psych	mind，spirit	psyche（心智；灵魂；精神），psychiatry（精神病法，精神病治疗法），psycho（精神病患者；精神分析），psychoanalysis（心理分析，精神分析），psychopath（精神病患者），psychology（心理学；心理状态）
pugn	fight	pugnacious（好战的，好斗的），impugn（指责，责难）
pun，pen	punish	penalty（惩罚），penalize（处罚），penitent（后悔的），repent（后悔，懊悔），punish（惩罚）
punc，pung	prick，point	puncture（刺破；小孔），acupuncture（针灸），punctuate（加标点；强调），punctual（准时的），punch（冲孔；拳击；打洞）
pur	pure	purity（纯洁，纯度，贞洁），purify（净化），puritan（清教徒）
purg	purify	purgatory（炼狱），expurgate（删除，修订）
put	think，consider	compute（计算），computer（计算机），depute（指派为代表），dispute（反驳），repute（考虑，认为；名声），reputation（名声），reputable（名誉好的；可尊敬的），disrepute（声名狼藉），impute（归咎于）
quarr，quer	complain	quarrel（争吵，口角），querulous（爱抱怨的，爱发牢骚的）
qui	calm，rest	quiet（安静），quietus（偿清；解除；致命一击），acquiesce（默许）
que	seek	conquer（征服，战胜），question（问题；疑问），questionnaire（调查问卷），inquisitive（好奇的），require（需要）
quit	free	acquit（宣告无罪），requite（报答，酬谢）

rad，ras	scrape	erase（擦掉），eraser（橡皮），razor（剃刀）
radi	root	radical（激进的；激进分子），eradicate（根除，消灭），radish（红萝卜）
radi	ray	radium（镭），radiate（发射，辐射），radioactive（放射性的，有辐射性的）
rap，rav	snatch	rape（强奸），raptor（猛禽），rapt（着迷的，全神贯注的），ravish（抢夺）
rat，ratio	reckon; reason	ratify（批准，认可），rational（合理的），irrational（不合理的）
reg，rect	rule; upright	region（地区），regional（地区的；局部的），regulate（控制，管理），erect（竖直；建立），rectitude（正直，公正），rectify（改正，矫正），rectangle（矩形），rectilinear（直线的）
rept	creep	reptant（爬行的），reptile（爬行动物），reptilian（爬行类的；卑鄙的），surreptitious（暗中的，秘密的），subreption（隐匿真相，歪曲事实）
rog	ask	abrogate（废除，取消，废止），arrogant（傲慢的，自大的），derogate（贬损，减损），derogative（减损的，毁损的），interrogate（审问，询问），interrogative（疑问词；疑问的，疑惑的），rogue（流氓，无赖），roguish（顽皮的，无赖的），prerogative（特权）
rot	wheel，turn	rotate（旋转），rotor（旋转体），rotund（圆形的，肥硕的）
rud	rude	rude（粗鲁的，无礼的），rudiment（基础，初步），erudite（博学的）
rupt	break	abrupt（突然的；陡峭的），bankrupt（破产），corrupt（贪污腐败），disrupt（扰乱，中断），erupt（爆发，喷发），interrupt（打断；妨碍），rupture（破裂，裂开），irrupt（侵入，闯进）
rur，rus	country	rural（乡下的；田园的），ruralist（田园生活者），rustic（乡村的；朴素的）
sacr，sanct	holy	sanctimonious（假装虔诚的），sanctuary（避难所），sacrosanct（极神圣的）
sal	salt	salary（薪水），desalt（脱盐处理），salted（盐腌的；老练的），salad（沙拉）
sal，san	healthy	salute（致敬，敬礼），sane（神志清明的，健全的），sanatorium（疗养院），sanitary（清洁的，卫生的），insane（精神病的，疯狂的）
sangui	blood	consanguineous（同血缘的，血亲的），sanguine（血色的；乐天的），exsanguine（贫血的）
sat	full	satisfy（满足，满意），saturate（饱和，饱满）

scend，scen，scent	climb	ascend（上升，攀登），ascendancy（优势，主权，优越），ascendant（上升的，优势的；优势；祖先），descend（下降，下传），condescend（谦逊；屈尊），descendant（子孙，后裔），transcend（超越，胜过），transcendent（卓越的，超凡的），transcendental（先验的；卓越的），ascent（提高，上升），descent（降下；遗传）
sci	know	science（科学），scientific（科学的），scientist（科学家），conscience（良心），conscienceless（没良心的），conscientious（尽责的，本着良心行事的），conscious（有意识的），consciousness（意识；觉悟），subconscious（潜意识的），subconsciousness（潜意识），nescient（无知的），nescience（无知），prescient（预知的，先见的），prescience（预知，先见），omniscient（无所不知的），omniscience（无所不知）
scribe，script	write	scribe（抄写员），scribble（乱写，乱涂），ascribe（归因于），circumscribe（划界限；限制），conscribe（征召入伍），conscription（征召，征兵），describe（描绘），description（描写），descriptive（描写的，记述的），inscribe（铭刻，题献），inscription（题字，题名），manuscript（手稿），postscript（附言），prescribe（指示；规定；开药方），prescription（指示；规定；处方），subscribe（下标），superscribe（上标），transcribe（抄写，译写），transcript（抄本；誊本；副本），script（手稿；剧本），scripture（手稿；经文）
sect,seg	cut，divide	sect（派别，宗派），section（部分；区域），bisect（一分为二），dissect（解剖；切开），insect（昆虫；微贱之人），insecticide（杀虫剂），intersect（横断；相交），intersection（横断；交叉），transect（横断，横切），vivisect（活体解剖），segment（分割；部分），segmentation（分割，切分，分段，分节）
sed，sess，sid	sit	sediment（沉淀物，沉积），assess（定下，评定），obsess（使困扰，迷住），possess（拥有）
semin	seed	semin（种子），semination（播种，传播），disseminate（传播，散布），seminar（研讨会）
sen	old	senior（年长者，资深者，最高年级学生），senate（参议院，上院）
sens，sent	feel	sense（感觉，感知），assent（同意），consent（同意，赞成），dissent（不同意，异议），nonsense（胡说，废话），presentiment（预感），sensation（感觉），sensible（有感觉的，明理的），insensible（无知觉的；失去意识的），sensitive（敏感的，灵敏的），insensitive（没有感觉的，感觉迟钝的），sensual（色情的；世俗的；感觉的），sentient（有感觉的；敏感的），sentiment（情绪；感情；伤感），sentimental（感伤性的，感情的），sentinel（岗哨，哨兵），sentry（哨兵；警卫）

sequ，secu	follow	sequel（续集），sequence（顺序），consequential（结果的），secular（世俗的，长期的），obsequious（奉承的，顺从的）
sert	join，put	desert（沙漠；不毛的；遗弃），insert（插入，嵌入），exert（发挥，运用）
serv	keep	conserve（保存），conservative（保守的，谨慎的），deserve（应受，应得），observe（观测），observation（观测），observatory（天文台），preserve（保存），reserve（保留，预定），reservoir（蓄水池），service（服务），servile（奴隶的，卑屈的），servant（仆人；公务员）
sid，sed，sess	sit，still	preside（主持），presider（主席；主持者），presidium（主席团；常务委员会），president（总统；校长），reside（居住，定居），resident（居民），residence（居住；住宅），residential（居住的；住宅的），subside（平息；减弱），subsidence（平息；沉降），sedate（安静的；使镇静），sediment（沉淀物），sedentary（久坐的），dissident（持异议者，反对者），dissidence（异议；不一致），assiduous（勤奋的），assiduity（勤奋），insidious（阴险的），session（就座；开会），sessional（开会的；开庭的），possess（占据；具有；保持），possession（占有；财产；领地），possessive（占有的，所有的；[语法]所有格），possessor（占有人；所有人），assess（评估，估价）
sign	mark	signature（签名；信号），assign（分配，指定），resign（辞职，放弃）
simil，sembl	like，same	simile（明喻），similar（相似的，类似的），assimilate（吸收；同化），dissimilate（变得不同，异化），simulate（类似；假装），simultaneous（同时发生的）
sinu	bend	sinus（海湾，凹处），sinuous（蜿蜒的），insinuate（暗示；旁敲侧击地说；迂回地说）
sist	stand	assist（援助），assistant（辅助的，帮助的；助手，助教），consist（组成，包容），consistence（一致；坚固），exist（生存，存活），existence（存在；实在），inconsistent（不一致的），insist（坚持，强调），persist（坚持），persistent（坚持的，持续的），resist（抵抗，反抗），resistance（抵抗，反抗），irresistible（不可抵抗的，无法抗拒的），subsist（供养；生存），subsistence（生计，存活），desist（停止）
soci	companion；associate	sociable（友善的，好交际的），socialism（社会主义），associate（联合，联系）
sol	alone；sun	solely（单独地），solo（独唱，独奏），solid（固体；可靠的；一致的），solar（太阳的），parasol（遮阳伞）
solv，solu	loosen	solve（解决，解答），solution（解决方案），resolute（坚决的）

somn	sleep	insomnia（失眠），somnolent（想睡的，催眠的），somniferous（想睡的，催眠的），somnifacient（催眠剂；催眠的），somniloquence（梦语）
son	sound	resonance（共鸣，反响），assonant（类韵的），consonant（和谐的，协调一致的），consonance（一致），dissonance（不一致），resonant（响亮的；引起共鸣的），song（歌曲；韵文），sonic（声音的），supersonic（超音速的），ultrasonic（超声的）
soph	wisdom, wise	philosophy（哲学），sophism（诡辩），sophisticated（诡辩的，世故的；复杂的），sophomore（大学二年级学生），sophistry（诡辩）
sor	sister	sorority（妇女联谊会）
sort	kind	consort（配偶，陪伴，结交），assortment（分类）
spec, spect, spis, spic	look	aspect（样子；方面），circumspect（小心谨慎的），conspectus（概论，摘要，大纲），expect（期待），expectant（期待的，预期的），inspect（检查），inspection（视察，查阅），introspect（内省），introspection（内省），perspective（透视法；透视的），prospect（前景），prospective（预期的，未来的，有希望的），retrospect（回顾），respect（尊敬），respective（分别的，各自的），specious（外表美观的，华而不实的），spectacle（奇观），spectacular（壮观的），spectator（观众），specter（鬼怪，幽灵），spectrum（光谱），speculate（推测，思索），suspect（猜想，怀疑），despise（轻视，鄙视），auspicious（吉利的，幸运的），conspicuous（显著的），despicable（可鄙的，卑劣的），perspicacious（有洞察力的），suspicion（猜疑，怀疑），suspicious（可疑的）
sper	hope	prosper（使繁荣，成功），prosperity（繁荣），desperate（绝望的），desperation（绝望），desperado（亡命徒）
spers	scatter	disperse（散布，分散），asperse（诽谤），intersperse（点缀，散布）
spher	ball	atmosphere（大气圈），hydrosphere（水圈），biosphere（生物圈），lithosphere（岩石圈）
spire	breathe	respire（呼吸），suspire（叹气，叹息），perspire（出汗，流汗），transpire（蒸发；透露），expire（期满；终止），aspire（渴望；立志），inspire（激发，鼓舞），inspiration（灵感），inspiratory（吸入的，吸气的），conspire（共谋），conspiracy（共谋），conspirator（阴谋者；共谋者），spirit（灵魂，心灵）
spond, spons	promise	respond（回答），despond（失望，使人丧气），correspond（通信）

st，stat	stand	state（状态；政府），statehood（国家地位），stateless（无国家的，无国籍的），station（停留；位置；车站），stationary（固定物；停留的，静止的），stay（停留），stayer（逗留者），distance（相隔，距离），distant（远隔的；久远的），constant（坚定的；持续的；不变的），constancy（坚定；经久不变），circumstance（情况），circumstantial（按照情况的；偶然的），contrast（对比，对照），ecstasy（入迷；狂喜），ecstatic（入迷的；欣喜若狂的），obstacle（障碍）
stel	star	constellate（形成星座，群集），constellation（星座），stellar（恒星的；星星的），interstellar（星际的）
still	drop	distill（蒸馏，提取），instill（使渗透）
stinct，sting，stimul	prick	stingy（吝啬的，小气的），distinguish（区别），extinguish（熄灭，消灭），instinct（本能，直觉）
strict，string	tighten	constrict（压缩，压紧），restrict（限制），astrict（约束），stringent（严厉的）
stru，struct	build	structure（建筑物；结构），construct（建造，创立），destruct（破坏），instruct（指导），instructor（讲师），obstruct（阻隔）
suade，suas	advise	suasion（劝告，说服），suasive（劝说的，有说服力的），persuade（说服，使相信）
sume，sumpt	take	consume（消费），presume（假定，假设），resume（重新开始，继续）
summ	sum	sum（总数，总和），summit（最高峰，顶点），summary（概要，大纲）
sur	sure	assure（确信），insure（保险，保证）
surge，surrect	rise	surge（汹涌，澎湃），resurge（复活），insurgent（起义的，暴动的）
tact，tag，tach，tang，tig	touch	contact（接触，联系），intact（完整的），tact（机智；手法），tactic（战略，策略），tactful（机智的，老练的），tactile（触觉的），contagion（传染），contagious（传染的），contiguous（接触的，邻近的），tangible（可触摸的），intangible（不可触摸的），contingent（可能发生的，偶发的），contingency（偶然性，可能性），attach（系，附上；从属，附着），detached（分离的，分开的），tangent（切线），tangential（切线的；正切的）
tail	cut	tailor（裁缝），detail（细节，小事），retail（零售）
tain，ten	hold	obtain（获得），abstain（自制；放弃），abstention（避开），detain（拘留，扣留），retain（保留，保持），sustain（支持），sustenance（支持；供养），tenant（房客，佃户），tenacious（紧握的；固执的），tenacity（坚持；固执）
tech	skill，tool	technophile（技术爱好者），technophobe（技术恐惧者）

tect	cover	protect（保护），detect（发现，探测），detector（探测器），detective（侦探）
temper	moderate	temper（脾气，性情），temperament（气质，性情，体质）
tempor	time	tempo（音乐速度，拍子），temporize（应付，拖延），contemporary（同时代的人）
tempt，tent	try	temptation（诱惑），attempt（努力，尝试，企图），contempt（轻视，蔑视）
tend，tens，tent	stretch	tend（趋向；照看），tendency（趋势，倾向），attend（出席，参加；照料），attendant（侍从），contend（竞争，争论），distend（扩张，膨胀），extend（扩张，延展），extensive（广泛的，广阔的），intend（想要，打算），intent（意图，目的），intention（意图，目的），intensive（集中的，加强的），pretend（假装；要求），intense（强烈的），intensify（加强，变激烈），tension（紧张；张力），attention（注意，关心），attentive（注意的，专注的），extent（广度；范围），contention（争夺，争论），contentious（好争吵的，爱争辩的），pretentious（自命不凡的，骄傲的）
tenu	thin	tenuity（稀薄；贫瘠），tenuous（纤细的；稀薄的），attenuate（稀薄，削弱，减少），attenuation（变薄，变细），attenuator（衰减器），extenuate（掩饰；低估），extenuation（减轻；借口）
term，termin	end，limit	determine（限定，决定），terminate（结束，终止），terminator（终结者），exterminate（消除，消减），terminal（末端的），terminable（有期限的，可终止的），interminable（无止境的），terminus（终点，终点站）
terr	land	terrace（梯田；阳台），terrain（地形，地势），territory（领土；领域），terraqueous（由水陆形成的），subterranean（地下的），terrestrial（陆地的），terrarium（陆地动物饲养场），Mediterranean（地中海；地中海的，陆地包围的），terrier（小猎犬）
terr	frighten	terrible（极坏的，可怕的），terror（恐怖），terrorist（恐怖分子）
test	test; witness	testify（表明，证实），contest（比赛，竞赛），detest（嫌恶，憎恶）
text	weave	context（上下文），pretext（托词，借口）
the，theo	god	theology（神学），apotheosis（崇拜，典范），atheism（无神论），monotheism（一神论），pantheon（万神殿；诸神），polytheism（多神论），theocracy（神权政体）
thet，thes	setting	thesis（论题，主题），antithesis（对照），hypothesis（假设），synthesis（综合，合成），synthetic（综合的，合成的，人造的），photosynthesis（光合作用）
tim	fear	timid（胆小的），intimidate（胁迫，威吓）

ton	tone	tone（音调），tonal（音调的，音色的），tonality（音调，色调），monotone（单调）
tor，tort	twist	contort（歪曲，曲解），distort（歪曲，曲解），extort（敲诈；侵占），retort（反驳，顶嘴），torment（折磨，痛苦），tornado（龙卷风），torsion（扭转，扭曲），tortuous（曲折的，弯曲的），torture（折磨，拷问；痛苦），tortoise（乌龟）
tour，torn	turn	tour（旅游），tourist（旅游者），attorney（律师）
tract	draw	abstract（摘要，抽象；摘要，抽去；抽象的，深奥的），abstraction（提取；抽象），attract（吸引，招引），attractive（妩媚动人的），contract（订约，缔结），detract（降低，贬低），distract（转移，分心），extract（选取，摘取），protract（延长，伸张），retract（缩进，收回），subtract（减去，扣除），tractable（易于管教的），intractable（难以对付的），traction（牵引），tractor（拖拉机）
trem	quiver	tremble（震颤，发抖），intrepid（无畏的，勇敢的），tremendous（巨大的；可怕的），tremor（震颤；战栗），tremulous（颤抖的；敏感的；胆小的）
tribute	give	tribute（贡物；礼金），tributary（进贡的，附庸的；进贡国，支流），attribute（属性，品性；归因于），contribute（捐助，贡献），distribute（分配，散发），retribute（报应，报偿）
trud, trus	push	abstruse（奥妙的，难解的），extrude（挤出，逐出），intrude（侵扰），intrusion（侵扰，闯入），obtrude（强迫；冲出），protrude（突出，伸出）
turb	stir	disturb（扰乱，妨碍），imperturbable（沉着冷静的），perturb（扰乱），turbid（浑浊的，混乱的），turbo（涡轮），turbulent（狂暴的，吵闹的），turmoil（混乱，焦虑），turbine（涡轮机）
us, ut	use	usage（用法；惯例），utilize（利用），utility（效用），utilitarian（功利主义的），utensil（用具，器具），usurp（篡夺；侵占）
ultim	last	ultimate（最后的），ultimo（上个月的）
umbr	shadow	umbrella（伞；保护），umbrage（树荫，不愉快）
urb	city	urban（城市的），suburb（郊区），urbanization（都市化）
us, ut	use	usual（通常的），usage（用法），abuse（滥用）
vac，van，void	empty	vacuum（真空），evacuate（疏散，撤离），avoid（回避，消除）

vad,vas,vag	go，walk	evade（逃避），evasion（逃避；借口），invade（侵略，侵袭），invasion（侵略，入侵），pervade（遍布，弥漫），pervasive（遍布的，弥漫的），vagary（奇特，无常），vagabond（流浪者；流浪的，漂泊的），vagile（漫游的），vagrant（流浪汉；流浪的，漂泊的），vague（含糊不清的），extravagant（奢侈浪费的）
val	strong	convalescence（康复期），invalid（不强壮的；无效的），valiant（勇敢的，英勇的），valorous（勇敢的），valor（英勇）
van	walk	advantage（优点），advance（前进），disadvantage（缺点），vanguard（先锋），vanward（向前）
var	vary	vary（改变，变更），variable（易变的），variegated（杂色的，斑驳的），prevaricate（说谎，支吾，搪塞）
velop	wrap	develop（展开，发展），envelop（包围；信封）
ven, vent	come	avenue（大街，林荫道），advent（出现，到来），adventurous（喜欢冒险的，大胆的），circumvent（围绕，包围），contravene（违反，反驳），convene（聚集，集合），convenient（便利的，方便的），convention（大会；惯例），conventional（传统的），event（事件，活动），eventual（最后的，结果的），intervene（插入，干涉），invent（发明；虚构），invention（发明，创造），inventory（详细目录；库存），prevent（阻止；预防），provenance（起源，出处），reconvene（重新集合，重新召集），revenue（收入），supervention（续发；附加），venture（冒险，投机），venturous（冒险的，大胆的）
venge	avenge	avenge（报仇，复仇），revenge（报仇，复仇），revengeful（报复的，怀恨的）
ver	true	verify（证实，核实），verdict（裁决），veracious（真实的）
verb	word	verbose（冗长的），proverb（谚语，格言），verbatim（逐字的）
vert，vers	turn	avert（转开，避开），aversion（反感，厌恶），convert（转换），convertible（可以改变的，自由兑换的），divert（转移；娱乐消遣），diversion（转移；娱乐），extrovert（性格外向的），introvert（性格内向的），pervert（反常，曲解），reverse（颠倒，逆转），subvert（推翻，颠覆），traverse（横过，穿过），version（译文，版本），versatile（多才多艺的），vertigo（晕头转向），universe（宇宙，全世界），university（大学），controversy（争论，辩论），versatile（多才多艺的），anniversary（周年纪念日），adverse（不利的），adversary（对手，敌手），adversity（逆境；不幸）
vest	clothe，garment	invest（投资），investor（投资者），investment（投资）

vi, via, voy	way	trivial（琐碎的，不重要的），devious（偏僻的，曲折的），convoy（护航，护送）
vict, vinc	conquer	victory（胜利），convict（证明……有罪），convince（确信，信服）
vid，vis	see	visa（签证），visible（可见的），visit（拜访），revise（修改，校订），provision（供应；预备；条款），improvise（即兴表演），supervise（监督，管理），advise（劝告，忠告），advisable（明智的，可取的），devise（设计，发明），previse（预知，预见），supervise（监督，指导），vision（视觉，视力），envision（想象，预想），television（电视），evident（明显的，明白的），evidence（证据），provide（提供），provident（有远见的；节俭的），improvident（无远见的；浪费的），visible（看得见的），visual（视觉的；形象的），visage（脸，面貌）
vig, vit, viv	life	vivid（生动的，活泼的），vital（重要的），vitalize（赋予生命，使有生机），convivial（欢宴的；快乐的），revive（复活；苏醒），survive（生存，生还），vivacious（活泼的，快活的），vigor（活力，精力，元气），vigorous（活泼的；强健的），invigorate（鼓舞，鼓励），vigilant（警惕的，警醒的），vigilance（警惕，警戒），vital（生死攸关的，致命的），vitality（活力，生命力），vitamin（维生素），devitalize（夺取生命，使衰弱），revitalize（使恢复元气；使复活），revive（复活），revival（苏醒，恢复），convivial（欢乐的），survive（存活），survivor（生还者，生存者），vivacious（活泼的），vivid（生动的），vivisection（活体解剖）
voc, vok	speak, call	advocate（提倡，主张），convoke（召集），equivocal（意义不明的，模棱两可的），equivocate（说话模棱两可），evoke（唤起，引起），invoke（调用；祈求），provoke（激怒，惹起），provocative（挑衅的，刺激性的），revoke（取消，使无效），vocabulary（词汇），vocal（声音的），vocalist（歌手；声乐家），vociferous（喧哗的）
vol	wish，will	benevolence（慈善，博爱），malevolence（恶意），involuntary（无心的，非本意的），volition（意志力），voluntary（自愿的，自发的），volunteer（志愿者；自愿）
volu, volv, volt	turn, roll	evolve（演变；进化），involve（卷入，牵扯），revolve（熟思；周转），revolution（革命），convoluted（盘绕的；复杂的），voluble（健谈的）
vor, vour	eat	devour（吞食），carnivore（食肉动物），carnivorous（食肉的），voracious（贪吃的）

Exercise 1

请同学们选出以下词根的含义：

1. aer, aero, aeri
   A. land
   B. air
   C. love
   D. female

2. bell
   A. sound
   B. war
   C. book
   D. grasp

3. cap, ceive
   A. grasp
   B. born
   C. attract
   D. love

4. dem
   A. tooth
   B. people
   C. worth
   D. skin

5. fact, fect, fict
   A. make, do
   B. trust, faith
   C. bend
   D. break

6. gen
   A. creation
   B. birth
   C. kind
   D. write

7. hum
   A. water
   B. human
   C. earth
   D. stick

8. ject
   A. join
   B. throw
   C. law
   D. justice

9. loc, loq, log
   A. light
   B. book
   C. speak
   D. small

10. magn
    A. big
    B. order
    C. by hand
    D. sea

11. nov
    A. new
    B. sail
    C. name
    D. born

12. ortho
    A. straight
    B. skill
    C. power
    D. order

13. pod, ped
    A. feeling
    B. disease
    C. foot
    D. child

14. reg, rect
    A. break
    B. upright
    C. rule
    D. cut

15. somn
    A. save
    B. sit
    C. stand
    D. sleep

16. tract
    A. end
    B. draw
    C. twist
    D. land

17. us, ut
   A. come
   B. use
   C. conquer
   D. see

18. vis, vid
   A. call
   B. see
   C. voice
   D. life

19. mort, mori
   A. zero
   B. death
   C. punish
   D. gratify

20. dyna
   A. straight
   B. skill
   C. power
   D. order

Exercise 2

请同学们标记词根并且写出单词的意思。

1. aeroview
2. agronomy
3. amiable
4. ambulate
5. androphobia
6. misogyny
7. philanthropist
8. unanimous
9. biennial
10. inapt
11. aqueduct
12. monarch
13. astrology
14. auditorium
15. bellicose
16. bibliography
17. antibiotics
18. abbreviate
19. captive
20. captain
21. cardinal
22. carnivore
23. unprecedented
24. accelerate
25. centennial
26. chromosome
27. chronicle
28. incisive
29. inclination
30. seclude
31. democracy
32. credulous

33. diagnosis
34. corpse
35. culprit
36. dignitary
37. epidemic
38. dental
39. dermatologist
40. dictator
41. induce
42. domesticated
43. epigram
44. manufacture
45. fidelity
46. flexible
47. fragment
48. fraternal
49. ingenuous
50. calligraphy
51. segregate
52. transgress
53. coherent
54. posthumous
55. dehydrate
56. inject
57. judicious
58. jurisdiction
59. adjunct
60. loquacious
61. illuminate
62. magnanimous
63. manuscript
64. mandatory

65. submarine
66. matriarchy
67. intermediate
68. amnesian
69. thermometer
70. miniature
71. emissary
72. amorphous
73. locomotive
74. immutable
75. innate
76. nautical
77. misnomer
78. denounce
79. innovate
80. patriot
81. sympathy
82. tripod
83. compel
84. impending
85. neophilia
86. euphony
87. picturesque
88. implacable
89. perplex
90. postpone
91. portable
92. potent
93. penalty
94. rectitude
95. rupture
96. descendant
97. omniscient
98. scribble
99. segment
100. sedentary
101. obsequious
102. preserve
103. persist
104. insomnia
105. dissonance
106. sorority
107. conspicuous

108. expire
109. constrict
110. intangible
111. tenacious
112. technophile
113. intensive
114. terminate
115. terrestrial
116. retort
117. intractable
118. utilitarian
119. convene
120. aversion
121. convince
122. visible
123. convivial
124. equivocate
125. convoluted
126. voracious
127. veracious
128. elevate
129. acrophobia
130. debase
131. denigrate
132. pernicious
133. affluent
134. aggravate
135. collateral
136. neurology
137. cryptic
138. populace
139. sanctimonious
140. theology
141. perturb
142. orthodox
143. primitive
144. artifact
145. cosmology
146. dynamo
147. gratuitous
148. moribund
149. annihilate
150. verbose

熟词生意

2014 年考过这样的一个类比题目，题干是 school is to fish。这里的 school 肯定不是学校的意思，否则跟就 fish 无法搭配了。这里的 school，意为"鱼、鲸等水族动物的群、队"，比如 a school of dolphins 表示"一群海豚"。那个题目的正确选项是 flock is to birds，此处的 flock 意为"鸟群"，这个意思同学们也需要知道。

我们再来看两个 SSAT 阅读中的句子：

1. Macaulay and Carlyle were in their different ways <u>arresting</u>, but at the heavy cost of naturalness.
2. I should have looked upon it without rapture, and should have commentated upon it inwardly after this <u>fashion</u>.

显然 arresting 在这里不是"逮捕的"，而是"引人注目的"；fashion 在这里也不是"设计"，而是"方式"。因此在 SSAT 中，同学们需要掌握一词多义，或者是熟词生意。以下是 SSAT 阶段需要掌握的"熟词生意"单词，同学们需要掌握这些词的用法并加以记忆：

abandon *v.* 屈从 *n.* 放任，狂热

accent *n.* 口音 *v.* 强调

accommodate *v.* 容纳；调解；借钱

accord *v.* 给予；符合

act *n.* 节目，（戏剧的）幕

address *v.* 应付，处理（问题等）；涉及（involve）

advance *v.* 提出看法

agreeable *adj.* 爽快的；易相处的

aging *n.* 陈酿

allowance *n.* 津贴 *v.* 定量供应

appreciate *v.* 感激；欣赏；增值

apprehensive *adj.* 忧虑的；聪颖的；意识到的

approach *v.* 接近 *n.* 方法；模式（formula）；探讨

appropriate *v.* 擅用，挪用，占用，盗用

aptitude *n.* 天资，智能；趋向，适合性

arrest *v.* 逮捕；吸引注意；阻止，抑制

arresting *adj.* 引人注目的

article *n.* 物品；制品，商品

arrested *adj.* 不良的，滞留的；引人注目的
    Example: arrested development 发育不良

articulate *adj.* 有关节的；有节的

assembly *n.* 集合；议会，立法机构

associate *n.* 伴侣

assume *v.* 承担，担任；假装，装作……的样子，采取（……态度）

attribute *n.* 属性；特质；标志；[语法] 定语

avenue *n.* 林荫道；途径

back *v.* 支持

bark *n.* 树皮；三桅帆船

base *adj.* 卑鄙的

become *v.* 适合；相称

bill *n.* 账单；议案，法案；（水禽等细长而扁平的）嘴 [猛禽的钩状嘴通常为 beak]

bold *adj.* 醒目的；大胆的；鲁莽的

book *vt.* 预定，定（戏位、车位等）；托运（行李等）

bore *v.* 钻孔；使烦扰

brood *n.* 一窝；一伙 *v.* 孵化；沉思

build *n.* 骨骼，体格，成形

casualty *n.* 伤亡人员；意外损失的东西；急诊室

cataract *n.* 大瀑布，急流；白内障

catch *n.* 陷阱，圈套，诡计；料不到的困难

champion *vt.* 维护，拥护，主张；为……而奋斗

    Example: champion a cause 维护一项事业

charge *v.* 充电；指控；收费，索价；攻击

charm *n.* 符咒；护身符；吸引力；魔力

check *v.* 阻止，抑制

chest *n.* 箱，函，柜，匣；银箱；金库，公款，资金

chew *v.* 认真考虑

claim *n.* 要求；主张；索赔 *v.* 认领；具有

close *adj.* 闷气的，闷热的

coach *n.* 长途汽车；私人教师；四轮马车

coat *v.* 涂上一层（例如油漆）

colony *n.* 菌落；群体

commit *v.* 使致力于；记下

company *n.* 同伴；宾客

    Example: keep company with 与……交往，与……结伴

compelling *adj.* 引人注目的

complex *n.* 复合物，综合体

compromise *v.* 妥协；损害；放弃理想或原则

concern *n.* 商行，公司；财团；康采恩；事业，业务

confer *v.* 商讨；授予（礼物；头衔）

considerable *adj.* 值得考虑的；大量的，可观的

constitution *n.* 宪法；章程；体格；构造

    Example: strong constitution 体格好

construction *n.* 意义，释义

consume *vi.* 枯萎；憔悴

    Example: The flowers consumed away. 花枯萎了。

control *n.* 实验对照组

convention *n.* 会议；惯例，公约，协定

convertible *n.* 敞篷车 *adj.* 可以转换的

count *n.* 起诉理由，罪状

cover *v.* 新闻报道；支付；行走一段路程

coverage *n.* 新闻报道；覆盖范围

cream *n.* 精华；天赋高的人

credential *n.* 证明，证书，介绍信

credits *n.* 片头或片尾的字幕

crack *v.* 解决；揭露

critical *adj.* 批评的，评论的；危急的；决定性的，重大的

cross *adj.* 易怒的；交叉的；相反的

cure *v.* （鱼等用腌、熏、晒、烤等的）加工保藏（法）

cut *vt.* 生，长，出（牙齿）

damage *n.* 赔偿费

date *n.* 海枣

deal *n.* （松等的）木板；木材，木料 *adj.* 松木的

dear *adj.* 昂贵的，高价的

deed *v.* 立契转让

default *n.&v.* 不履行；违约；拖欠

defer *v.* 使推迟；服从

delegate *v.* 授权，委托，委派

devise *v.* 策划，设计，发明

diamond *n.* 菱形；棒球场

die *n.* 金属模子，印模

discharge *v.* 尽职，履行

discipline *n.* 学科（所以 interdisciplinary 意为跨学科的）

disposition *n.* 性情；癖好

distinguished *adj.* 著名的；地位高的；神情举止有尊严的

dock *n.* 草本植物 *vt.* 剥夺，扣去……的应得工资

down *n.* 沙丘；（蒲公英等的）冠毛；鸭绒，绒毛；（鸟的）绒羽；柔毛，汗毛，软毛，毳毛

draw *vt.* 提取（钱款）；使打成平局

drill *vt.* （用钢钻）钻（孔）；在……上（用钢钻）钻孔

drive *n.* 冲力，动力；干劲；努力；魄力；精力

　　　　Example: launch a drive 发动一场运动

duck *v.* 躲避，回避

eat *vt.* 蛀；腐蚀；消磨

egg *v.* 鼓动，煽动，怂恿

embrace *v.* 包括；接受；拥有；领会

entrance *n.* 入口 *v.* 使着迷

exercise *v.* 行驶；运动；实行；发挥

exploit *n.* 功绩，功劳，勋绩

exponent *n.* 典型，样品

factor *n.* 因子，因数；倍；乘数；商

fair *n.* 定期集市，庙会；商品展览会，展销会，商品交易会

fashion *vt.* 形成，铸成，造，作 *(into; to)* *n.* 方式，方法

fast *n.* 禁食（期），斋戒（期）

fault *n.* 断层

feature *v.* 是……的特色；特写；放映；起重要作用

fell *v.* 砍伐，击倒 *adj.* 凶猛的，毁灭性的

felt *n.* 毛毡；毛布；毡制品；油毛毡

figure *n.* 人影；人形；人物

file *v.* 提出申请

flag *v.* 衰弱，减退

flammable *adj.* 脾气暴躁的

flat *adj.* 断然的 *adv.* 断然地

flight *n.* 逃跑，溃退；楼梯的一段

forward *v.* 发送；转交；转运；促进 *n.* 足球等的前锋

founder *v.* 沉没，失败

function *n.* 函数；行使职责

functional *adj.* 从实用的观点设计构成的

game *n.* 猎物，野味（集合名词）；（鹑等的）群；野外游戏（如游猎、鹰狩等）；策略 *v.* 赌博 *adj.* 勇敢的；高兴做的；关于野味的

give *n.* 弹性

given *adj.* 假设的；签订的，约定的

gravity *n.* 重力，地心引力；庄严

guy *n.* 牵索，铁索 *v.* 牵拉

handsome *adj.* 慷慨的；堂皇的

harness *v.* 利用，治理，控制

hatch *n.* 船舱盖 *v.* 孵化

hide *n.* 兽皮

hit *vt.* 偶然碰见，遭遇

hold *n.*（货船）船舱

house *v.* 容纳

humor *n.*（眼球的）玻璃状液体；（旧时生理学所说动物的）体液；（植物的）汁液 *v.* 迎合，迁就，顺应

husband *v.* 节俭使用

impassioned *adj.* 热情洋溢的

import *n.* 意义，含义

incoherent *adj.*（说话）不清楚的，不合逻辑的

inevitable *adj.* 惯常的，熟悉的

instrumental *adj.* 有帮助的

intelligence *n.* 情报；消息；报道；智力

interest *n.* 利息；利益；重要性

intimate *v.* 宣布，通知，暗示

invigorating *adj.* 精力充沛的；爽快的

inviting *adj.* 引人注目的，吸引人的

involved *adj.* 复杂的，难缠的

issue *n.&v.* 流出，（血、水等的）涌出；[法律] 子孙，子女

jar *vi.* 给人烦躁、痛苦的感觉，刺激 (on)；（发出刺耳声地）撞击 (on/upon/against)；震动，震荡（不和谐地）反响，回荡；（意见、行动等）不一致，冲突，激烈争吵 (with)

    Example: jar on somebody 给某人不快之感

late *adj.* 已去世的，已故的

lay *adj.* 一般信徒的，俗人的，凡俗的 (opp of clerical)；无经验的，外行（人）的 (opp of professional)

lead *n.* 铅

leave *n.* 许可，同意；告假，休假；假期

legend *n.* 地图里的说明文字或图例

letter *n.* 出租人（letters *n.* 证书，许可证）

list *n.* 倾斜；名单；列表；愿望

literature *n.* 文献；著作

lobby *v.* 游说；对议员进行疏通

log *n.* 圆木；航海日志 *v.* 写航海日志

lot *n.* 土地

low *n.* 牛的叫声

make *n.* 构造

mannered *adj.* 矫揉造作的；守规矩的

mean *adj.* 吝啬的 *n.* 平均数；中间；中庸

means *n.* 财力、资产

measure *n.* 准绳；韵律

    Example: a measure of = is determined by ……的体现

        The rate at which a molecule of water passes through the cycle is not random but is a measure of the relative size of the various reservoirs.

meet *n.* 比赛 *v.* 合适

milk *v.* 榨取

mint *n.* 大量；巨额；造币厂

minute *adj.* 微小的，细小的；详细的 *v.* 记录，摘录；测定时间

minutes *n.* 会议记录

motion *n.* 动议 *v.* 运动

movement *n.* 乐章

negative *n.* 底片

note *n.* 纸币；音符

novel *adj.* 新颖的；异常的

objective *n.* 目标；显微镜的物镜；[语法] 宾格

observance *n.* 遵守；纪念；宗教仪式

observe *vi.* 陈述意见，评述，简评 *(on; upon)*

    Example:

        strange to observe 讲起来虽奇怪

        I have very little to observe on what has been said. 关于刚才所听到的，我没什么话好讲。

        observe a rule 遵守规则

        observe silence 保持沉默

occupied *adj.* 全神贯注的，忙碌的；占用的

organ *n.* [音乐] 教堂用的管风琴（= pipe organ），（足踏）风琴，手摇风琴，口琴；机构，机关；（机关）报，喉舌

original *adj.* 新颖的，有独创性的

outstanding *adj.* 未付的，未清的；未解决的；未完成的

pack *n.* 狼群；一群动物

pan *v.* 严厉批评

partial *adj.* [植物] 后生的，再生的

particular *adj.* 过分讲究的，挑剔的

peak *v.* 消瘦，憔悴

pedestrian *adj.* 缺乏想象力或灵感的；平淡的；沉闷的

pen *n.* （家畜等的）围栏，槛；一栏，一圈家畜

period *n.* [音乐] 乐段；句号

piano *adj.* 轻柔的

pile *n.* 高大建筑；痔疮；软毛，绒毛，毛茸，（布、绒的）软面

pitch *n.* 沥青；含有沥青的物质；松脂，树脂

plot *n.* 密谋；情节；小块土地

plummet *v.* 垂直或突然坠下

pool *n.* [医学] 瘀血

pound *n.* 兽栏 *v.* （连续）猛击；乱敲；砰砰砰地乱弹（钢琴等），乱奏（曲子）

practically *adv.* 几乎

preserve *n.* 禁猎区；蜜饯；专属特征 *v.* 做蜜饯；禁猎

prize *v.* 珍视

produce *n.* 物产；产品，农产品；制品，作品

pronounced *adj.* 明显的；断然的

project *v.* 使突出，使凸出；伸出

　　Example: The upper storey projects over the street. 二楼伸出街上。

promise *n.* （前途有）希望；（有）指望

pronounced *adj.* 决然的，断然的，强硬的；明白的，显著的。

provide *v.* 规定

provided/providing *conj.* 倘若……，只要，在……条件下

providence *n.* 上帝；天意；深谋远虑

purchase *n.* 支点

quality *adj.* 优质的，高级的；上流社会的

quarters *n.* 寓所，住处；[军事] 营房，驻地，营盘，宿舍；岗位

quicksand *n.* 流沙；敏捷；危险而捉摸不定的事物

quiver *n.* 箭筒，箭囊

rate *v.* 被估价；被评价；申斥，斥责，骂

　　Example: The ship rates as a ship of the line. 这条船列入战列舰级。

rear *v.* 饲养家畜等；抚养，教养孩子；栽培作物

relief *n.* [雕刻] 凸起；浮起，浮雕，浮雕品；[绘画] 人物凸现，轮廓鲜明

rent *v.* (*rend* 的过去分词) 撕碎；*n.* [地质学；地理学] 断口；（意见等的）分裂，分歧；（关系等的）破裂

replace *v.* 补充

reserved *adj.* 含蓄的，有所保留的，克制的

resolve *v.* 分解

retire *vi.* 就寝，去睡觉

rifle *n.* 来福枪 *v.* 搜劫

royalty *n.* 版税

run *n.* 丝袜上的洞

sand *v.* 用砂去磨

save *prep.* 除了

say *n.* 发言权

scale *n.* 阶梯，梯子；天平；鳞；（锅垢、锈）*v.* 用梯子爬上；爬越，攀登；剥鳞/垢/锈

school *n.* （鱼、鲸等水族动物的）群；队；学派，流派

　　Example: a school of dolphins 一群海豚

score *n.* [音乐] 总谱，乐谱；（电影歌舞等的）配乐

scores *n.* 许多

screen *n.* 筛子

season *vt.* 使熟练，使习惯；风干，晒干木材，晾干，对……进行干燥处理，使陈化；使适应气候等；给……加味，调味；给……增加趣味；缓和，调和

second *v.* 附议；赞成；临时调任

secretary *n.* 上部附有书橱的写字台；书写体大写铅字

secure *vt.* 搞到；把……拿到手；得到；获得

self-conscious *adj.* 焦虑的；自知的；不自然的

sensation *n.* 轰动；激动

serve *vi.* （网球）开球；发球

service *v.* 维修；保养

sewer *n.* 排水沟，下水道

shower *n.* （为新娘等举行的）送礼会；（婚前、产后）的聚会

shrink *n.* 精神病医师

sink *n.* 洗涤槽；污水坑

sock *v.* 重击，痛打

soil *v.* 弄脏，污损

solid *adj.* 理由充分的；结实的

sound *vi.* 测水深；探测（上层空气）；试探（别人的意见）；调查（可能性）；（鱼或鲸鱼）突然潜入海底 *adj.* 坚实的，稳固的；彻底的；合理的；健全的，完好的

sow *n.* 大母猪

specification *n.* 说明书；详细说明

spell *vt.* 招致，带来；轮班，换班；替班 *n.* 符咒，咒语；吸引力，诱惑力，魔力，魅力；连续的一段时间

spoil *n.* 战利品 *v.* 损坏；宠坏；扫兴；变质；抢劫

spoke *n.* （车轮的）辐条

sport *v.* 炫耀，卖弄

spot *vt.* 认出，发现，定位

spring *n.* 弹簧；泉水 *v.* 扭伤（腿）

stalk *v.* 隐伏跟踪（猎物）

stand *v.* 忍受；坚持 *n.* 床头柜；车位；看台；摊位

standard *n.* 直立支柱；灯台；烛台，电杆，垂直的水管（电管）

start *v.* （船材、钉等）松动，翘曲，歪，脱落。

station *n.* 驻扎，配置

steep *v.* 浸泡，浸透

stem *v.* 起源于，起因于，（由……）发生，来自 (*from out of*)。

　　Example: Correct decisions stem from correct judgments. 正确的决心来自于正确的判断。

stern *n.* 船尾

still *n.* 蒸馏锅 *v.* 蒸馏

stock *adj.* 普通的，惯用的 *n.* 存货

stomach *v.* 吃得下；容忍（多半与否定词连用）

strain *n.* 血统，家世；族，种；[生物学] 品系，系；菌株；变种，小种

stroke *n.* 笔画

studied *adj.* 深思熟虑的；故意的

subscribe *v.* 同意、赞成

table *v.* 搁置；嵌合

tale *n.* 流言蜚语；谣言故事

team *v.* 合作，协力工作

temper *n.* （黏土的）黏度；（灰泥的）稠度

tender *v.* 正式提出（希望对方接受）

    Example: tender one's resignation 提出辞呈

till *n.* [地质学；地理学] 冰碛土（物）

toy *v.* 玩弄

train *n.* 窍门，绝技（scheme, trick）

traint *n.* 少许（+*of*）

utter *adj.* 完全的，十足的

vessel *n.* 船，舰；飞船

wage *v.* 实行，进行，发动战争等 (*on against*)

way *adv.* ……得多，远为

    Tip: 与 above, ahead, behind, below, down, off, out, over, up 等副词、介词连用，以加强语气。

    Example: way back 老早以前

                  way down upon the river Thames 在老远老远的泰晤士河边

                  way up 还在上面；好得多

                  way out of balance 逆差很大很大

wage v. 从事于（如战争或者战役）

wake n. 尾波；路线；航迹

weather *vt.* [地质学；地理学] 使风化 [常用被动语态]

well *n.* 井；*vt.* 涌出，喷出 (*up/out/forth*)

wholesome adj. 有益健康的，有益身心的

wind n. 肠气，屁 *v.*（winded/winded）嗅出，察觉，嗅到猎物的气味；吹角笛、喇叭等；卷绕，缠绕；上发条

    Example: wind a call 吹哨子（召唤）

12 Chapter 神话与故事传说

　　SSAT 于 2013 年出了一道类比题，题干是 stygian is to dark，很多同学对 stygian 一词非常陌生，加之通过词源知识很难推测，于是乎称其为难题。stygian 源于神话词汇 Styx，Styx 意为环绕冥土四周的冥河，阴河。所以 stygian 一词意为"冥河的，阴间的；黑洞洞的；幽暗的"。这就是神话词源在 SSAT 中的应用。当然，就当年那道题目而言，stygian 与 dark 显然都是黑，然而 stygian 一词又兼具阴森恐怖之感，因此程度要比 dark 要深。所以，那道类比题目的正确答案是 abysmal: low 的选项，abysmal 意为极深的，程度上也比 low（低的）要重。

　　之后，我在给中学生讲课之时，就会时不时地讲授一些神话与传说故事的词源。比如 Venus（罗马名，希腊名叫 Aphrodite，所以神话系统往往出现罗马和希腊两种称呼体系）的原配老公 Vulcan（罗马名，希腊名为 Hephaestus）如何由于 Venus 与 Mars 的私情演化成单词 volcano；Venus 又如何与情人 Mars 生下私生子 Cupid（罗马名，丘比特），从而衍生出单词 cupidity（贪婪）；Cupid 的情人 Psyche 失恋之后又如何成为精神女神，从而衍化出单词 psychology（心理学）。中学生小朋友们对单词记忆非常不感兴趣，但是一提及神话与传说故事，便两眼放光。

　　于是，我整理出中学阶段需要掌握的神话与传说故事词源，具体如下：

词汇	词源说明
abyss	意为"深渊；危险境地"。古希腊人认为地底下是一个无底洞或者深渊，即阴间所在。
Academy	柏拉图学派；某个学科领域内的权威定论机构。
Achilles	阿基里斯，希腊勇士，人与神的结晶。出生之后被母亲倒提着在 Styx 中浸过，除了被母亲抓住的 heel 之外，全身刀枪不入，而最终在 War of Troy 中死于 Paris 的箭下。Achilles' heel 意为"金无足赤，人无完人"，特指"唯一致命弱点或缺点"。
adamant	意为"hard; inflexible"，源自 Adam（亚当）。
adonis	意为"美少年，美男子"。在希腊神话中，Adonis（阿多尼斯）是个美少年，是爱与美的女神阿佛洛狄忒（Aphrodite）的情人。战神阿瑞斯（Ares）因为迷恋 Aphrodite 而十分嫉恨 Adonis，想方设法要把他害死。Adonis 虽然有爱神保护，多次化险为夷，但是最终还是在一次狩猎中被战神化作野猪所害。爱神抚尸大哭，痛不欲生，Adonis 流在地上的血化为玫瑰花。Zeus（宙斯）深受感动，特准 Adonis 每年复活六个月，与爱神团聚。之后，Adonis 一词由专有名词转为普通名词"美少年"之意。
aegis	希腊神话中，aegis 是指 Zeus 的神盾。根据荷马史诗介绍，神盾是火与锻造之神 Hephaestus（赫淮斯托斯）特地为 Zeus 铸造。神盾上还蒙着一块曾经哺育过宙斯的母山羊 Amalthae 的毛皮。神盾魔力无边，Zeus 只要猛力一晃，天空便顿时电闪雷鸣、风雨大作，敌人无不丧魂落魄，惊恐万状。Athena（雅典娜）每次执行其父 Zeus 的使命时总是随身带着神盾，因为它既象征权力，也象征神明的庇佑。aegis 原指"山羊皮"，后引申为"庇护，保护，赞助，主办"等现代用意。这个词汇多用于短语，比如 under the aegis（在……的庇护之下，由……主办）。

agony	原指古希腊人每逢庆祝活动的有奖竞技比赛，而此类奖项总是需要经过艰难的搏斗才可以争得，所以引申为现代意"极度痛苦"。
amazon	意为"魁梧而带有男子气概的女子，高大健壮的女人 /female warrior"。源自古希腊的亚马孙（Amazon），这是神话中一支高大强壮的女战士族，居住于如今的黑海沿岸（小亚细亚地区）。传说 Amazon 族为了繁衍后代，她们定期同邻族男人结合，然后再把男人送走，生下男孩送归其父，生下女孩留下练习武艺。Amazons 骁勇善骑，为了方便拉弓射箭，女孩右乳都被烙掉。当然，大家比较熟知的可能是南美的第一大河亚马孙河，究其源流，是因为 1541 年西班牙探险家 Francisco de Orellana 声称曾经在这条河山遭到一女人部落袭击，故而将此河命名为 Amazon。
armada	意为"fleet of warships"，源自无敌舰队，即 1588 年西班牙进攻英国时的舰队。
atlas	atlas 意为"身负重担的人；地图集"。Atlas 是希腊泰坦巨神（Titan）之一，因背叛宙斯（Zeus）被罚在世界的西边尽头以双肩擎天。位于北非的 Atlas Mountains 就是因此得名。十六世纪，地理学家麦卡托将 Atlas 擎天的图画作为一本地图册的卷首插图。后人争相效仿，该神最终成为地图册的代言人。此外，柏拉图提及的沉入海底之 Atlantis（亚特兰蒂斯）与 Atlantic（大西洋）均源自于此。
aureole	意为"sun's corona; halo"，源自 Aurora（曙光女神）。
auroral	意为"pertaining to the aurora borealis"，源自 Aurora（曙光女神）。
babel	意为"混乱，嘈杂"。《圣经》卷首创世纪记载，以前，天下人的口音语言一致，东迁之时，在示拿遇见一片平原，住在那里。他们彼此商量，妄想建造一座城与一座塔，塔顶通天，扬名立万，免于子民分散各地。耶和华降临，看着世人建造城与塔，认为他们成为一样的子民，都是一样的语言，如今已经成为既定事实，这样做起事来没有不成的了。于是下去，在那里变乱他们的口音，使他们的语言彼此不通。于是，耶和华在那里变乱天下人的语言，他们无法沟通，也就无法建设。耶和华又使得他们操不同语言散居世界各地。就这样，上帝留下了历史上第一座烂尾工程—Tower of Babel。而 Babel 是人类语言第一次混乱纷杂的地方，该词在英文中也就被赋予了"嘈杂和混乱的场面，嘈杂的声音"之意。
bacchanalian	意为"drunken"，源自 Bacchus（酒神）。
centaur	意为"mythical figure, half man and half horse"，源自希腊神话中半人半马的怪物。
chaos	chaos 意为混沌，该词原指也是源自开天辟地的混沌之神，其反义词 cosmos 则意为"有序的整体"，自然也构成了"宇宙"。就"宇宙"而言我们可以积累 universe 一词，unanimous 为其引申，意为"全体意见一致的"。
Chimera	吐火女怪凯米拉，为狮头、羊身、蛇尾的怪物。构成词汇 chimerical，意为"空想的，幻想中的；异想天开的，不可能 /fantastically improbable; highly unrealistic; imaginative"。

clue	原为 clew，clew 意为线团。传说中古希腊 Crete（克里特岛）国王每年强迫雅典人进贡童男童女各 7 人给牛头人身的怪物 Minotaur 吞食。古希腊英雄 Theseus 自告奋勇去克里特岛除妖，怪物位于一座迷宫深处。为了避免迷路，他在国王女儿 Ariadne 的帮助下带了一个线团（clew）闯入迷宫，标记走过的道路，最后杀死了牛头怪，并沿着线团原路返回。因此线团 clew 就有了线索的含义了。
cupidity	意为"贪婪/greed"，源自 cupid（爱神丘比特）。
Echo	Echo 本为山谷女神，迷恋 Narcissus，然而宙斯的妻子赫拉嫉妒其美丽而令 Echo 只能重复别人刚刚说过的话，Narcissus 因此抛弃了 Echo。SSAT 中的 echo 意为"回声"。
Eris	厄里斯，不和女神，也叫复仇女神。为了报复 Narcissus，用诅咒使其最终死于自己的美丽。构成词汇 eristic，意为"争论的，辩论的；有争议的；诡辩的"。
elysian	意为"relating to paradise; blissful"，源自希腊神话 Elysium（天堂）。
erotic	该词源自于希腊神话中的爱神 Eros（厄洛斯），带有双翼的美少年，相当于罗马中的丘比特（Cupid）。既为爱神，erotic 意为"色情的"。
euthanasia	源自希腊语，词头的 eu 表示 good，thanasia 源自黑夜女神之子 Thanatos（塔纳托斯）。Thanatos 为希腊神话中的死神，寓意死亡。所以 euthanasia 意为 good death/easy death/happy death，中文将其译为"安乐死"。
galaxy	意为"星系，银河"。源于希腊语 galakt，指的是牛奶的，所以银河也被称之为奶路（the Milky Way）。天后 Hera 的奶汁非常神奇，具有长生不老之功效。她的老公宙斯 Zeus 有一私生子 Hercules。Zeus 偷偷将 Hercules 放在熟睡的 Hera 身旁，让孩子吸吮奶汁，怎料孩子吸吮猛烈，惊醒了 Hera，她发现吃奶的不是自己的儿子，便将孩子推开。因为用力过猛，奶汁直喷上天，便成为 the Milky Way。而 Hercules 由于吃过 Hera 的奶汁，后来成为永生的大力神。
gym	gym 意为"健身房，体操馆；体操"，为 gymnasium 的缩写。源自希腊语 gymnazo，意为"裸体训练"。古希腊运动员在训练时皆赤身裸体，认为是有益健康，不受衣着束缚，可以最大限度地自由发挥。古代奥林匹克无妇女参加，是供男人玩裸奔之地。
Hector	赫克托，Troy 的大王子，英勇善战，是人类中真正的勇士。构成词汇 hector，意为"恃强凌弱；折磨"。
hygiene	hygiene 意为"卫生，保健"。该词源自希腊健康水神 Hygeia，她的形象是个年轻女子，身着白色长衣，头戴祭祀冠，用饭碗喂着一条蛇。她的父亲医神 Aesculapius 则经常拿着有巨蛇盘缠的手杖。手杖象征知识、权威，蛇象征医学。所以蛇与手杖已经成为国际通行的医药卫生标志。
Iris	Iris 为诸神报信的彩虹女神，iris 作为一般词汇，意为"虹膜；鸢尾属植物"。iridescent 意为"彩虹色的，灿烂光辉的/exhibiting rainbowlike colors"。
jovial	意为"good-natured; merry"，源自 Jove, Jupiter（木星，传说在其影响力下出生者天性快乐）。
juggernaut	意为"irresistible crushing force"，源自一个典故，克利须那在印度东部普利进行的一年一度的游行中，克利须那的神像被载于巨车或大型马车上，善男信女甘愿投身死于其轮下。
labyrinth	意为"maze"，来源于 Labyrinth（原为建在克里特的迷宫）。

laurel	意为"月桂树；桂冠"。古希腊，爱神丘比特将一支金箭射向太阳神 Apollo（阿波罗），又将一支铅箭射向女神 Daphne（达芙妮）。从此，Apollo 爱上了 Daphne。但是，Daphne 崇敬月亮女神 Luna，愿意一生服侍其左右，而不谈情爱，于是始终躲避 Apollo。骄傲的 Apollo 不愿意放弃所爱，于是不停地追逐 Daphne 的身影。在一次躲避中，Daphne 跑到了尼罗河的岸边，看着身后渐近的 Apollo，Daphne 请求疼爱她的河神 Orsiris 把她变成了一株月桂树，永远在月光下守护自己崇敬的月亮女神 Luna。于是，河神 Orsiris 把 Daphne 变成了只在月光下开花的月桂树。痛失爱人的他决定把月桂树的树枝作为发冠，把树枝做了琴骨，用花朵装饰他的弓箭。太阳神 Apollo 的法冠是用心爱的 Daphne 变成的月桂树的树叶做成。他要让自己心爱的人永远伴随他的左右。
Lethe	Lethe，意为"忘川"，本是冥府河流名，饮其水则会忘记过去，所以后引申为"忘却，遗忘"。类比词汇考查过它的派生词 lethargic，意为"昏昏欲睡的 /drowsy, dull"，当时那道题目的题干为"lethargic is to stimulate"。
lethal	意为"deadly"，源自 Lethe（阴间的一条河，人饮其水就会忘掉过去一切）。
lilliputian	意为"extremely small"，源自 lilliput，小说 *Gulliver's Travels* 中的小人国。
martial	意为"战争的 /warlike"，源自 Mars（火星，战神）。
mentor	意为"良师益友；贤明顾问"。该词源于荷马史诗 *Odyssey*（《奥德赛》），Mentor（人名孟托）是 Odysseus（奥德修斯）的忠实朋友，奥德赛出征时将其留下以掌管家事。智慧女神雅典娜都曾经将自己装扮成 Mentor 而引导奥德赛之子 Telemachus（忒勒马科斯）去寻找他的父亲。
mercurial	意为"capricious; changing; fickle"，源自 Mercury（水星），mercury 意为"水银"。
muse	意为"沉思 ponder"，源自希腊神话的 Muse（缪斯），为宙斯和记忆女神的九个女儿，每一个掌管不同的文艺或者科学。
Narcissus	人名，那西塞斯，这是一位美少年因自恋水中的美影以致憔悴而死化为水仙花。所以 narcissus 兼具三层意思，分别是"以美貌自夸的青年；水仙花；顾影自怜"。narcissism 意为"自我陶醉，自恋"。
nemesis	意为"someone seeking revenge"，源自希腊神话的 Nemesis（复仇女神）。
Odyssey	古希腊荷马所作史诗《奥德赛》，其主人公 Odysseus（奥德修斯），伊塞卡国王，在特洛伊战中献木马计。《奥德赛》写的就是 Odysseus 在特洛伊战争后，在外流浪十年，历尽沧桑，长途跋涉才得以返乡。odyssey，意为"long, eventful journey"。
panic	意为"惊慌，惊恐"。源自于希腊神话的森林之主潘神 Pan，人身羊足，头上有角，居住在森林之中。常藏在隐蔽处，猛然跳出，把旅行者吓得魂不附体，以此为乐。
peony	意为"牡丹，芍药"。源自于古希腊神话中诸神的医生 Paeon。他治愈了在特洛伊战争中负伤的众神。据说 Paeon 首先发现了 peony，peony 因此得名。如此看来，和中国一样，西方很早就发现了它的药用价值。

Paris	帕理斯，Troy 的二王子，因为与斯巴达王 Menelaus 的妻子 Helen 相爱而引发了特洛伊战争。当然这个词汇构成的短语更为著名，为 Judgment of Paris，意为"不爱江山爱美人"。故事源自于不和女神 Eris（前篇有提及），她不请自来地到一个众神聚会，离开时留下了一个金苹果，上面刻着"献给最美丽的女神"。Hera，Athena 和 Venus 三位女神为了争夺金苹果不分高下之时决定让 Zeus 决定，宙斯无法在自己的妻子，智慧女神和爱与美的女神中做出选择，正在为难之际，Zeus 拨开云雾向人间看去，看到了 Paris 正在牧羊，于是将决定权交给了 Paris。三个女神分别以"最大的疆土"，"最智慧的头脑"和"最美丽的女人"作为诱惑，而 Paris 最终做出了自己的判断（Judgment），选择了 Venus，而获得了人间最美丽的女人 Helen。此外，短语 Apple of discord，则引申成了"引起争吵或者冲突的导火索"，后来泛指大事件的导火索。
Peripateticism	逍遥学派，由古希腊哲学家亚里士多德在学园内漫步讲学而得此名。构成词汇 peripatetic，意为"逍遥学派的，走来走去的"。
Pluto	冥界之神，阴间之神。因为具有"冥河之宝藏"之意象，所以字根"pluto"表示"财富"之意。如 plutocracy，意为"财阀统治 / society ruled by the wealthy"；plutolatry，意为"拜金主义"。
Poseidon	海洋之神，海王波塞冬
Procrustes	普罗克拉斯提斯。古希腊传说中 Attica 的一个强盗，他将被他抓到的人放在一张铁床上，比床长的人，被其砍去长出的部分；比床短的人，被其强行拉长，后来被提修斯用同样手法杀掉。构成词汇 procrustean，意为"强求一致的；迫使就范的"。
Proteus	普罗秋斯，变幻无定的小海神，能随意变换形状以困惑他的俘虏。构成词汇 protean，意为"变化多端的 / able to take on many forms，能扮演多种角色的；多才多艺的 /versatile"。
saturnine	意为"gloomy"，源自 Saturn（土星，农神，铅），反义词为"genial"。
satyr	意 为 "half-human, half-bestial being in the court of Dionysus, portrayed as wanton and cunning"。源自于希腊神话，Satyr 是一个被描绘成具有人形却有山羊尖耳、腿和短角的森林之神，性喜无节制地寻欢作乐。
sibyl	意为"古罗马或古希腊的女预言家；女巫，女算命者"。
Siren	海上女妖莎琳 [塞壬]，半人半鸟的海妖，常用歌声诱惑过路的航海者而使航船触礁毁灭。siren，意为"迷人的美女；汽笛；警报"。SSAT 类比关系考察过，siren is to sound as beacon is to beam/light。
Sparta	斯巴达（希腊伯罗奔尼撒半岛南部城市；古希腊主要城市）为了准备特洛伊战争，所有市民全年过着简朴而且艰苦的生活。构成词汇 spartan，意为"简朴的，艰苦的；刚强的，勇敢的；好战的；严峻的 / lacking luxury and comfort; sternly disciplined"。
Sphinx	斯芬克斯是古代希腊神话中带翼的狮身人面怪物，专杀那些猜不出其谜语的人。其后斯芬克斯成为谜之象征，比如其构成的 SSAT 词汇 sphinx-like，意为"enigmatic; mysterious"。
Stentor	这位是荷马叙事诗 Iliad 中声音洪亮的传令官，声音可抵 50 人。构成词汇 stentor，意为"声音洪亮的人。stentorian 意为"声音洪亮的"。

Stoic	斯多葛学派哲学，公元前 4 世纪由哲学家 Zeno 创立于雅典。stoic 引申为"禁欲主义"。
stygian	意为"gloomy; hellish; deathly"，源自于 Styx，为地狱里的一条河。
sylvan	意为"pertaining to the woods; rustic"，源自拉丁语 Silvanus（森林之神）。
symposium	意为"专题报告会，专题论文集"。源自于希腊语，古希腊人流行在饭后一边喝着小酒，一边讨论知识方面的问题，像极了中国历史上的兰亭集会。西方历史上有两部 *Symposium*（会饮）最为有名，均出自于苏格拉底的学生，一个是柏拉图，一个是色诺芬，柏拉图的《会饮》一般认为是西方美学的开山之作，柏拉图式的爱情（Platonic love）就出自该作。
tantalize	意为"tease; torture with disappointment"，源自 Tantalus，因泄漏天机被罚站阴府，又饿又渴，食物和水近在眼前，却拿不到。
thespian	意为"pertaining to drama"，源自于 Thespis，为古希腊雅典诗人，悲剧创始者。
titan	意为"巨大"。源自十二泰坦巨神，这是被宙斯击败的一些不守法的巨人。titanic，意为"巨大的，强大的 / gigantic"。
utopia	意为"理想国；理想的完美境界；乌托邦"。该词源自于英国政治家与作家 Thomas More 所著 *Utopia* 一书，*Utopia* 集中描写了一个名叫 Utopia 的虚构岛国，一个废除了私有制，人人从事劳动的理想社会。Utopia 是由希腊文 ou（没有）和 topos（地方）构成，意思是 nowhere（没有的地方，乌有之乡）。
volcano	volcano 源自于神话中的铁匠兼火神 Vulcan，他的妻子是美神 Venus。然而，美神爱上了战神 Mars，红杏出墙，还生下了私生子丘比特。Vulcan 招惹不起强大的情敌，只好躲在地下打铁。某日，胸中的怒火、妒火和炉火同时喷发，宛如火山爆发。
Zephyr	西风之神。西风 /west wind 的拟人化用语 zephyr 意为，"和风，轻风，微风 / gentle breeze；轻罗，细纱"。
Zeus	主神宙斯

13 Chapter 大词就在你身边

多年前，我在分析 SSAT 真题时，有一个题目的 B 选项出现了这样一个词，叫作 panache，很明显这是一个"大词"，换言之，就是日常的学术工作不常用的词汇。我在想，怎么跟同学们解释这个词？很明显，韦伯字典是 SSAT 等北美考试的研究者的首选，我输入进去这个词，它的解释是 a remedy for all ills or difficulties: cure-all，中文的意思是"万能药，灵丹妙药"。后来，我在写关于电影相关的书的时候，偶然碰上一部 2009 年上映的英剧，叫 *Panacea*，它的英版简介的第一句就是，"Panacea, named after the Greek goddess of healing."我当时就在想，如果这部剧早点出来的话，估计有不少学生会去查阅或者深入了解这个单词。当然，这是句玩笑话，其实我的意思就是我们完全可以利用身边所有的事物理解 SSAT 中的词汇。但是，如果我们回到 panache 那道题，我们发现，正确答案并不选择 panache 选项。大词只是供我们欣赏的，真正成为备选内容的极少。究其原因，SSAT 的出题原理导致选择的词汇必须得有同义对应，如果只是孤芳自赏的词汇，注定只能成为陪衬选项。

还有一个词，叫 Maverick，有同学认识这是福特品牌越野车翼虎，其实这个词也是可以说道说道的。时间回到 19 世纪，地点定在美国西南部德克萨斯州。那里水草丰美，牛羊遍地。为了防止牲口走失，当地的牧民们习惯在自己的牲畜身上做上标记，这样即使牲口丢失，也能在需要时根据它们身上的标记来证明这是自己的财产。可是偏偏有个叫 Samuel Maverick 的家伙不按常理出牌。他的逻辑是这样的：既然别人的牲畜都有标记，那身上没有标记的就只可能是我的了，想我们德州得天独厚的草场条件，我让我的牲口们在大草原上自由自在、随便吃草长大岂不更好？于是，Maverick 所有的牲畜身上都没有任何的烙印和其他标记，通通放养在辽阔的德州草原上。这样一来，那些"收养"了 Maverick 牲口的牧场主就把这些身上没有烙印的牲畜叫作"mavericks"，意思是"未打烙印的小牛"，慢慢地，这个单词开始用来指"流浪汉"，再后来又发展为"不守规矩、特立独行之人"或者"思想行为与众不同之人"。

考生朋友们可以利用身边所有的事物理解 SSAT 中的词汇。imperious 是 SSAT 考试中的一个词语，难倒了很多孩子。但是你一定在你的身边接触过这个词汇。在《哈利波特》那部电影中，出现的 Imperious Curse 你一定听说过。从这些参考中，你可以得出结论，imperious 的意思相比是跟"重大"有关。其实，这已经足够做 SSAT 的题目了。实际上，imperious 的意思是"专横的；迫切的；傲慢的"。所以，当你不认识一个单词或者对这个单词的意思不太确定之时，试着看看能否记起你曾经在什么地方见过或者听过这个词—电视剧、电影、汽车广告、历史课、饭馆、大街上的广告栏。利用任何你可以想到的途径弄清楚这个词汇的意思。

同学们，看看下面这些词，动用你的想象力，你能够识别它们的意思吗？

（1）telepathy, telepaths
（2）labyrinth
（3）sojourn
（4）symmetry
（5）raconteur
（6）epiphany
（7）ubiquitous
（8）chagrin
（9）demure
（10）quixotic
（11）blueprint
（12）promontory
（13）reminisce
（14）amorphous
（15）ravenous
（16）plateau
（17）sobriety
（18）recant
（19）retort
（20）camaraderie
（21）asylum

Answers and Explanations

（1）telepathy n. the ability to read another's thoughts or to communicate by thinking 读心术，心灵感应。同义词为 mind-reading。从构词法上看，"tele-"表示距离遥远，"-pathy"表示情感。telepaths 是指那些真正能读懂别人想法的人，那些只是吹嘘自己具备这种能力的人被称为 charlatan（假内行，骗子）。

（2）labyrinth n. a maze 迷宫，复杂难懂的事物。该词源于古希腊一个关于英雄忒修斯的神话，他从一个被称为 labyrinth 的迷宫里拯救出了一位无助的少女，迷宫中心有一头叫作 Minotaur 的牛头人身的怪兽，十分邪恶。那些希腊人很有想象力，他们的神话里还有头发是一条条蛇的女人，海怪和会飞的马。

（3）sojourn n./v. a temporary stay 暂住，逗留，在 SSAT 领域，需要掌握的暂缓还有：respite, reprieve。曾经在真题里就考查过博物馆正处于经济崩溃的边缘，资金的注入（infusion）给了暂缓（reprieve）的机会。

（4）symmetry n. an arrangement of balanced or harmonious proportions 对称，匀称。symmetry 的形容词形式 symmetrical 和反义词 asymmetrical 都很可能出现在 SSAT 考试中。对称不是绝对的，可能是不同程度的对称。如果一个东西的所有部分都是成比例（proportion）的，就像镜子里的映像，我们就可以把它称作完全对称（perfect symmetry）或者是绝对对称（absolute symmetry）。

（5）raconteur n. a person who excels at telling stories 擅长讲故事的人。意同 storyteller。

（6）epiphany n. a sudden clarity or insight 显现，显灵；顿悟。epiphany 通常和十分重大的事情有关，在有些情况下，甚至是改变人生的事情。这个词经常用来形容宗教、精神上的经历，或者是某个时刻，你忽然感悟到某些重要的或者本质的真相。这一刻，你看到自己的小猫不会使用电工开瓶器，下一刻，你就可能明白了上帝确实喜欢开黑色幽默。和它类似，在 SSAT 也需要掌握的是 revelation，这个词不是动词 revel（狂欢，作乐），而是 an astonishing discovery（显露，泄露，被揭穿的事情）。revelation 经常指的是精神方面的，就像经历了一种神性的交流，因此《圣经》有一章节，就叫作《启示录》。revelation 显然没有《启示录》那么重要，但是，它一般都是惊人或者是出乎意料的，有时候是惊喜，有时候就不一定了，比如某人的某种怪癖被揭露之类。

（7）ubiquitous adj. occurring everywhere, very common 普遍存在的，无处不在的。该词的名词形式为 ubiquity，特别适合在聚会时使用。如果你想让所有的谈话都戛然而止，造成万众瞩目的效果的话。同义词为 universal, omnipresent。反义词为 rare, uncommon。

（8）chagrin n./v. distress caused by disappointment or embarrassment 失望，灰心，懊恼。你可能会遇到这个词，被误用来表示"气愤"的意思。该词其实更多是指由于出丑而感到伤心或烦恼。该词可以作为名词使用，也可以当作动词使用，表示"被尴尬所困扰"的意思。

（9）demure adj. reserved and tactful （尤指旧时的妇女）娴静的，庄重的，举止得体的。当你听到 demure 这个单词时，想一想 19 世纪的维多利亚时代的人吧，那时的男子穿着顶到下巴的立领衬衫，女子在蕾丝扇后扑闪眼睫毛。他们会使用 delightful（令人愉快的）和 charming（迷人的）这样的词语。被形容为 demure 的人一般都会喝茶，更喜欢猫而不是狗。当然，大多数人都已经不再那么矜持（demure）了，但是你可以理解那个意思。同时，也请注意，不要把 demure 这个形容词和动词 demur 混淆了，demur 的意思为"反对、拒绝"。

（10）quixotic adj. foolishly impractical 堂吉诃德式的；不切实际的。该词源于西班牙喜剧小说《堂吉诃德》。男主人公堂吉诃德生活在他幻想中的世界里。在那个世界，他坚信自己是一位大英雄，还总是踏上离奇的探险之旅。他曾经向一座风车发起进攻，认为那是一条龙。因此，这个词就被用来形容一个人愚蠢、喜欢幻想、不切实际、行为可笑，还有"不可预知的"或者"冲动的"之意。

（11）blueprint n. a plan of action or a design 蓝图，计划，设想。blueprint 最初的意思是建筑师在建造一栋建筑之前画出的设计图，由于会印在蓝色的纸上，故得名。但是该词更普遍地用来表示任何计划或者设计。

（12）promontory n. an overhanging, elevated place 悬崖，岬，海角。如果你能想起 prominent 一词用来形容任何突出的东西，你差不多就能记住 promontory 了。promontory 就是向外部突出的东西。

（13）reminisce v. to recall the past 追忆往事，缅怀过去。reminisce 和 remember 的意思稍有不同。reminisce 需要一段时间在头脑中回放过去的画面和事情。同时，它还指回忆起幸福快乐的事情，而 remember 则是中性的。其形容词形式 reminiscent 包含的意思也有所不同。如果一件事物可以形容为 reminiscent，那就表示它能让你想起其他事物。

（14）amorphous adj. without definite shape 无固定形状的，不定型的。前缀 a 表示"没有"，后缀 morph 表示"形状"。单个的物体可以形容 amorphous，比如云朵、变形虫或者是泥浆团，成批的物体也可以形容 amorphous，例如一群人或者是一群牛。

（15）ravenous adj. extremely hungry 饥饿的。同义词为：starving, voracious。

（16）plateau v. to flatten or stabilize after an increase 迅速增长或发展后达到稳定状态。

（17）sobriety n. serious or calm in manner 清醒；严肃，庄重。同义词为：solemnity, gravity。反义词为：frivolity, silliness。

（18）recant v. to take back a statement 宣布放弃；撤回。同义：renounce, withdraw。

（19）retort v. to answer back 反驳，回嘴。同义：counter, rebut。反义：remain silent。

（20）camaraderie n. friendship 同事情谊，友情。同义：fellowship, brotherhood。反义：antagonism, enmity。

（21）asylum n. a place of safety or refuge 避难，庇护。同义：sanctuary, haven。asylum 意为"避难所"时可以指一个实体场所，或者当一个国家承诺为难民提供政治庇护时，它也可以指一种受到保护或者安全的状态。

文学名著初体验

在序言中,我有所提及,背单词是有语境的,而SSAT的其中一个语境就是相关的文学名著。SSAT尽管是美国人出的试题,但并不是说它就只考查美国作家的作品,对于英国著名作家的文章也会涉及,其中一个重要作家就是狄更斯,狄更斯在描述"客厅"或者"起居室"的时候,不会使用 living room,而喜欢使用 "parlour" 一词。于是乎,parlour 一词就属于 SSAT 阶段词汇,也就是英美中学生必备的基础词汇。parlour 这个词汇在 *David Copperfield* 一书的第一章出现过六次,第二章出现了九次,全书一共出现八十次。德莱塞的 *Sister Carrie*(《嘉莉妹妹》)中的 "individual(个人)" 一词,全书总共出现六十多次。libation(drink-offering)一词在荷马史诗 *The Odyssey*(《奥德赛》,Chapter 12 中有所提及)中出现三十余次,词汇 "suitor",全书共出现多达两百多次。由此可见,英美重点私立高中所要求阅读的文学名著中的高频词,其实也就是 SSAT 重点考察的词汇。关于英美重点私立高中所要求阅读的文学名著的内容,请参见《SSAT 阅读理解高手速成手册暨真题回忆大全》一书。

在专业著作中,专业词汇更是频繁出现。*Human Anatomy*(《人体解剖学》)一书中,仅从 144 到 147 页,mandible(下颌骨)就出现过四次,其衍生词 "mandibular" 出现过六次。那几页只是总论,而在真正关于下颌骨表述的 150~151 页,该专业单词又出现了十余次。 查过的词反复出现,给你的大脑一次又一次刺激。生词每出现一次,都是对记忆的加深。这个过程,你自己甚至意识不到。对比陈旧的传统模式,你为了取得牢记的效果,需要将枯燥死板的词汇书反复念多少遍,反复默写多少遍。这神奇的魔法,就是后效应。后效应可以超越一本原著。阅读了一定数量的原著以后,你会发现生词也喜欢"走穴":那本书的生词出现在这本书中。两本书可以是风马牛不相及的,如小说与小说,小说与社科著作,甚至小说与科技著作。例如: bartender(酒保)一词出现在 *Sister Carrie* 和社科著作 *Winning Image* 中;weave(编织)的过去分词 woven 在 *Jane Eyre* 衍生为形容小路崎岖的 interwoven,在 *Human Anatomy* 中则用来描述交织的骨小梁;scab 在 *Sister Carrie* 中指穷途末路的 Hurst Wood 跑去替罢工工人上班的工贼行为,在 *Pathology* 里专指伤口结的痂;heyday 指 "全盛时期",在 *Stalin: A political biography* 中多次用来描述俄国 1905 年革命的高潮,而在 *Human Sexuality: in a world of diversity* 中则用来描述西方 70 年代性革命的顶峰;reincarnation(转世化身,重新体现)在《哥伦布传》中用来比喻哥伦布寻找印度的航海是中世纪寻找魔法石的演变,在 *Introduction to Clinical Psychology* 中指的是经过心理治疗,来访者脱胎换骨的状态。

The Moonstone(《月亮宝石》)一书也是英美重点私立高中必读书目,其间有这样的句子:"Here in Christian England was a young woman in a state of bereavement"。当然你也可以在 *Bible* 中读到过: "If I be bereaved of my children, I am bereaved." 有了后效应,单词的记忆从此没有了遗忘的后顾之忧—只要不停阅读,就是无休止地复习你学过的一切单词,想忘记都难。特别说明一点,你在阅读的时候,可能会碰到以前查过的词重复出现,但意思却想不起来。这属于正常现象,你可以用电子词典再查一遍但不存入生词库,也不占用那两页的查词名额。

影视作品中的超级词汇

很多老师都会劝学生，想要构建自己的词汇量，必须要努力地消化《纽约时报》，随时随地带着莎士比亚。这些都是一些听起来不错的建议，一定对你有所帮助。但是即便手头没有纽约时报和莎士比亚，你也始终被巨大的单词量包围。因此，要想拓展自己的词汇量，可以使用你已有的资料。比如电影，就包含了许多 SSAT 词汇。

下面是电影《肖申克的救赎》中的一个例子：

<u>Red</u>: Oh, Andy loved geology, I guess it appealed to his meticulous nature. An ice age here, million years of mountain building there. Geology is the study of pressure and time. That's all it takes really, pressure, and time.

《肖申克的救赎》是哥伦比亚电影公司与华纳兄弟娱乐公司在 1994 年拍摄的作品。例子中的 meticulous 的意思是"过分注意细节的；谨小慎微的"。SSAT 考试喜欢将以下几个相关的单词作为考点，分别是 scrupulous（小心谨慎的），pedantic（迂腐的，学究的），assiduous（刻苦的，勤勉的），plodding（单调乏味的；沉重缓慢的），diligent（勤奋的）和 punctilious（一丝不苟的）。

再看一个片段：

<u>Brooks</u>: [*to Andy*] Son, six wardens have been through here in my tenure, and I've learned one immutable, universal truth.

tenure 的意思是"任期"。immutable 的意思是绝对的（absolute）或者不可改变的。在 SSAT 考试中经常喜欢考到的一个单词是 incontrovertible，这个单词的意思是无可辩驳的。

让我们来看一些电影片段吧，同时也可以从中学到一些 SSAT 词汇。我会给出一些电影的片段，然后你来看一下，你是否可以确认电影的名称，并说出画线单词的意思。

1. -- Yellow Dragon <u>Circus</u>, in London for one day. It fits. The Tong sent an <u>assassin</u> to England...
   -- Dressed as a <u>tightrope walker</u>. Come on, Sherlock, behave!
   -- We're looking for a killer who can climb, who can <u>shin up</u> a rope. Where else would you find that level of <u>dexterity</u>?

2. Kumar Patel: I fear that I will always be/ A lonely number like root three/ ⋯ I wish instead I were a nine/ For nine could <u>thwart</u> this evil trick, / with just some quick arithmetic.

3. Virginia "Pepper" Potts: What do you want me to do with this?
   Tony Stark: That? Destroy it. <u>Incinerate</u> it.
   Virginia "Pepper" Potts: You don't want to keep it?
   Tony Stark: Pepper, I've been called many things. <u>Nostalgic</u> is not one of them.

4. Albus Dumbledore: Cornelius, I <u>implore</u> you to see reason. The evidence that the Dark Lord has returned is <u>incontrovertible</u>.
   Cornelius Fudge: He is not back!

5. V: But on this most <u>auspicious</u> of nights, permit me then, in lieu of the more commonplace <u>sobriquet</u>, to suggest the character of this dramatic persona.

6. Ferris: I do have a test today. That wasn't bullshit. It's on European <u>socialism</u>. I mean, really, what's the point? I'm not European. I don't plan on being European. So who cares if they're <u>socialists</u>? They could be fascist <u>anarchists</u>. It still doesn't change the fact that I don't own a car. Not that I <u>condone</u> fascism, or any –<u>ism</u> for that matter.

7. Dennis: Oh, king eh? Very nice. And how'd you get that, eh? By <u>exploiting</u> the workers. By hanging on to outdated <u>imperialist</u> <u>dogma</u> which <u>perpetuates</u> the economic and social differences in our society··· Come to see the violence <u>inherent</u> in the system! I'm being <u>repressed</u>.

8. The Architect: Your life is the sum of a remainder of an unbalanced equation <u>inherent</u> to the programming of the matrix. You are the <u>eventuality</u> of an <u>anomaly</u>, which despite m sincerest efforts I have been unable to eliminate from what is otherwise a harmony of mathematical precision. While it remains a burden <u>assiduously</u> avoided, it is not unexpected, and thus not beyond a measure of control. Which has led you, <u>inexorably</u>, here.

9. C-3PO: I am fluent in over six million forms of communication, and can readily···
   EV-9D9: Splendid! We have been without an interpreter since our master got angry without last <u>protocol</u> droid and disintegrated him.

10. Murtogg: Someone's got to make sure that this dock stays off-limits to civilians.
   Jack Sparrow: It's a fine goal, to be sure. But it seems to me··· that a ship like that one, makes this one here seem a bit <u>superfluous</u>, really.
   Murtogg: Oh, the Dauntless is the power in these waters, true enough. But there's no ship as can match the Interceptor for speed.
   Jack Sparrow: I've heard of one, supposed to be very fast, <u>nigh</u> uncatchable: The Black Pearl.

11. Homer Simpson: Okay, <u>epiphany</u>, epiphany··· Oh I know! Bananas are an excellent source of potassium! [gets slapped]

12. John Beckwith: [about Chaz] He lived with his mom til he was forty! She tried to poison his oatmeal!
   Jeremy Grey: <u>Erroneous</u>! <u>Erroneous</u>! <u>Erroneous</u> on both accounts.

13. Evan: It's not just making them smaller. They completely reshaped them. They make them more <u>supple</u>, symmetrical.
   Seth: I gotta catch a glimpse of these warlocks. Let's make a move.

14. Bruce Wayne: Have you told anyone I'm coming back?
   Alfred Pennyworth: I just couldn't figure the legal <u>ramifications</u> of bringing you back from the dead.
   Bruce Wayne: Dead?
   Alfred Pennyworth: You've been gone seven years.

15. El Guapo: Many piñatas?
   Jefe: Oh yes, many!
   El Guapo: Would you say I have a <u>plethora</u> of pinatas?
   Jefe: A what?
   El Guapo: A "plethora."
   Jefe: Oh yes, you have a plethora.

16. Galadriel: ··· in the fires of Mount Doom, the Dark Lord Sauron forged in secret a master ring to control all others. And into this ring he poured all his cruelty, his <u>malice</u> and his will to dominate all life.

Answers and Explanations

1. 片段来自 *Sherlock*（《神探夏洛克》）
   -- 金龙马戏团，只在伦敦公演一天，时间上吻合，帮会为了把杀手送来英国……
   -- 杀手假扮成绳索舞者吗。得了，夏洛克，别闹了。
   -- 那个凶手能够飞檐走壁攀爬绳索，除了马戏团哪去找这么灵活的人。
   circus 意为"马戏团"。assassin 意为"暗杀者"。tightrope walker 意为"走钢丝的人"。
   shin up 意为"爬上"。dexterity 意为"灵巧，敏捷"。

2. 片段选自《寻堡奇遇2》，thwart 一词的意思为"阻碍"。

3. 片段选自《钢铁侠》，incinerate 意为"焚化"。nostalgic 意为"渴望的，怀旧的"。

4. 片段选自《哈利波特与凤凰社》，implore 意为"乞求"，同义表达有 beseech 和 entreat。incontrovertible 意为"无可置疑的"，同义表达还有 irrefutable，indubitable，unassailable，indisputable。

5. 片段选自《V 字仇杀队》。auspicious 意为"幸运的"（fortunate），同义表达有 propitious（吉利的）。sobriquet 意为"绰号"（nickname）。

6. 片段选自《春天不是读书天》。socialism 是个政治学词汇，指的是人们集体拥有所有的财产。fascist 意为法西斯主义。anarchist 意为无政府主义者。condone 意为允许、宽容、原谅。ism 后缀多表示实践或者哲学。

7. 片段选自《巨蟒与圣杯》。exploiting 意为开拓、利用。imperialist 意为帝国的、壮观的（imposing）。dogma 意为教义、教条、标准（canon）、tenets（原则）、creed（信条）。perpetuate 意为永久存在，保持。inherent 意为固有的、生来的、本质的。repressed 意为被抑制的、被镇压的。

8. 片段选自《黑客帝国2》。inherent 意为固有的、生来的、本质的，同义表达还有 intrinsic（固有的、内在的）、innate（天生的）。eventuality 意为可能性。anomaly 意为异常、不规则，同义表达还有 irregularity（不规则）。assiduously 意为勤奋的，同义表达还有 diligently、tirelessly。inexorably 意为不可阻挡的，不可变更的，同义表达还有 inevitably、unavoidably。

9. 片段选自《星球大战4》。protocol 意为礼仪、礼节。

10. 片段选自《加勒比海盗之黑珍珠的诅咒》。superfluous 意为多余的、不必要的。nigh 意为近于。

11. 片段选自《辛普森一家》。epiphany 意为对事物真谛的顿悟。

12. 片段选自《婚礼傲客》。erroneous 意为不正确的、错误的。

13. 片段选自《男孩不坏》。supple 意为灵活的，同义表达还有 lithe（柔软的，易弯曲的）。

14. 片段选自《蝙蝠侠：开战时刻》。remification 意为结果、后果。

15. 片段选自《正义三兄弟》。plethora 意为过多、过剩。SSAT 也喜欢考到 surplus 和 surfeit 这两个单词。

16. 片段选自《指环王 1》。malice 意为怨恨。

那些非理性恐惧症（Irrational Fear）

ablutophobia	洗澡恐惧症	fear of washing or bathing
acidophobia	酸性恐惧症	preference for non-acidic conditions
acrophobia, altophobia	恐高症	fear of heights
abibliophobia	无书可读恐惧症	fear of running out of reading material
agoraphobia	广场恐惧症	fear of open spaces,fear of places or events where escape is impossible or when help is unavailable
aibohphobia	回文（指顺读和倒读都一样的词语）恐惧症	a joke term for the fear of palindromes, which is a palindrome itself
ailurophobia	惧猫症	fear of cats
algophobia	疼痛恐惧症	fear of pain
anachrophobia (book title)	暂（临）时转换恐惧症	fear of temporal displacement
angionophobia	心脏病恐惧症	fear of heart disease
angrophobia	愤怒恐惧症	fear of becoming angry
anoraknophobia	蜘蛛恐惧症	fear of spiders wearing anoraks
anthropophobia	恐见人症（社交恐惧症）	fear of people or being in a company, a form of social phobia
apiphobia, melissophobia	恐蜂症	fear of bees
aquaphobia; hydrophobia	恐水症	fear of water
arachibutyrophobia	嘴角沾上花生酱恐惧症	fear of peanut butter sticking to the roof of the mouth
arachnophobia	蜘蛛恐惧症	fear of spiders
arachnophobiaphobia	害怕与患有蜘蛛恐惧症的人在一起的恐惧症	the fear of people who are afraid of spiders
arithmophobia	数字恐惧症	fear of numbers
astraphobia, astrapophobia, brontophobia, keraunophobia	闪电（雷电）恐惧症	fear of thunder, lightning and storms; especially common in young children

autophobia	独处（孤独）恐惧症 / 汽车恐惧症	fear of being alone
aviophobia, aviatophobia	乘坐飞机恐惧症（飞行恐惧症）	fear of flying
bacillophobia, bacteriophobia, microbiophobia	微生物（细菌）恐惧症	fear of microbes and bacteria
bibliophobia	读书恐惧症	fear of reading
biphobia	厌恶雌雄同体症	dislike of bisexuals
bolshephobia	前苏联共产党恐惧症	fear of bolshevism
canophobia	法律条款恐惧症	fear of canons
chemophobia	崇尚自然（天然）物质，厌恶人造物质；化学恐惧症	prejudice against artificial substances in favour of 'natural' substances
chiroptophobia	蝙蝠恐惧症	fear of bats
choreophobia	仇恨舞蹈症	hatred of dance
chromophobia	色彩恐惧症	hatred/fear of colors
cibophobia, sitophobia	食物恐惧症	aversion to food, synonymous to anorexia nervosa
claustrophobia	幽闭恐惧症	fear of confined (enclosed) spaces
coulrophobia	小丑恐惧症	fear of clowns (not restricted to evil clowns)
cremnophobia	断崖恐惧症	fear of cliff
cryophobia	冰冻恐惧症	a morbid fear of freezing
crystallophobia	水晶 / 玻璃恐惧症	fear of crystals or glasses
cymophobia	波浪 / 波状运动恐惧症	fear of waves
cynophobia	恐犬症	fear of dogs
decidophobia	决策恐惧症	fear of decision
dentalphobia, dentophobia, odontophobia	牙医恐惧症	fear of dentists and dental procedures
dutchphobia	荷兰人恐惧症	fear of Duth
dysmorphophobia (or body dysmorphic disorder)	畸形恐惧症	a phobic obsession with a real or imaginary body defect
eleutherophobia	自由恐惧症	fear of freedom

emetophobia	恐呕吐症	fear of vomiting
entomophobia	昆虫恐惧症	fear of insects
ephebiphobia	年轻人恐惧症	fear, dislike of youth
equinophobia, hippophobia	恐马症	fear of horses
ergasiophobia, ergophobia	工作 / 手术恐惧症	fear of work or functioning, or a surgeon's fear of operating
erotophobia	性欲恐惧症	fear of sexual love or sexual questions
erythrophobia	脸红恐惧症	pathological blushing
euphobia	佳音恐惧症	fear of hearing good news
genophobia, coitophobia	性事恐惧症	fear of sexual intercourse
gephyrophobia	过桥 / 临水恐惧症	fear of crossing bridges
gerontophobia	恐老症 / 憎恨老人症	fear of growing old or a hatred of the elderly
glossophobia	言语恐惧症 / 公众场合讲话恐惧症	fear of speaking in public or of trying to speak
gymnophobia	裸体恐惧症	fear of nudity
gynophobia	妇女恐惧症	fear of women
haptephobia	被触恐惧症	fear of being touched
heliophobia	日光恐惧症	fear of sunlight
hemophobia, haemophobia	出血恐惧症	fear of blood
herpetophobia	爬虫恐惧症	fear of reptiles
heterophobia	异性恐惧症	fear/dislike of heterosexuals
homophobia	同性恋恐惧症	aversion to homosexuality or fear of homosexuals. (This word has become a common political term, and many people interpret it as a slur.)
hoplophobia	武器恐惧症	fear of weapons, specifically firearms (Generally a political term but the clinical phobia is also documented)
hydrophobia	恐水症	fear of water
hypegiaphobia	责任恐惧症	fear of responsibility
ichthyophobia	恐鱼症	fear of fish
ligyrophobia	噪音恐惧症	fear of loud noises
logophobia	语言恐惧症	fear of Languages

luposlipaphobia	被追赶恐惧症	the fear of being pursued by timber wolves around a kitchen table while wearing socks on a newly-waxed floor
maieusophobia	怀孕恐惧症	fear of preganacy
musophobia	恐鼠症	fear of mice and/or rats
mysophobia	不洁恐惧症	fear of germs, contamination or dirt
necrophobia	死亡恐惧症	fear of death, the dead
neophobia, cainophobia, cainotophobia, cenophobia, centophobia, kainolophobia, kainophobia	新奇恐惧症	fear of newness, novelty
nomophobia	无手机恐惧症	fear of being out of mobile phone contact
nosophobia	疾病恐惧症	fear of contracting a disease
nyctophobia, achluophobia, lygophobia, scotophobia	黑夜恐惧症	fear of darkness
oneirophobia	做梦恐惧症	fear of dreams
ophidiophobia	恐蛇症	fear of snakes
ornithophobia	恐鸟症	fear of birds
osmophobia, olfactophobia	嗅觉、气味恐惧症	fear of smells
panphobia	恐物 / 事症	fear of everything or constantly afraid without knowing what is causing it
peccatophobia	犯罪恐惧症	fear of crimes
pedophobia	儿童恐惧症	fear/dislike of children
peniaphobia	贫穷恐惧症	fear of poverty
phobophobia	恐惧恐惧症	fear of phobias
phonophobia	高声恐惧症	fear of loud sounds
photophobia	畏光症	hypersensitivity to light causing aversion to light (a symptom of Meningitis and a common condition of migrane headaches)
psychophobia	精神病恐惧症	prejudice and discrimination against mentally ill
pyrophobia	恐火症	fear of fire
radiophobia	射线恐惧症	fear of radioactivity or X-rays
ranidaphobia	恐蛙症	fear of frogs
sciophobia	影子恐惧症	fear of shadow

sociophobia	仇视社交 / 社会症	fear/dislike of society or people in general (see also "sociopath")
taphophobia	被活埋恐惧症	fear of the grave, or fear of being placed in a grave while still alive
technophobia	技术恐惧症	fear of technology (see also Luddite)
tetraphobia	数字 4 恐惧症	fear of the number 4
theophobia	对造物主恐惧症	fear of the Creator
thermophobia, thermophobic	高温恐惧症	aversion to heat
tokophobia	婴儿出生恐惧症	fear of childbirth
transphobia	变性 / 双性人恐惧症	fear or dislike of transgender or transsexual people
triskaidekaphobia, terdekaphobia	数字 13 恐惧症	fear of the number 13
trypanophobia, aichmophobia, belonephobia, enetophobia	医疗注射恐惧症	fear of needles or injections
venustraphobia	美女恐惧症	fear of beautiful women
xenophobia	陌生人恐惧症	fear of strangers, foreigners, or aliens
xerophobia, xerophobic	恐干症	aversion to dryness

SSAT 数学词汇小结

数学	mathematics, maths(*BrE*), math(*AmE*)
公理	axiom
定理	theorem
计算	calculation
运算	operation
证明	prove
假设	hypothesis, hypotheses(*pl.*)
命题	proposition
算术	arithmetic
加	plus(*prep.*), add(*v.*), addition(*n.*)
被加数	augend, summand
加数	addend
和	sum
减	minus(*prep.*), subtract(*v.*), subtraction(*n.*)
被减数	minuend
减数	subtrahend
差	remainder
乘	times(*prep.*), multiply(*v.*), multiplication(*n.*)
被乘数	multiplicand, faciend
乘数	multiplicator
积	product
除	divided by(*prep.*), divide(*v.*), division(*n.*)
被除数	dividend
除数	divisor
商	quotient
等于	equals, is equal to, is equivalent to
大于	is greater than
小于	is lesser than
大于等于	is equal or greater than
小于等于	is equal or lesser than
运算符	operator
数字	digit
数	number
自然数	natural number

整数	integer
小数	decimal
小数点	decimal point
分数	fraction
分子	numerator
分母	denominator
比	ratio
正	positive
负	negative
零	null, zero, nought, nil
十进制	decimal system
二进制	binary system
十六进制	hexadecimal system
权	weight, significance
进位	carry
截尾	truncation
四舍五入	round
下舍入	round down
上舍入	round up
有效数字	significant digit
无效数字	insignificant digit
代数	algebra
公式	formula, formulae(*pl.*)
单项式	monomial
多项式	polynomial, multinomial
系数	coefficient
未知数	unknown, x-factor, y-factor, z-factor
等式，方程式	equation
一次方程	simple equation
二次方程	quadratic equation
三次方程	cubic equation
四次方程	quartic equation
不等式	inequation
阶乘	factorial
对数	logarithm
指数，幂	exponent
乘方	power
二次方，平方	square

三次方，立方	cube
四次方	the power of four, the fourth power
n 次方	the power of n, the nth power
开方	evolution, extraction
二次方根，平方根	square root
三次方根，立方根	cube root
四次方根	the root of four, the fourth root
n 次方根	the root of n, the nth root
集合	aggregate
元素	element
空集	void
子集	subset
交集	intersection
并集	union
补集	complement
映射	mapping
函数	function
定义域	domain, field of definition
值域	range
常量	constant
变量	variable
单调性	monotonicity
奇偶性	parity
周期性	periodicity
图像	image
数列，级数	series
微积分	calculus
微分	differential
导数	derivative
极限	limit
无穷大	infinite(*adj.*) infinity(*n.*)
无穷小	infinitesimal
积分	integral
定积分	definite integral
不定积分	indefinite integral
有理数	rational number
无理数	irrational number
实数	real number

虚数	imaginary number
复数	complex number
矩阵	matrix
行列式	determinant
几何	geometry
点	point
线	line
面	plane
体	solid
线段	segment
射线	radial
平行	parallel
相交	intersect
角	angle
角度	degree
弧度	radian
锐角	acute angle
直角	right angle
钝角	obtuse angle
平角	straight angle
周角	perigon
底	base
边	side
高	height
三角形	triangle
锐角三角形	acute triangle
直角三角形	right triangle
直角边	leg
斜边	hypotenuse
勾股定理	Pythagorean theorem
钝角三角形	obtuse triangle
不等边三角形	scalene triangle
等腰三角形	isosceles triangle
等边三角形	equilateral triangle
四边形	quadrilateral
平行四边形	parallelogram
矩形	rectangle
长	length

宽	width
菱形	rhomb, rhombus, rhombi(*pl.*), diamond
正方形	square
梯形	trapezoid
直角梯形	right trapezoid
等腰梯形	isosceles trapezoid
五边形	pentagon
六边形	hexagon
七边形	heptagon
八边形	octagon
九边形	enneagon
十边形	decagon
十一边形	hendecagon
十二边形	dodecagon
多边形	polygon
正多边形	equilateral polygon
圆	circle
圆心	centre(*BrE*), center(*AmE*)
半径	radius
直径	diameter
圆周率	pi
弧	arc
半圆	semicircle
扇形	sector
环	ring
椭圆	ellipse
圆周	circumference
周长	perimeter
面积	area
轨迹	locus, loca(*pl.*)
相似	similar
全等	congruent
四面体	tetrahedron
五面体	pentahedron
六面体	hexahedron
平行六面体	parallelepiped
立方体	cube
七面体	heptahedron

八面体	octahedron
九面体	enneahedron
十面体	decahedron
十一面体	hendecahedron
十二面体	dodecahedron
二十面体	icosahedron
多面体	polyhedron
棱锥	pyramid
棱柱	prism
棱台	frustum of a prism
旋转	rotation
轴	axis
圆锥	cone
圆柱	cylinder
圆台	frustum of a cone
球	sphere
半球	hemisphere
底面	undersurface
表面积	surface area
体积	volume
空间	space
坐标系	coordinates
坐标轴	x-axis, y-axis, z-axis
横坐标	x-coordinate
纵坐标	y-coordinate
原点	origin
双曲线	hyperbola
抛物线	parabola
三角	trigonometry
正弦	sine
余弦	cosine
正切	tangent
余切	cotangent
正割	secant
余割	cosecant
反正弦	arc sine
反余弦	arc cosine
反正切	arc tangent

反余切	arc cotangent
反正割	arc secant
反余割	arc cosecant
相位	phase
周期	period
振幅	amplitude
内心	incentre(*BrE*), incenter(*AmE*)
外心	excentre(*BrE*), excenter(*AmE*)
旁心	escentre(*BrE*), escenter(*AmE*)
垂心	orthocentre(*BrE*), orthocenter(*AmE*)
重心	barycentre(*BrE*), barycenter(*AmE*)
内切圆	inscribed circle
外切圆	circumcircle
统计	statistics